컴퓨터 활용
엑셀 2016

한혜경 · 윤정희 공저

오성미디어

컴퓨터 활용
엑셀 2016

초판인쇄 2020년 2월 20일
초판발행 2020년 2월 20일
저 자 한혜경, 윤정희 공저
펴 낸 이 오 성 걸
펴 낸 곳 오성미디어
주 소 132-916 서울시 도봉구 창 3동 491-1
전 화 02)997-0136
F A X 02)997-0137

등 록 2020. 2. 20 제 7-212 호
ISBN 978-89-6628-571-6 값 13,000 원

머리말

Office Excel 2016

우리는 대부분 Microsoft Office 프로그램을 들어보거나, 한번쯤은 그 프로그램 중 일부를 사용해 봤을 것 입니다. 그 중 엑셀 프로그램은 업무나 학교생활에서 자주 사용하는 프로그램 중 하나입니다. 엑셀이 중요하다는 것은 누구나 알고 있습니다. 하지만 많은 학생들이 오피스 프로그램 중 가장 어렵다고 생각하는 프로그램 입니다.

엑셀을 빠르고 쉽고 편하게 학습할 수는 없습니다. 이 책은 엑셀 2016을 학습할 수 있도록 구성된 교재입니다. 본문 내용과 함께 제공되는 예제 파일을 바탕으로 기본 기능의 지식을 습득하고 실전 예제 및 확인 학습을 통하여 배운 내용을 바탕으로 예제 파일을 각자 만들어 봄으로써 각 장에서 배운 내용을 다시 한 번 정리할 수 있게 구성되었습니다. 또한 이 책을 학습하며 엑셀에 대한 자신감도 생길 것이며, 그로 인하여 엑셀 관련 자격증을 취득하는 기반을 마련함으로써 자신의 능력을 테스트 해 볼 수 있는 기회도 주어지게 될 것입니다. 추후에 자신이 원한다면 엑셀 관련 자격증 시험에 도전하여 멋지게 성공하시길 기원합니다.

이 책을 통해 모든 학생들이 엑셀에 대한 두려움을 떨치고 쉽게 배울 수 있는 기회가 되기를 기대합니다. 책이 완성되기까지 많은 도움을 주신 분들께 감사드립니다. 저를 이 자리에 있게 해주신 교수님, 저를 언제나 믿고 응원해주시는 부모님, 그리고 오성미디어 사장님과 편집부 여러분들께 다시 한 번 감사의 말씀을 드립니다.

윤정희

Contents

Chapter2. 데이터 시각화 작업

Chapter3. 데이터 분석

Contents

Chapter4. 문서 보호 및 설정

Chapter5. 수식 계산

Chapter6. 함수 활용

Office Excel 2016

엑셀은 MS-Office 프로그램 중 하나로, 표에 정리된 데이터를 이용하여 다양한 함수를 활용하여 계산하고 데이터를 조건에 맞게 분석하며 시각적인 정보인 차트를 생성하여 업무를 효율적으로 작업할 수 있는 스프레드시트 프로그램입니다.

MS-Office Excel 2016

엑셀은 MS-Office 프로그램 중 하나로, 표에 정리된 데이터를 이용하여 다양한 함수를 활용하여 계산하고, 데이터를 조건에 맞게 분석하며, 시각적인 정보인 차트를 생성하여 업무를 효율적으로 작업할 수 있는 스프레드시트 프로그램입니다.

1 Excel 2016 시작하기

1. 엑셀 2016 프로그램을 시작하기 위하여 바탕화면에 있는 아이콘( ) 또는 [시작 - 모든 프로그램 - E - Excel 2016] 메뉴를 클릭하면 프로그램이 실행됩니다.

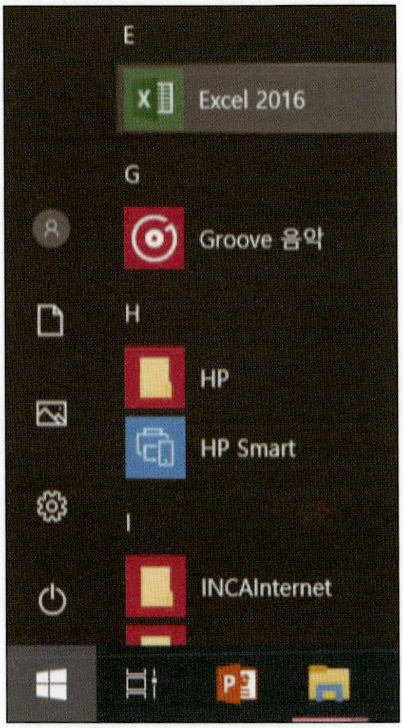

2. 엑셀 2016을 실행하면 최근 사용한 항목과 서식이 나타납니다. 이곳에서 서식파일을 선택하거나 새 통합 문서를 이용하여 새로운 문서를 작성할 수 있습니다.

3. 새 통합 문서를 클릭하면 이전 버전과 동일하게 빈 통합 문서1.xlsx 파일이 생성되고 엑셀 워크시트 화면이 나타나게 됩니다.

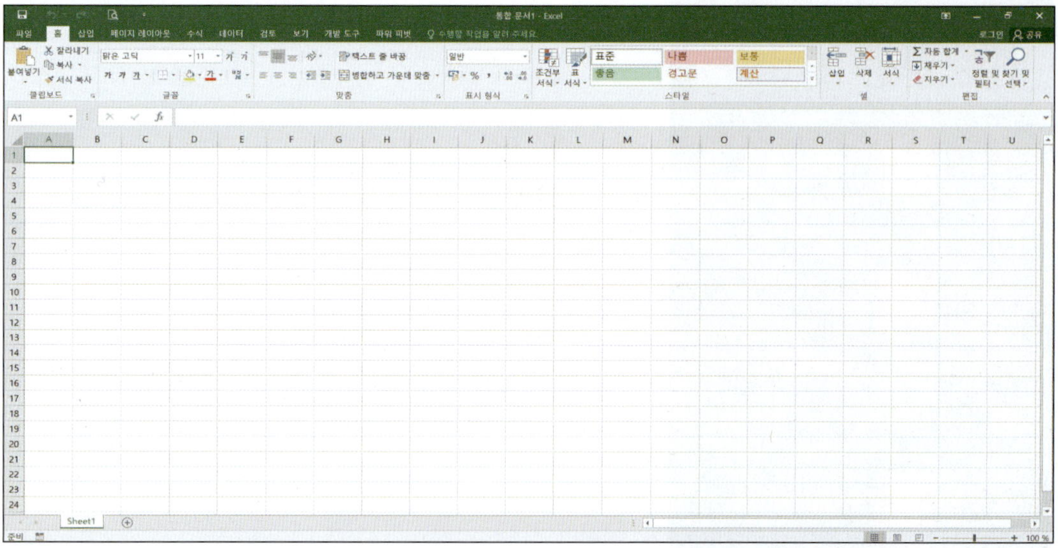

Tip

기본 시트의 개수는 옵션에서 설정이 가능합니다.
[Excel 옵션 – 일반 – 새 통합문서 만들기 – 포함할 시트 수]

※ 만약, 이 기능이 익숙하지 않아 불편하다면 Excel 옵션에서 시작화면을 표시하지 않고 바로 빈 워크시트 화면으로 이동하도록 설정이 가능합니다.

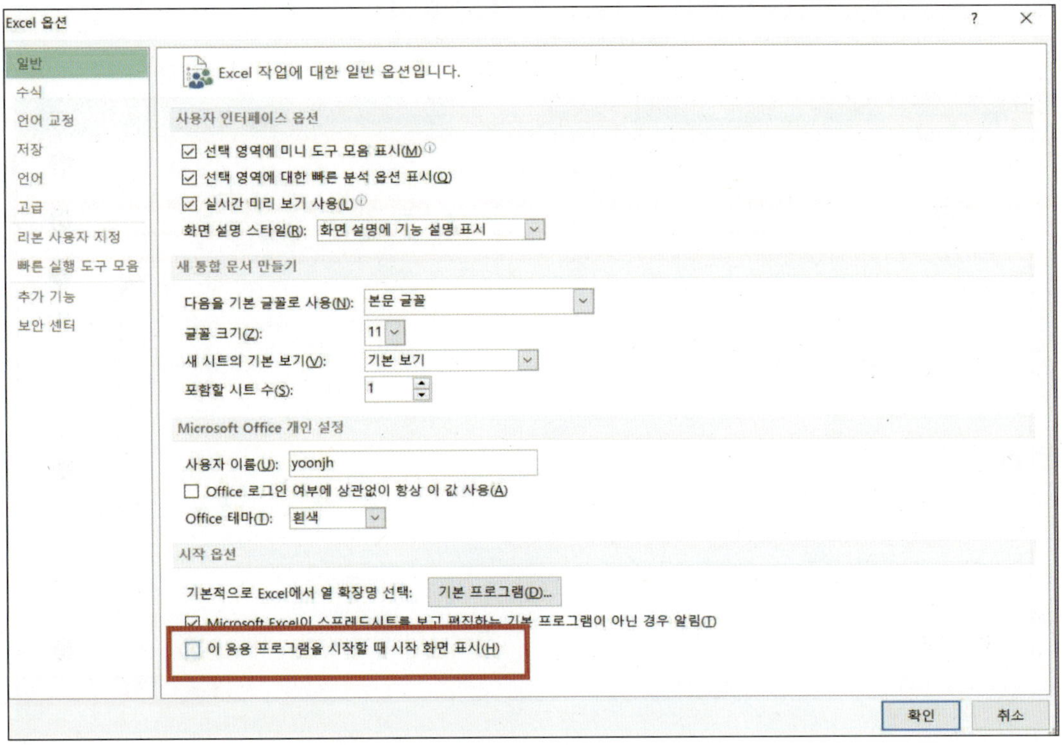

Tip

[파일 탭 – 옵션 – ‘이 응용 프로그램을 시작할 때 시작 화면 표시’ 체크 해제]

2 Excel 2016 화면 구성

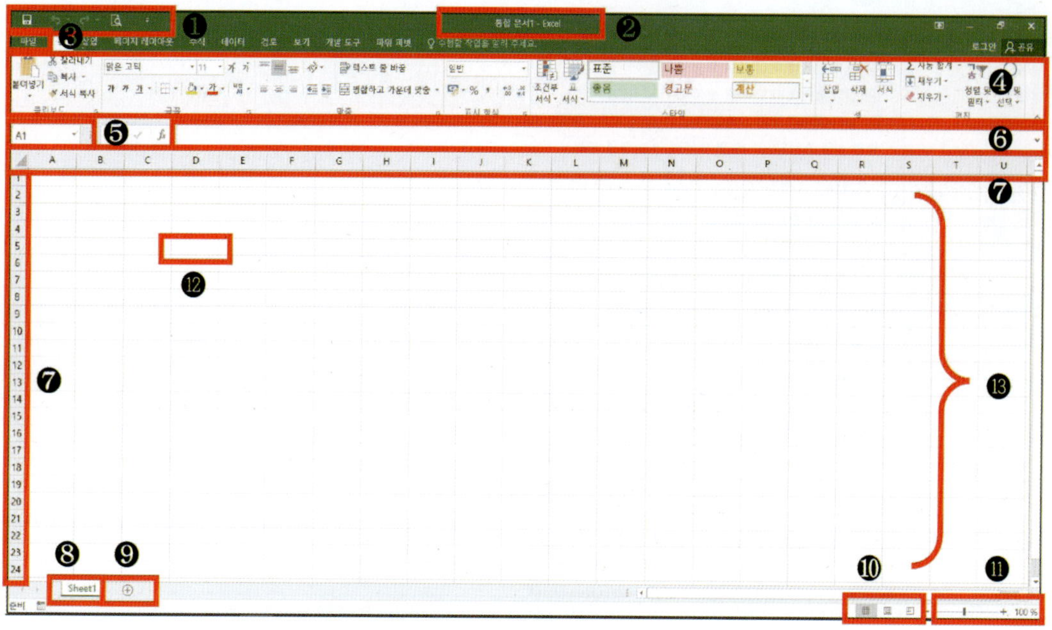

① 빠른 실행 도구 모음 : 저장, 실행 취소, 다시 실행의 명령 버튼가 포함되어 있으며, 사용자가 자주 사용하는 명령들을 아이콘으로 추가 및 구성하여 사용할 수 있습니다.

② 제목 표시줄 : 열려져 있는 통합 문서의 파일명이 표시되는 위치로, 저장하지 않은 상태에서는 통합문서1, 통합문서2 등으로 표시 됩니다. 오른쪽에는 도움말, 리본메뉴 표시옵션, 프로그램의 창을 조절하는 최소화, 최대화 버튼과 닫기 버튼이 있습니다.

③ 파일 탭 : 왼쪽의 Backstage 화면에는 정보, 새로 만들기, 열기, 저장, 다른 이름으로 저장, 인쇄, 공유, 내보내기, 닫기, 계정, 옵션 메뉴가 있으며 오른쪽 화면에서 세부내용을 손쉽게 설정할 수 있습니다.

④ 리본 메뉴 : Excel 2007부터 도입된 리본 메뉴는 더욱 직관적으로 명령을 찾아 수행할 수 있도록 사용자 인터페이스가 새롭게 개선된 구조입니다.

⑤ 이름 상자 : 보통 선택한 셀 주소나 정의된 이름이 표시되고 셀에 함수식을 입력할 때는 함수 상자로 바뀝니다.

⑥ 수식 입력줄: 셀에 입력된 데이터나 수식이 모두 표시되며, 수식을 직접 입력하거나 수정할 수 있는 곳입니다.

⑦ 열 머리글 / 행 머리글 : 가로와 세로줄을 표시하는 열과 행의 제목으로 열의 제목은 A열에서 XFD열까지 16,384개가 있고 행의 제목은 1행에서 1,048,576행까지 있습니다.

⑧ 시트 탭 : 한 워크시트 안에는 기본적으로 1개의 시트 탭이 나타나지만, 시스템의 메모리가 허락하는 한 하나의 문서 안에 얼마든지 탭을 추가할 수 있습니다.

⑨ 새 시트 : 현재 선택된 시트 위치 오른쪽으로 새로운 시트가 삽입된다.

⑩ 화면 보기 버튼 : 원하는 문서 보기 상태로 곧바로 이동할 수 있는 버튼으로 기본보기, 페이지 레이아웃, 페이지 나누어 미리보기 버튼으로 구성되어 있습니다.

⑪ 확대 / 축소 버튼 및 슬라이드 바 : 화면의 배율을 조정할 수 있는 곳으로 '확대 / 축소' 버튼을 클릭하여 대화상자에서 비율을 지정할 수 있습니다. 그리고 확대 / 축소 슬라이드 바를 이용하여 화면의 배율을 10~400%까지 조정할 수 있습니다.

⑫ 셀/셀 포인터 : 셀은 데이터를 입력하거나 수식을 입력하는 곳으로 워크시트의 가장 기본적인 단위입니다. 셀 포인터는 현재 선택한 셀을 말하며 셀에 데이터를 입력하거나 편집할 수 있는 상태를 의미합니다.

⑬ 워크시트 : 엑셀의 편집 영역을 의미하며 워크시트는 추가하거나 삭제할 수 있습니다.

3 리본 메뉴와 빠른 실행 도구 모음

리본메뉴

각각의 기능을 구조적으로 나열하여 사용자가 쉽게 선택하여 사용할 수 있도록 탭 별로 기능이 구분되어 있는 영역으로, 각 탭을 선택하면 그와 관련된 하위 기능들이 그룹별로 설정되어 있습니다. 원하는 탭을 선택하여 원하는 기능을 설정할 수 있으며 좀 더 세부적인 내용을 설정하고자 하면 각 그룹별 대화상자 버튼(↘)을 선택하여 설정할 수 있습니다.

리본메뉴 펼치기

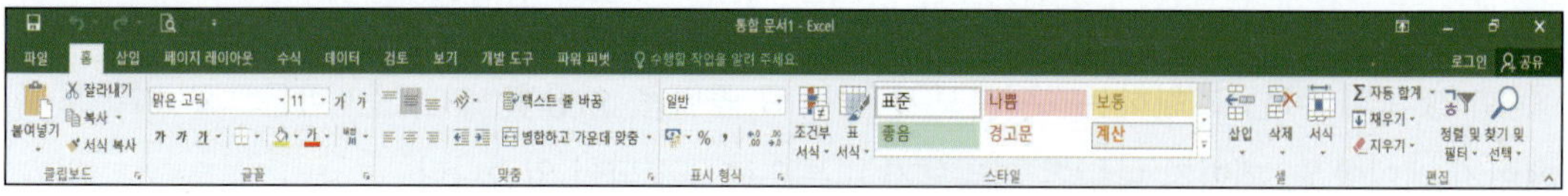

리본메뉴 숨기기

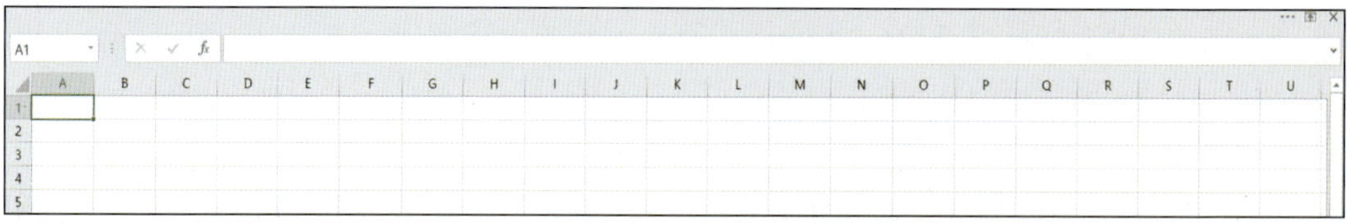

홈 탭

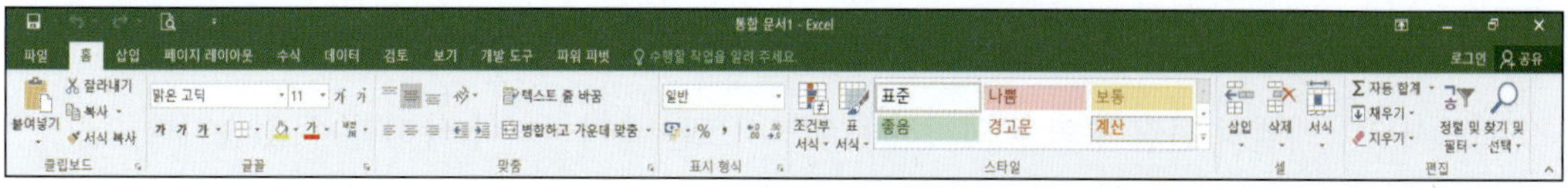

삽입 탭

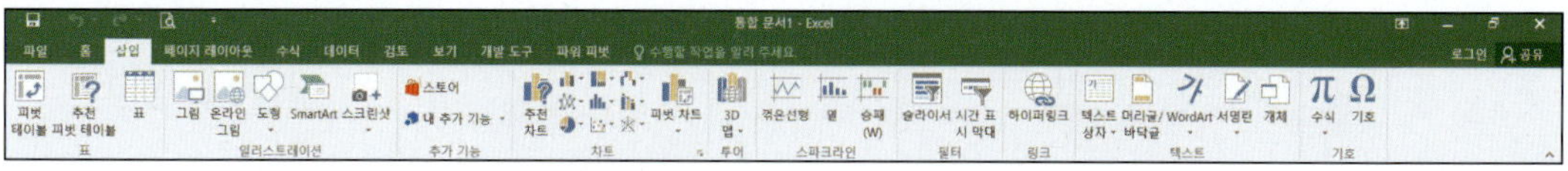

페이지 레이아웃 탭

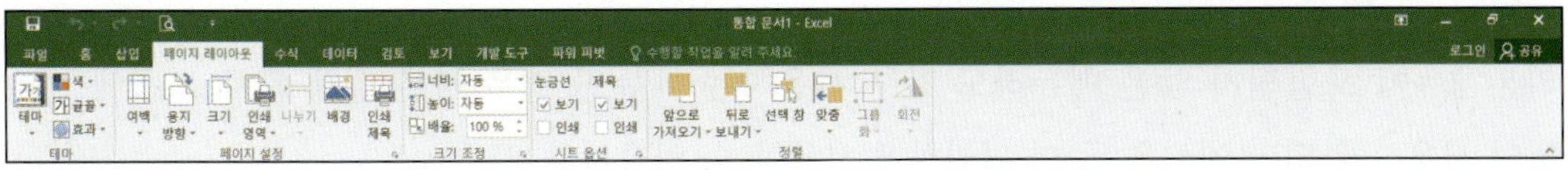

수식 탭

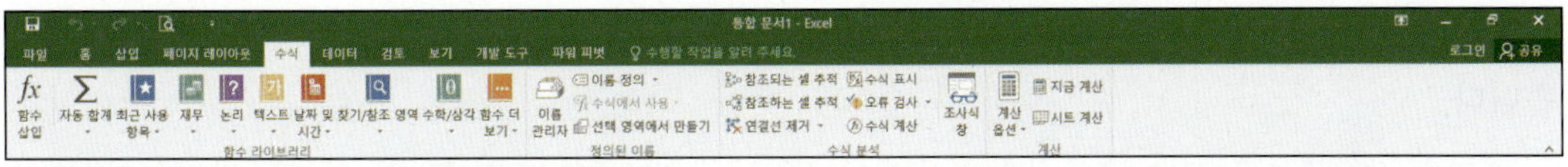

데이터 탭

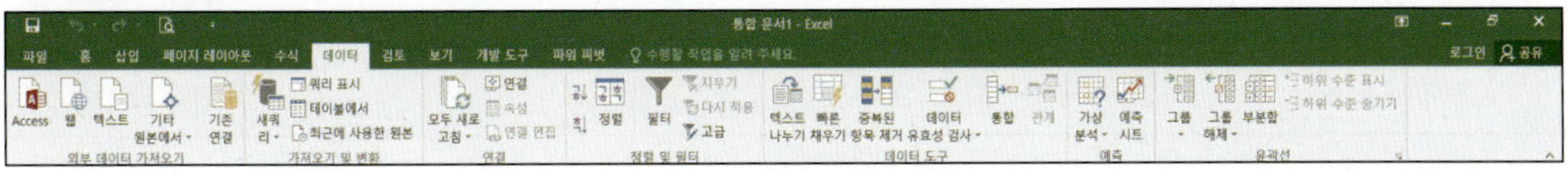

검토 탭

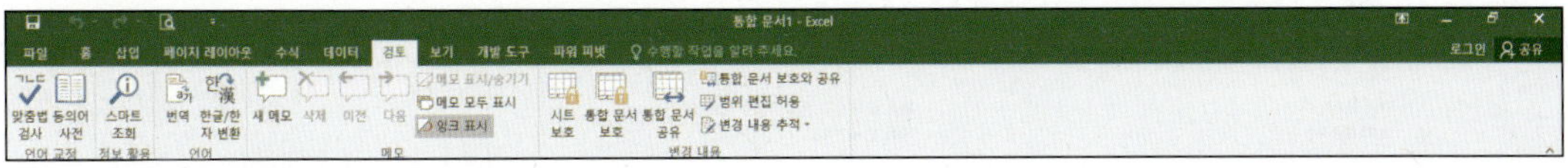

보기 탭

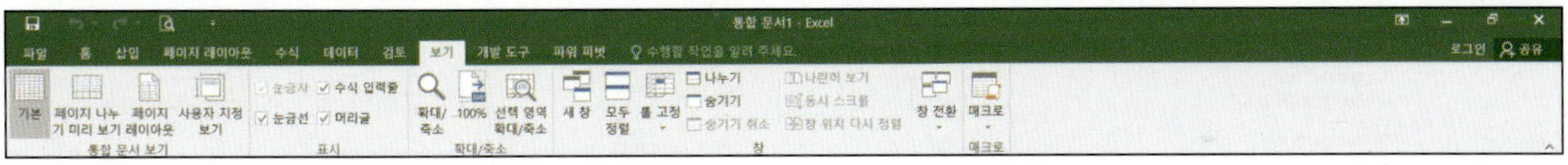

개발도구 탭

파워 피벗 탭

빠른 실행 도구 모음

리본메뉴에 포함되지 않은 메뉴라도 자주 사용하는 메뉴인 경우 빠른 실행 도구 모음에 설정하여 사용하게 되면 엑셀을 좀 더 편리하게 사용할 수 있습니다.

1. 원하는 메뉴 위에서 마우스를 오른 클릭하면, 빠른 실행 도구 모음에 바로 메뉴 추가할 수 있습니다.

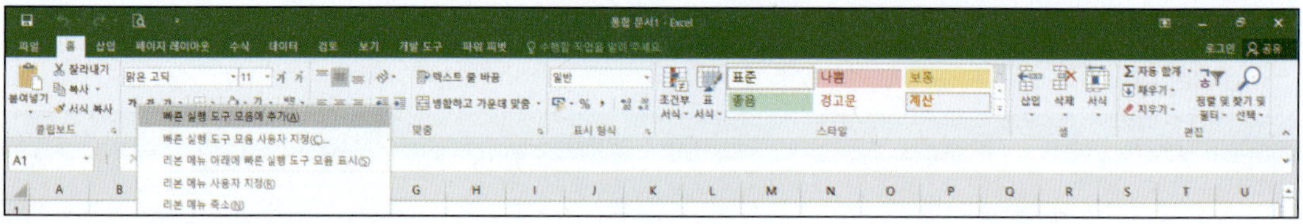

2. Excel 옵션 메뉴를 이용하여 빠른 실행 도구 모음에 메뉴 추가가 가능합니다.

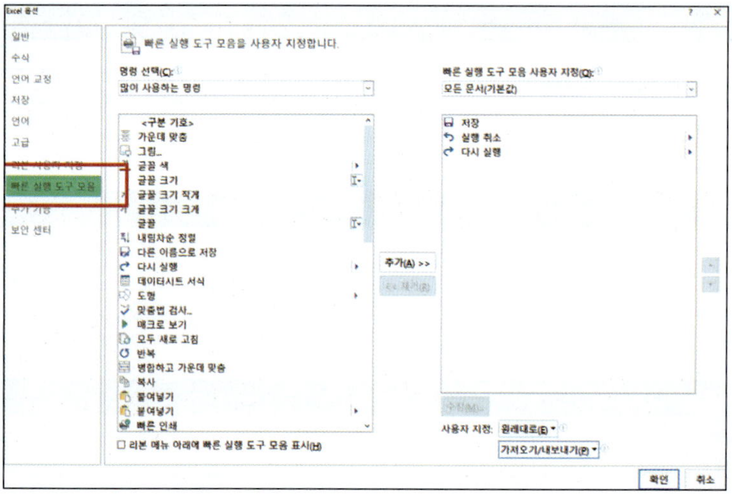

빠른 실행 도구 모음에 '굵게' 기능이 추가 된 모습

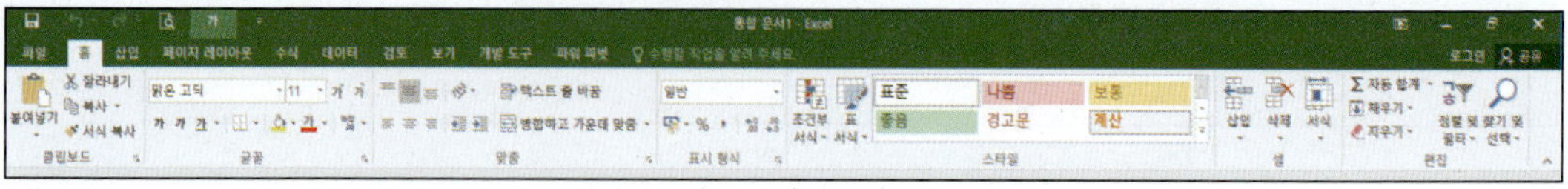

Chapter 1

데이터 입력 및 편집

01 다양한 데이터 입력

1-1 텍스트, 숫자, 한자 입력하기

02 채우기 핸들

2-1 연속된 데이터 입력하기

2-2 셀 복사하기

03 셀 / 행 / 열 / 창 / 시트

3-1 셀 편집하기

3-2 행 / 열 편집하기

3-3 창 나누기

3-4 워크시트 편집하기

04 표시 형식

4-1 스타일별 표시형식 설정하기

4-2 사용자 정의를 이용하여 설정하기

01 다양한 데이터 입력

텍스트, 숫자, 한자 등 다양한 데이터를 셀 안에 입력하고 수정할 수 있다.
또한 셀 안에서 줄바꾸기를 이용하여 편집 할 수 있다.

예제파일 : 1장예제.xlsx

1-1 텍스트, 숫자, 한자 입력하기

따라해 보세요 – 텍스트, 숫자, 한자 입력하기

*시트명 : 다양한 데이터 입력

다양한 데이터를 이용하여 아래 화면과 동일하게 입력하세요.

1. B2셀에 커서를 이동한 후 아래 화면과 동일하게 입력합니다.

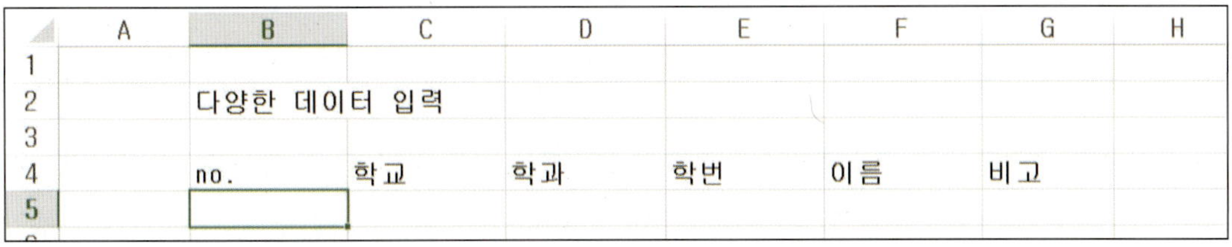

2. B4:G8 범위를 선택한 후 [홈 탭 – 글꼴 그룹 – 테두리 – 모든 테두리]를 클릭합니다. 표의 테두리 전체를 그릴 수 있습니다. [홈 탭 – 맞춤 그룹 – 가운데 맞춤]을 클릭하여 내용을 셀 가운데로 정렬합니다.

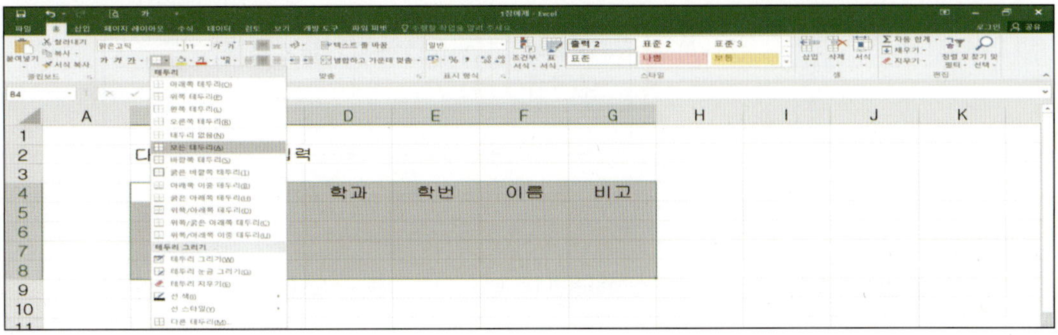

3. B5 셀에서부터 일련번호, 본인학교, 본인학과, 본인학번, 본인이름을 입력합니다.

	A	B	C	D	E	F	G	H
1								
2		다양한 데이터 입력						
3								
4		no.	학교	학과	학번	이름	비고	
5		1	00대학교	00학과	201712345	윤정희		

4. 이름을 한자로 변경하기 위하여 F5 셀을 더블 클릭하여 이름을 한 글자씩 선택한 후 '한자' 키를 이용하여 본인의 이름을 한자로 변경합니다.

	A	B	C	D	E	F	G	H
1								
2		다양한 데이터 입력						
3								
4		no.	학교	학과	학번	이름	비고	
5		1	00대학교	00학과	201712345	尹晶熙		

Tip

기본적으로 텍스트를 입력하면 문자는 '왼쪽 정렬', 숫자는 '오른쪽 정렬' 이 적용되는 것을 확인 할 수 있습니다.

5. 'OO학과' 셀 안에 한줄을 추가하기 위하여 D5 셀을 더블 클릭 한 후 커서를 'OO학과' 앞으로 이동하고 'XX학부' 를 입력합니다. 'Alt + Enter' 키를 동시에 누르면 셀 안에서 행이 바뀌면서 줄 바꿈이 실행됩니다.

	A	B	C	D	E	F	G	H
1								
2		다양한 데이터 입력						
3								
4		no.	학교	학과	학번	이름	비고	
5		1	00대학교	XX학부 00학과	201712345	尹晶熙		
6								
7								
8								

Tip

셀 범위에 자동으로 줄 바꿈을 실행하려면 [홈 탭 – 맞춤 그룹 – 텍스트 줄 바꿈]을 적용합니다.

6. Enter 키를 눌러 입력을 완료합니다. 아래와 같이 입력되는 것을 확인할 수 있습니다.

	A	B	C	D	E	F	G	H
1								
2		다양한 데이터 입력						
3								
4		no.	학교	학과	학번	이름	비고	
5		1	00대학교	XX학부 00학과	201712345	尹晶熙		
6								
7								
8								

Tip

엑셀에서는 문자, 숫자, 수식 등 데이터를 입력한 후에는 반드시 'Enter' 키를 입력하여 입력을 마무리 해야 합니다. 그렇지 않은 경우 데이터가 잘못 입력되는 오류가 발생하므로 주의하시기 바랍니다. 또한 셀 안의 내용을 잘못 입력한 경우 전체를 삭제하려면 셀을 클릭하고 'Del', 일부 내용만 삭제하고자 하면 해당 셀을 더블 클릭 하여 원하는 글자를 선택하여 삭제합니다. 셀 선택 후 '수식 입력줄' 에서도 수정할 수 있습니다.

02 채우기 핸들

채우기 핸들을 이용하여 연속된 문자나 숫자를 입력할 수 있고 동일한 셀의 내용을 복사할 수 있다.

예제파일 : 1장예제.xlsx

2-1 연속된 데이터 입력하기

따라해 보세요 – 연속된 데이터 입력하기

*시트명 : 채우기 핸들

채우기 핸들을 이용하여 연속된 숫자를 입력하세요.

1. B5 셀에 커서를 이동한 후 오른쪽 하단의 점 위에 마우스를 가져갑니다. 마우스 포인터 모양이 변경되는 것을 확인할 수 있습니다. (마우스 포인터 색 : 흰색 –> 검은색)

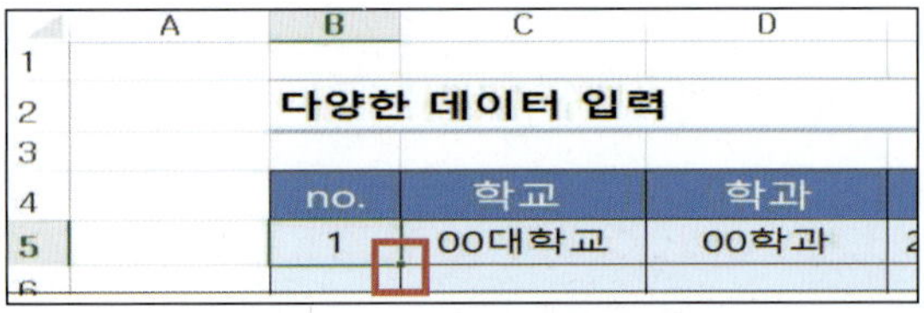

기억하세요: 범위를 선택할 때 하는 **드래그**가 아닙니다!!!

2. 마우스 포인터 모양이 변경되면 B13 셀까지 채우기 핸들 하여 셀을 복사합니다. 오른쪽 아래 '자동 채우기 옵션' 버튼( )을 클릭하여 '연속 데이터 채우기'로 옵션을 변경합니다. 복사된 숫자가 연속된 숫자로 변경되는 것을 확인할 수 있습니다.

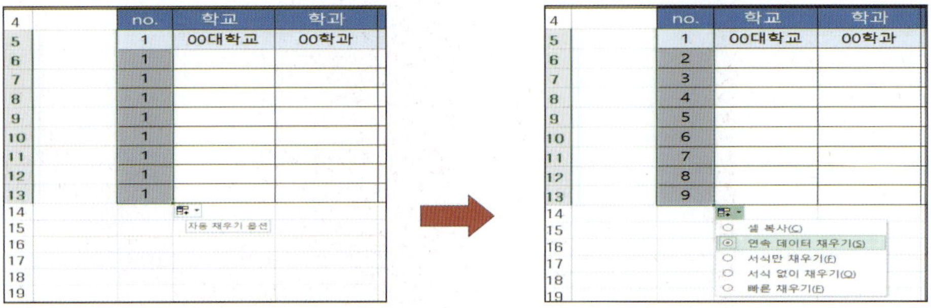

설명

붙여넣기 옵션

- 셀 복사 : 동일한 데이터가 한 번에 복사됩니다.
- 연속 데이터 채우기 : 연속된 문자 또는 숫자가 자동으로 입력됩니다.
- 서식만 채우기 : 텍스트를 제외한 셀에 적용된 서식(글꼴, 색 등)만 복사됩니다.
- 서식 없이 채우기 : 서식을 제외한 텍스트만 복사됩니다.
- 빠른 채우기 : 2013버전 이후에 새롭게 추가된 기능으로 일정한 패턴이 있는 데이터들이 입력된 경우 각각의 패턴이 있는 데이터를 쉽게 분리해줍니다.

Tip

Excel 옵션에서 자동 채우기 옵션을 이용하여 사용자가 원하는 내용을 임의로 직접 설정할 수 있습니다. [파일 탭 – 옵션 – 고급 – 사용자 지정 목록 편집]

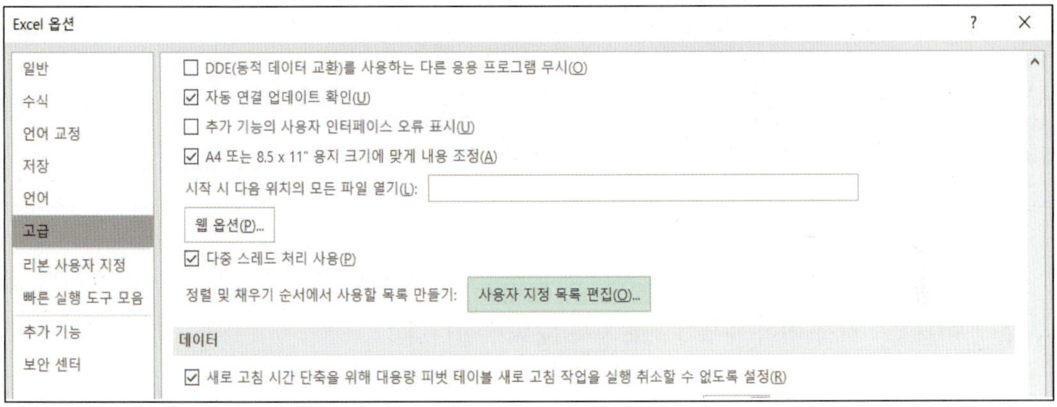

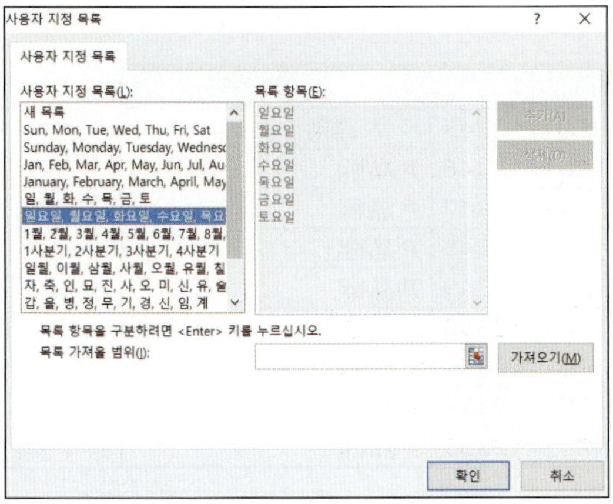

2-2 셀 복사하기

따라해 보세요 – 셀 복사하기

*시트명 : 채우기 핸들

자동 채우기 옵션을 이용하여 셀을 복사하세요.

1. C5 셀을 클릭하고 채우기 핸들을 이용하여 학교명을 자동 채우기 합니다.

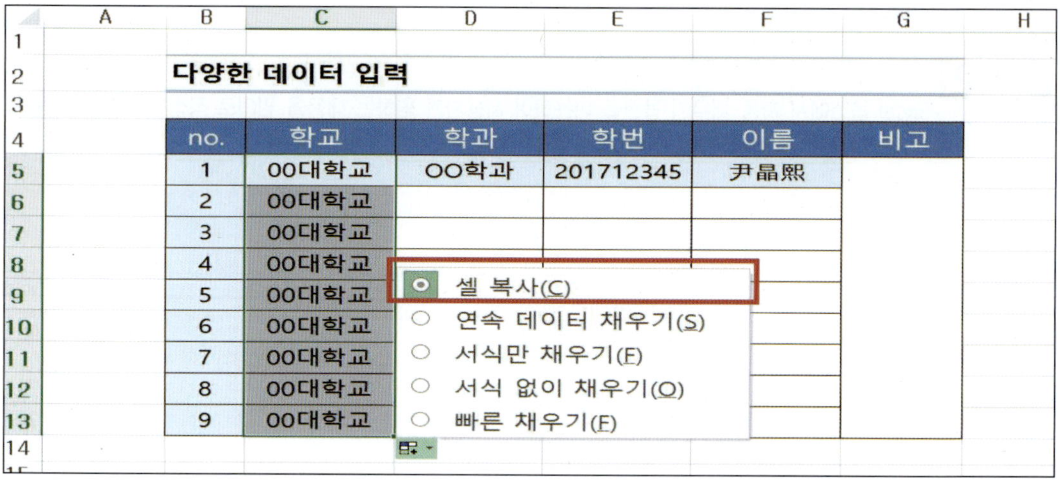

다양한 데이터 입력

no.	학교	학과	학번	이름	비고
1	OO대학교	OO학과	201712345	尹晶熙	
2	OO대학교				
3	OO대학교				
4	OO대학교				
5	OO대학교				
6	OO대학교				
7	OO대학교				
8	OO대학교				
9	OO대학교				

2. 위와 동일하게 채우기 핸들을 이용하여 학과는 '서식만 채우기', 학번은 '연속 데이터 채우기', 이름은 '서식 없이 채우기'로 자동 채우기 합니다.

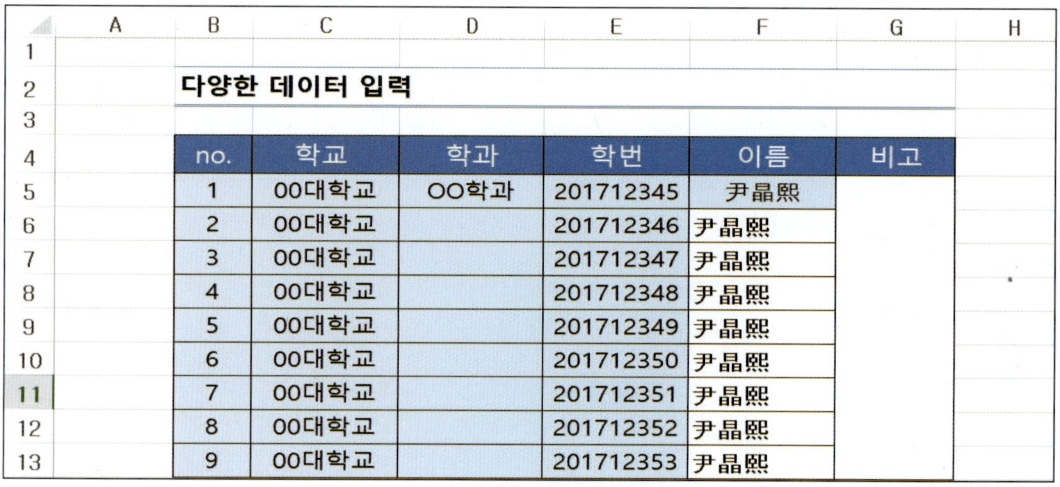

다양한 데이터 입력

no.	학교	학과	학번	이름	비고
1	OO대학교	OO학과	201712345	尹晶熙	
2	OO대학교		201712346	尹晶熙	
3	OO대학교		201712347	尹晶熙	
4	OO대학교		201712348	尹晶熙	
5	OO대학교		201712349	尹晶熙	
6	OO대학교		201712350	尹晶熙	
7	OO대학교		201712351	尹晶熙	
8	OO대학교		201712352	尹晶熙	
9	OO대학교		201712353	尹晶熙	

따라해 보세요 – 빠른 채우기

*시트명 : 채우기 핸들

J5:J9 셀에 I 열의 주소 중 '동'만 입력하세요.

1. J5 셀에 '성내동' 을 입력하고 Enter 키를 누릅니다.

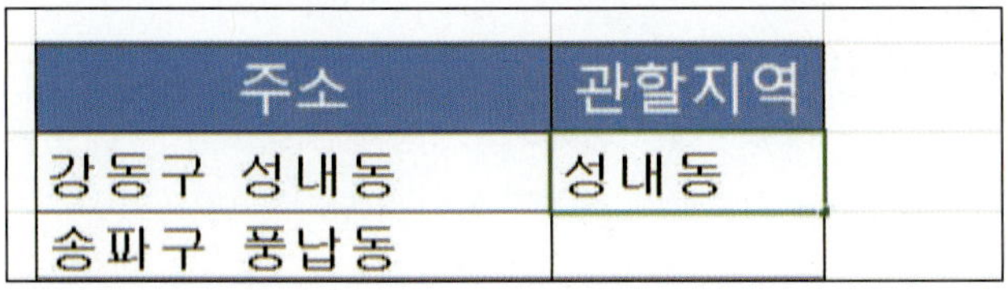

주소	관할지역
강동구 성내동	성내동
송파구 풍납동	

2. 채우기 핸들을 이용하여 J9 셀까지 셀 복사합니다. '자동 채우기 옵션' 버튼을 클릭하고 '빠른 채우기' 로 변경합니다.

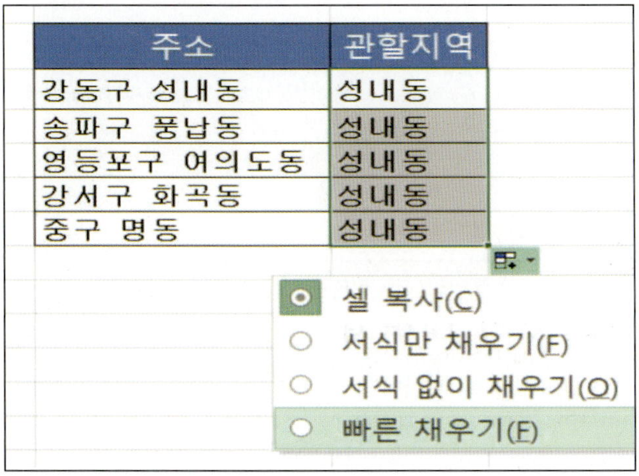

주소	관할지역
강동구 성내동	성내동
송파구 풍납동	성내동
영등포구 여의도동	성내동
강서구 화곡동	성내동
중구 명동	성내동

3. J5 셀에 입력한 것과 동일한 패턴으로 주소 셀의 내용 중 두 번째 단어 '00동' 에 해당하는 내용만 채워지는 것을 확인할 수 있습니다.

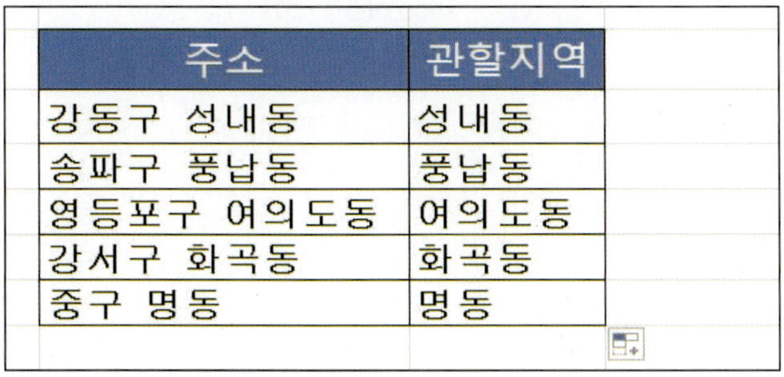

주소	관할지역
강동구 성내동	성내동
송파구 풍납동	풍납동
영등포구 여의도동	여의도동
강서구 화곡동	화곡동
중구 명동	명동

03 셀 / 행 / 열 / 창 / 시트

셀, 행, 열, 창, 워크시트에 대한 설정을 변경 할 수 있다.

예제파일 : 1장예제.xlsx

3-1 셀 편집하기

따라해 보세요 – 셀 삽입하기

*시트명 : 셀

C3 셀에 '학번' 셀을 삽입합니다.

1. C3 셀을 선택한 후 [마우스 오른 클릭 – 삽입]을 선택합니다.

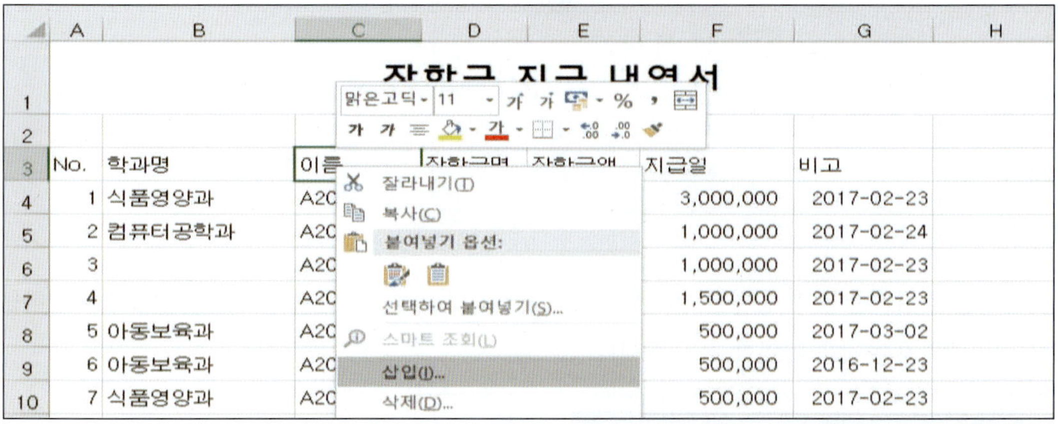

2. '셀을 오른쪽으로 밀기' 로 변경하고 확인 버튼을 클릭합니다. 새로운 셀이 삽입되고 C3 셀의 내용이 오른쪽으로 이동하는 것을 확인할 수 있습니다.

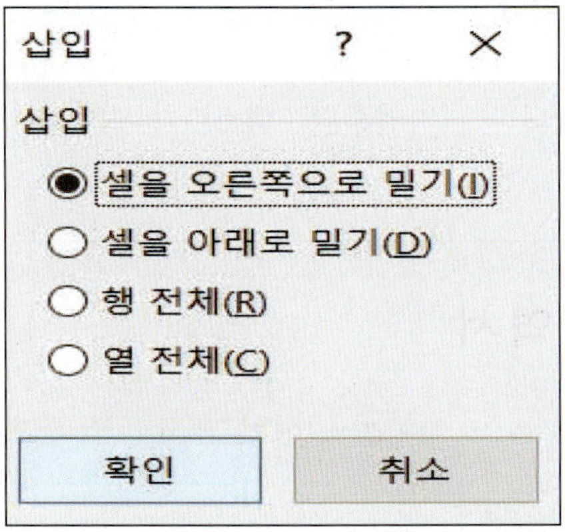

설명

삽입 옵션

- •셀을 오른쪽으로 밀기 : 선택된 셀을 기준으로 셀 내용이 오른쪽으로 한 칸씩 이동합니다.
- •셀을 아래로 밀기 : 선택된 셀을 기준으로 셀 내용이 아래쪽으로 한 줄씩 이동합니다.
- •행 전체 : 선택된 셀을 기준으로 하나의 행(가로) 전체가 삽입됩니다.
- •열 전체 : 선택된 셀을 기준으로 하나의 열(세로) 전체가 삽입됩니다.

3. C3 셀에 '학번' 이라고 입력합니다.

	A	B	C	D	E	F	G	H	I
1	장학금 지급 내역서								
2									
3	No.	학과명	학번	이름	장학금명	장학금액	지급일	비고	
4	1	식품영양과	A20130004	강경혜	기업후원	3,000,000	2017-02-23		
5	2	컴퓨터공학과	A20130011	강진욱		1,000,000	2017-02-24		
6	3		A20130003	김대현	우수논문	1,000,000	2017-02-23		

따라해 보세요 – 셀 복사하기

*시트명 : 셀

E4 셀을 노란 영역의 셀에 동시에 복사하여 붙여넣기 합니다.

1. E4 셀을 선택한 후 [마우스 오른 클릭 – 복사]를 클릭합니다. '기업후원' 텍스트가 복사됩니다. (Ctrl + c)

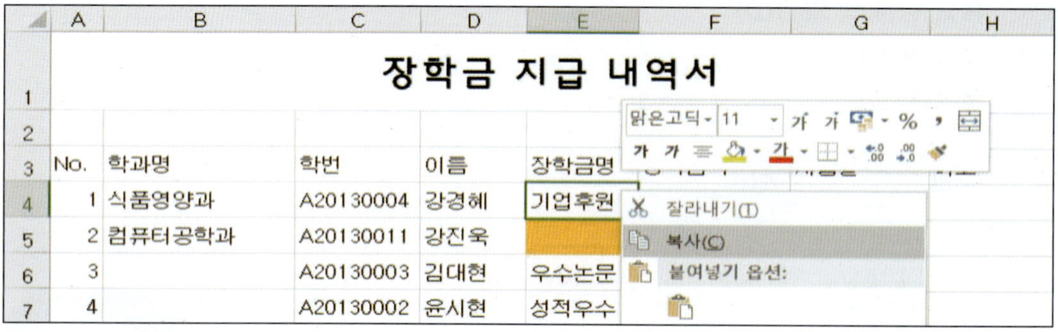

2. E5 셀을 클릭한 후 'Ctrl' 키를 누른 채로 차례대로 E14, E22, E27 셀을 클릭합니다. 선택된 영역 위에서 [마우스 오른 클릭 – 붙여넣기 옵션 중 붙여넣기]를 클릭합니다. '기업후원' 텍스트가 선택된 여러 셀에 동시에 붙여넣기 되는 것을 확인할 수 있습니다. (Ctrl + v)

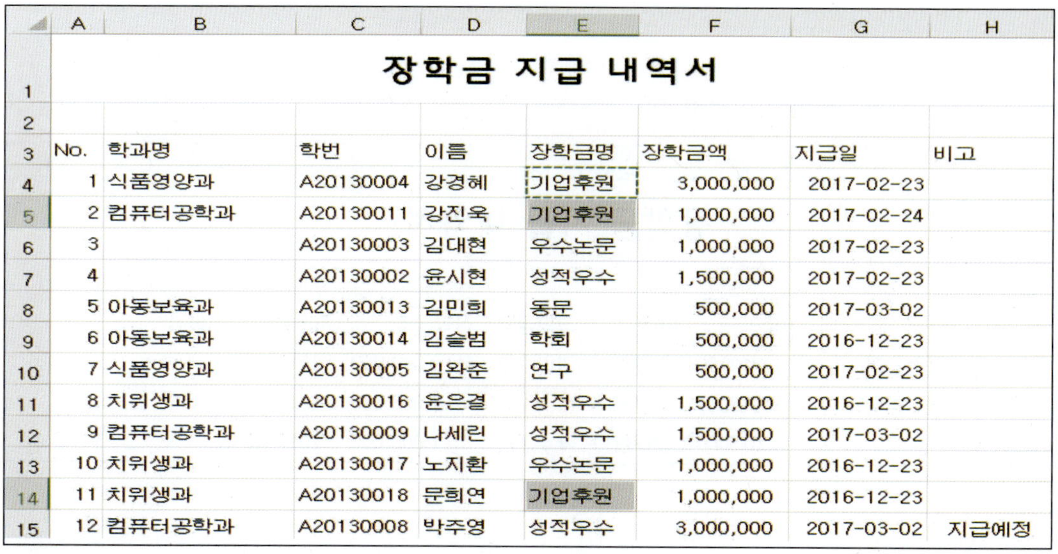

Tip

E4 셀을 클릭하고 'Ctrl' 키를 누른 채 마우스를 셀 테두리 위로 올리면 '+' 기호가 추가된 마우스 포인터로 변경됩니다. 그 상태로 원하는 셀로 드래그 하면 셀의 내용이 복사됩니다.

따라해 보세요 – 셀 이동하기

*시트명 : 셀

H15 셀의 '지급예정' 내용을 G15 셀로 이동합니다.

1. H15 셀을 선택한 후 [마우스 오른 클릭 – 잘라내기]를 클릭합니다. 셀 내용 전체가 잘라내기 됩니다.

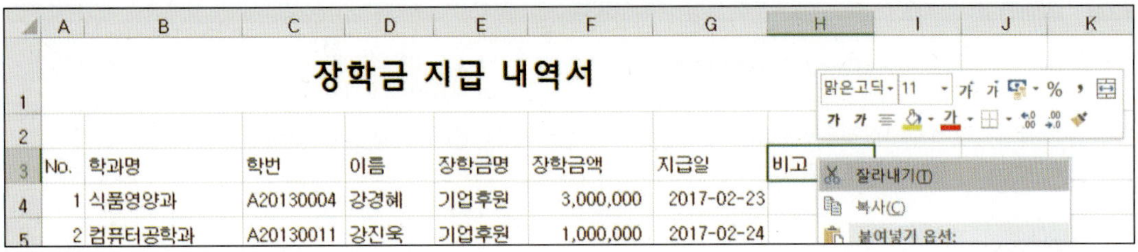

2. G15 셀을 선택한 후 [마우스 오른 클릭 – 붙여넣기 옵션 중 붙여넣기]를 클릭합니다.

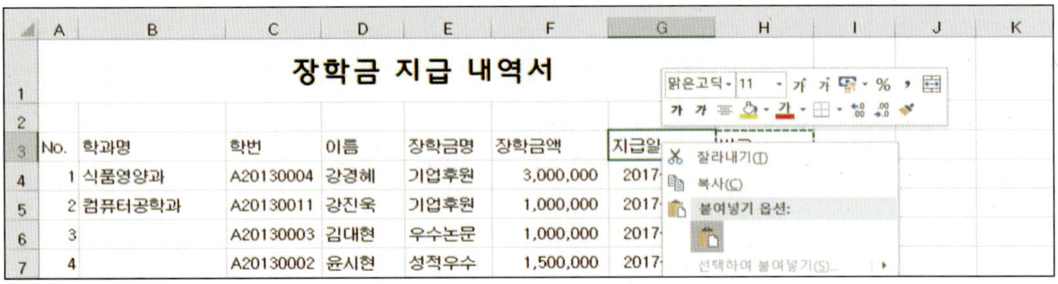

3. 잘려진 내용이 붙여넣기 되는 것을 확인할 수 있습니다.

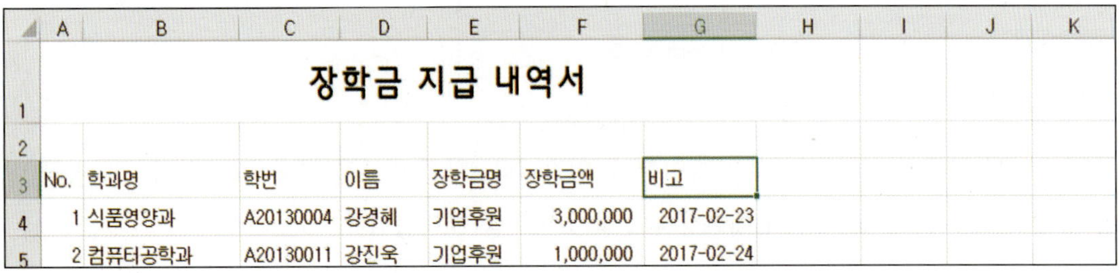

Tip

H15 셀을 클릭하고 마우스를 셀 테두리 위로 올리면 사방표시의 마우스 포인터로 변경됩니다. 그 상태로 원하는 셀로 드래그 해주면 셀의 내용이 이동됩니다.

따라해 보세요 – 찾기 및 바꾸기

*시트명 : 셀

'컴퓨터공학과'를 찾아서 '인터넷정보통신과'로 변경하세요.

1. 열 머리글 'B' 를 클릭하여 B열 전체를 선택한 후 [홈 탭 – 편집 그룹 – 찾기 및 선택 – 바꾸기] 클릭합니다.

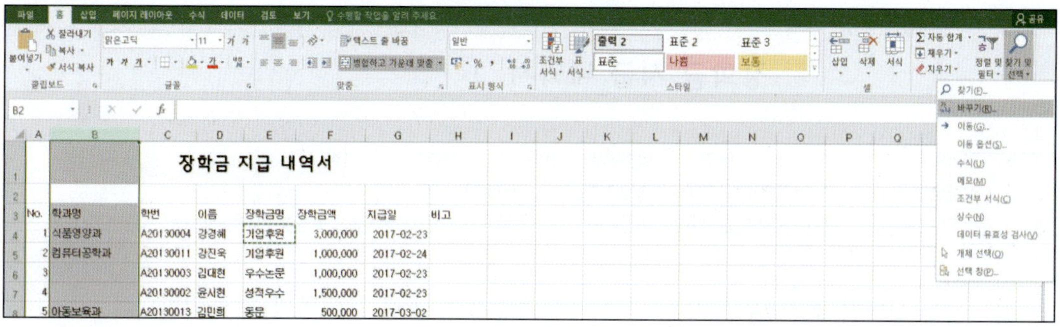

2. 찾기 및 바꾸기 대화상자가 나타나면 [찾을 내용 : 컴퓨터공학과, 바꿀 내용 : 인터넷정보통신과]를 입력한 후 모두 바꾸기 버튼을 클릭합니다.

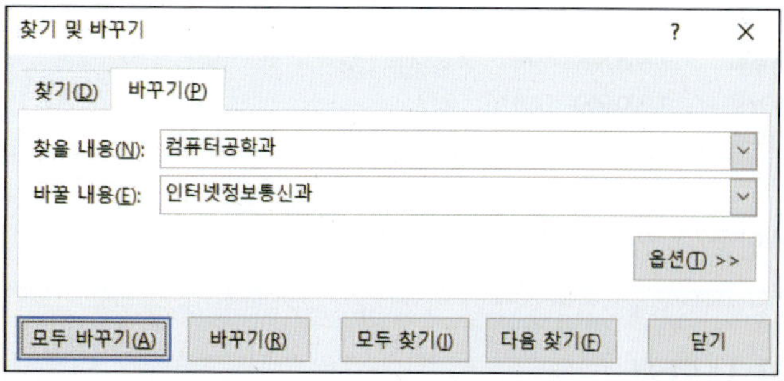

3. 총 4개의 항목이 변경되는 것을 확인할 수 있습니다. 확인 버튼을 클릭하고 더 이상 변경할 내용이 없는 경우 찾기 및 바꾸기 대화상자도 닫기 버튼을 클릭합니다.

4. '컴퓨터공학과' 셀의 내용이 모두 '인터넷정보통신과' 로 변경되는 것을 확인할 수 있습니다.

따라해 보세요 – 비어있는 셀에 동시에 텍스트 입력하기

*시트명 : 셀

학과명 열 중에서 빈 셀을 찾아 '부사관과' 텍스트를 동시에 입력하세요.

1. B4:B31 범위를 선택한 후 [홈 탭 – 편집 그룹 – 찾기 및 선택 – 이동 옵션] 클릭합니다.

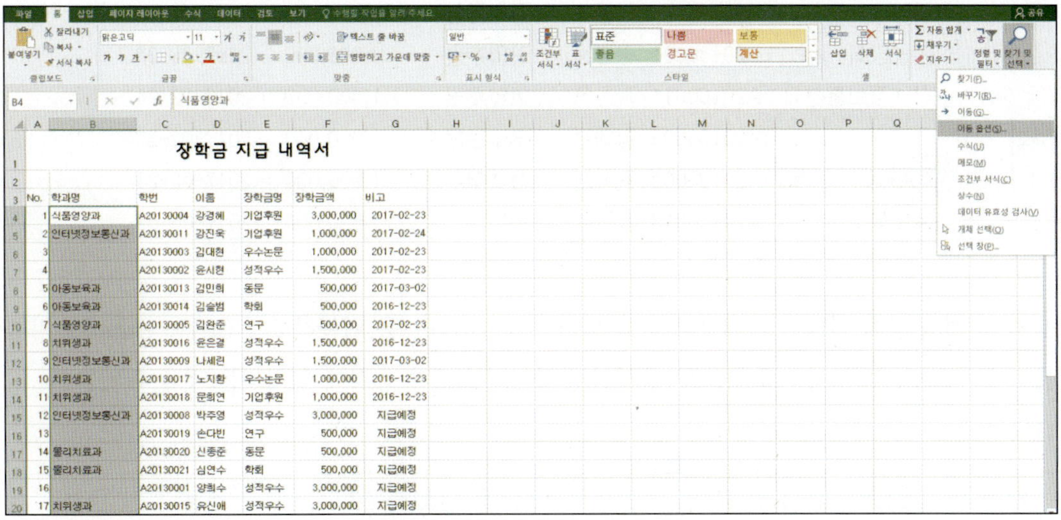

2. 이동 옵션 대화상자가 나타나면 '빈 셀'을 선택하고 확인 버튼을 클릭합니다.

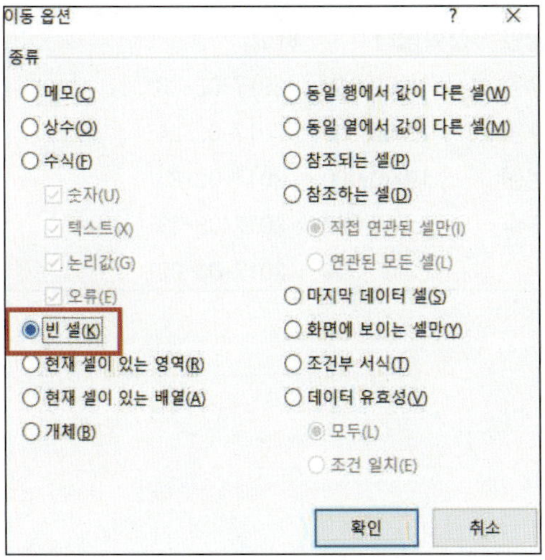

3. B4:B31 범위 중 비어있는 셀만 동시에 선택됩니다.

	A	B	C	D	E	F	G	H
1	장학금 지급 내역서							
2								
3	No.	학과명	학번	이름	장학금명	장학금액	비고	
4	1	식품영양과	A20130004	강경혜	기업후원	3,000,000	2017-02-23	
5	2	인터넷정보통신과	A20130011	강진욱	기업후원	1,000,000	2017-02-24	
6	3		A20130003	김대현	우수논문	1,000,000	2017-02-23	
7	4		A20130002	윤시현	성적우수	1,500,000	2017-02-23	
8	5	아동보육과	A20130013	김민희	동문	500,000	2017-03-02	

4. 여러 개의 셀이 선택된 상태로 하나의 셀에 '부사관과'를 입력하고 'Ctrl + Enter' 키를 동시에 누르면 비어있는 셀에 모두 '부사관과' 텍스트가 동시에 입력되는 것을 확인할 수 있습니다.

	A	B	C	D	E	F	G	H
1	장학금 지급 내역서							
2								
3	No.	학과명	학번	이름	장학금명	장학금액	비고	
4	1	식품영양과	A20130004	강경혜	기업후원	3,000,000	2017-02-23	
5	2	인터넷정보통신과	A20130011	강진욱	기업후원	1,000,000	2017-02-24	
6	3	부사관과	A20130003	김대현	우수논문	1,000,000	2017-02-23	
7	4	부사관과	A20130002	윤시현	성적우수	1,500,000	2017-02-23	
8	5	아동보육과	A20130013	김민희	동문	500,000	2017-03-02	

따라해 보세요 – 셀 병합하기

*시트명 : 셀

지급예정인 셀을 하나의 셀로 병합하세요.

1. G15:G31 범위를 선택한 후 [홈 탭 – 맞춤 그룹 – 병합하고 가운데 맞춤] 클릭합니다.

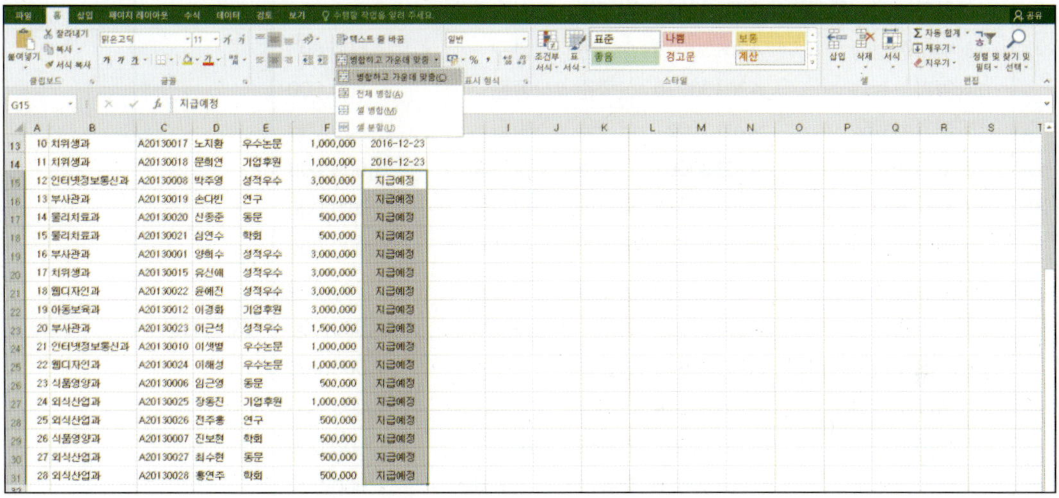

2. 여러 개의 셀 안에 모두 텍스트가 들어있는 경우 맨 위 또는 맨 왼쪽 셀의 내용만 남기고 나머지 텍스트는 삭제된다는 경고창이 나타납니다. 확인 버튼을 클릭합니다.

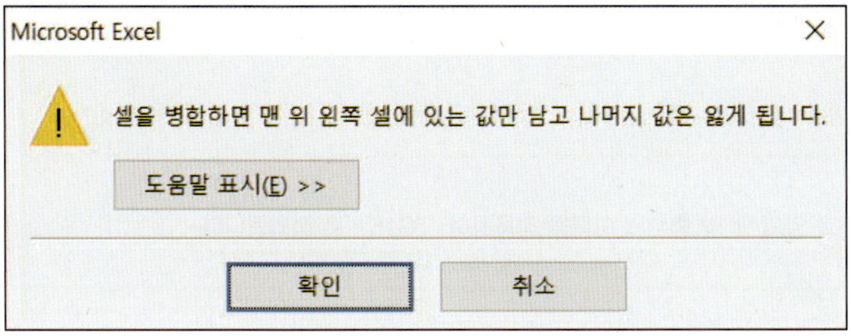

3. 17개의 셀이 하나의 셀로 병합되고 텍스트는 맨 위의 셀 내용 하나만 정 가운데 맞춤되어 표시되는 것을 확인할 수 있습니다.

	A	B	C	D	E	F	G	H
13	10	치위생과	A20130017	노지환	우수논문	1,000,000	2016-12-23	
14	11	치위생과	A20130018	문희연	기업후원	1,000,000	2016-12-23	
15	12	인터넷정보통신과	A20130008	박주영	성적우수	3,000,000		
16	13	부사관과	A20130019	손다빈	연구	500,000		
17	14	물리치료과	A20130020	신종준	동문	500,000		
18	15	물리치료과	A20130021	심연수	학회	500,000		
19	16	부사관과	A20130001	양희수	성적우수	3,000,000		
20	17	치위생과	A20130015	유신애	성적우수	3,000,000		
21	18	웹디자인과	A20130022	윤예진	성적우수	3,000,000		
22	19	아동보육과	A20130012	이경화	기업후원	3,000,000		
23	20	부사관과	A20130023	이근석	성적우수	1,500,000	지급예정	
24	21	인터넷정보통신과	A20130010	이샛별	우수논문	1,000,000		
25	22	웹디자인과	A20130024	이해성	우수논문	1,000,000		
26	23	식품영양과	A20130006	임근영	동문	500,000		
27	24	외식산업과	A20130025	장동진	기업후원	1,000,000		
28	25	외식산업과	A20130026	전주홍	연구	500,000		
29	26	식품영양과	A20130007	진보현	학회	500,000		
30	27	외식산업과	A20130027	최수현	동문	500,000		
31	28	외식산업과	A20130028	홍연주	학회	500,000		
32								

Tip

병합된 셀의 이름은 행과 열의 맨 앞 범위의 이름을 적용하여 'G15'로 정의됩니다.

따라해 보세요 – 셀 분할하기

*시트명 : 셀

G15 셀을 '전주홍 ~ 홍연주' 학생 범위를 분할하여 '계좌이체' 항목으로 수정하세요.

1. G15 셀을 선택한 후 [홈 탭 – 맞춤 그룹 – 병합하고 가운데 맞춤 – 셀 분할]을 클릭합니다.

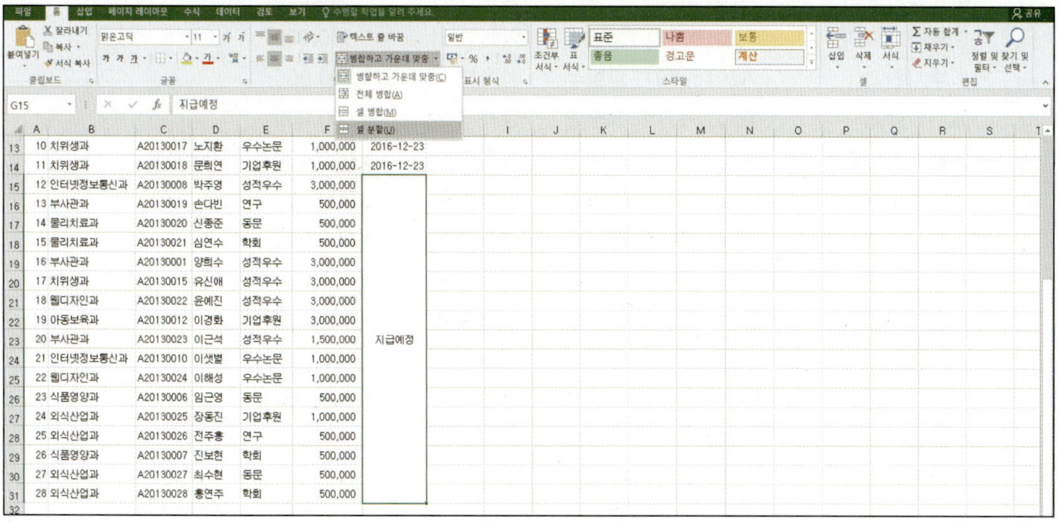

2. 17개의 셀로 다시 분할됩니다.

3. G15:G27 범위 선택한 후 [홈 탭 – 맞춤 그룹 – 병합하고 가운데 맞춤]을 클릭합니다. 셀이 병합되고 '지급예정' 텍스트가 정 가운데 맞춤 되는 것을 확인할 수 있습니다. 동일하게 G28:G31 범위 선택한 후 [홈 탭 – 맞춤 그룹 – 병합하고 가운데 맞춤]을 클릭합니다. 셀이 병합되고 '계좌이체' 를 입력하면 텍스트가 정 가운데 맞춤 되는 것을 확인할 수 있습니다.

	A	B	C	D	E	F	G	H
13	10	치위생과	A20130017	노지환	우수논문	1,000,000	2016-12-23	
14	11	치위생과	A20130018	문희연	기업후원	1,000,000	2016-12-23	
15	12	인터넷정보통신과	A20130008	박주영	성적우수	3,000,000		
16	13	부사관과	A20130019	손다빈	연구	500,000		
17	14	물리치료과	A20130020	신종준	동문	500,000		
18	15	물리치료과	A20130021	심연수	학회	500,000		
19	16	부사관과	A20130001	양희수	성적우수	3,000,000		
20	17	치위생과	A20130015	유신애	성적우수	3,000,000		
21	18	웹디자인과	A20130022	윤예진	성적우수	3,000,000	지급예정	
22	19	아동보육과	A20130012	이경화	기업후원	3,000,000		
23	20	부사관과	A20130023	이근석	성적우수	1,500,000		
24	21	인터넷정보통신과	A20130010	이샛별	우수논문	1,000,000		
25	22	웹디자인과	A20130024	이해성	우수논문	1,000,000		
26	23	식품영양과	A20130006	임근영	동문	500,000		
27	24	외식산업과	A20130025	장동진	기업후원	1,000,000		
28	25	외식산업과	A20130026	전주홍	연구	500,000		
29	26	식품영양과	A20130007	진보현	학회	500,000	계좌이체	
30	27	외식산업과	A20130027	최수현	동문	500,000		
31	28	외식산업과	A20130028	홍연주	학회	500,000		
32								

Tip

엑셀에서의 셀 분할 및 병합은 파워포인트나 워드와 달리 병합된 상태에서 다시 재 분할이 불가능합니다. 셀을 원래 상태로 되돌린 후 다시 원하는 만큼의 셀을 병합하여야 합니다.

3-2 행 / 열 편집하기

따라해 보세요 – 행 높이 및 열 너비 설정하기

*시트명 : 행 열

2 행의 높이를 '20'으로 변경하고, 셀 중 데이터가 제대로 표시되지 않는 셀의 열 너비를 데이터 길이에 맞게 조절하세요.

1. 행 머리글 중 '2' 위에서 [마우스 오른 클릭 – 행 높이]를 클릭합니다.

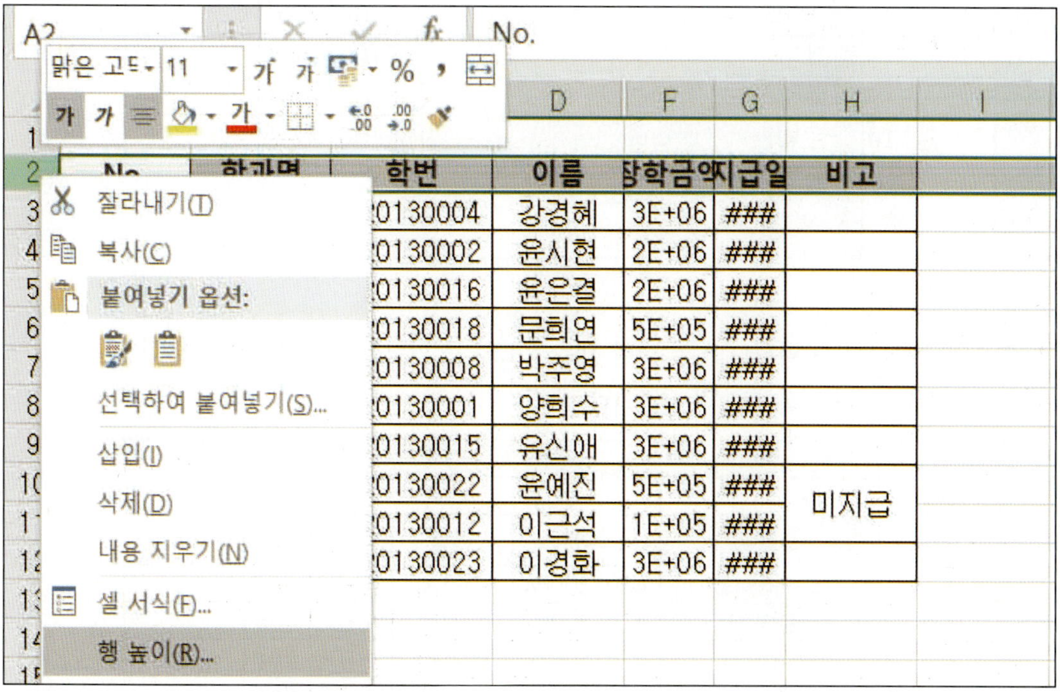

2. 행 높이 대화상자가 나타나면 값은 '20' 을 입력하고 확인 버튼을 클릭합니다. 2 행의 높이가 높아진 것을 확인할 수 있다.

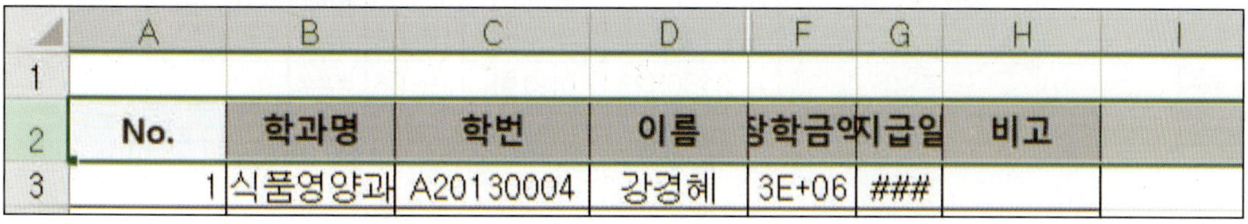

3. 열 머리글 중 'B' 위에서 [마우스 오른 클릭 – 열 너비]를 클릭합니다.

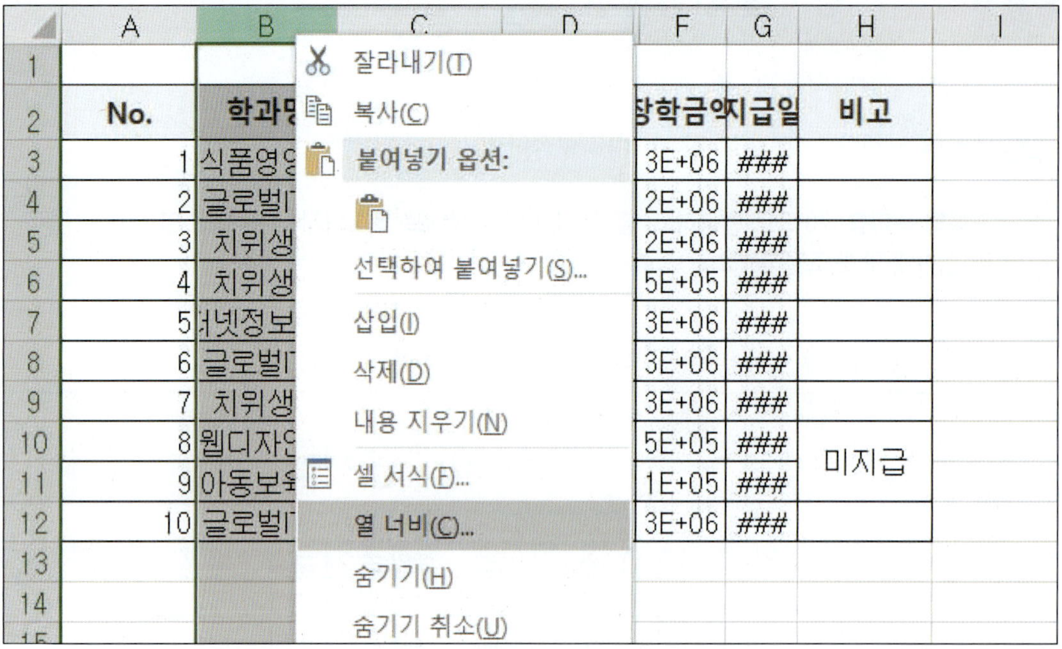

4. 열 너비 대화상자가 나타나면 열 너비 값은 '15'를 입력하고 확인 버튼을 클릭합니다. B 열의 너비가 넓어진 것을 확인할 수 있습니다.

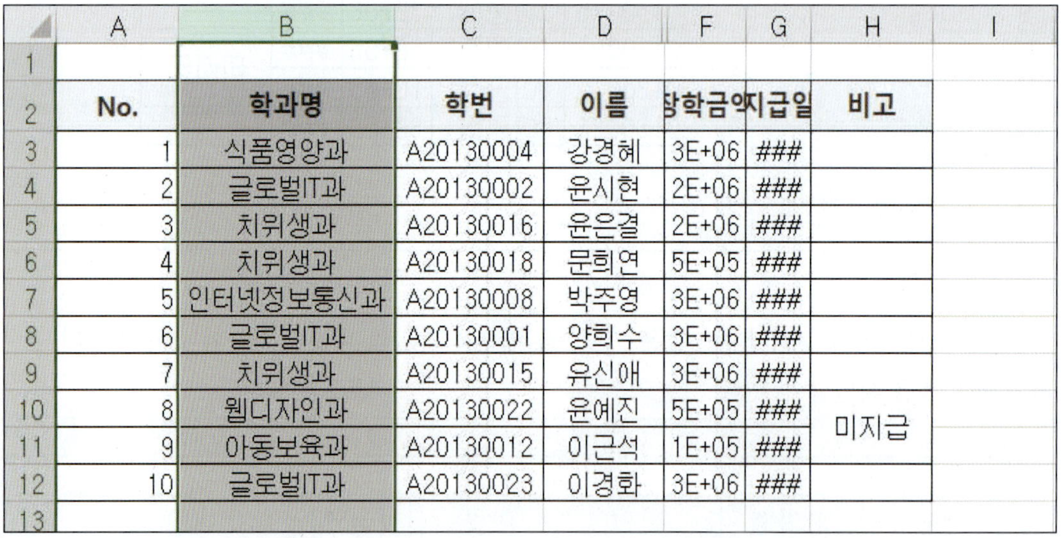

5. 위와 같은 방법으로 F 열, G 열의 너비를 변경할 수 있습니다.

	A	B	C	D	F	G	H	I
1								
2	**No.**	**학과명**	**학번**	**이름**	**장학금액**	**지급일**	**비고**	
3	1	식품영양과	A20130004	강경혜	3000000	42789		
4	2	글로벌IT과	A20130002	윤시현	1500000	42789		
5	3	치위생과	A20130016	윤은결	1500000	42727		
6	4	치위생과	A20130018	문희연	500000	42727		
7	5	인터넷정보통신과	A20130008	박주영	3000000	42789		
8	6	글로벌IT과	A20130001	양희수	3000000	42789		
9	7	치위생과	A20130015	유신애	3000000	42727		
10	8	웹디자인과	A20130022	윤예진	500000	42727	미지급	
11	9	아동보육과	A20130012	이근석	100000	42789		
12	10	글로벌IT과	A20130023	이경화	3000000	42789		
13								

Tip

데이터 길이보다 셀의 너비가 좁기 때문에 텍스트는 글자가 가려지게 되고 숫자의 경우 '3E+06'과 같은 지수 표현이나 '#######'으로 표기됩니다.
행 머리글(1, 2, 3...)이나 열 머리글(A, B, C...) 사이의 경계선에서 마우스를 '더블 클릭' 하면 데이터의 길이에 맞게 높이나 너비가 자동으로 변경됩니다. 또는 [홈 탭 – 셀 그룹 – 서식] 메뉴에서 행 높이와 열 너비를 변경할 수 있습니다.

따라해 보세요 – 행 삽입하기 및 삭제하기

*시트명 : 행 열

'3'행 뒤에 빈 행 하나를 추가하고, '윤시현' 학생의 행을 삭제하세요.

1. '4' 행 머리글에서 [마우스 오른 클릭 – 삽입]을 클릭합니다.

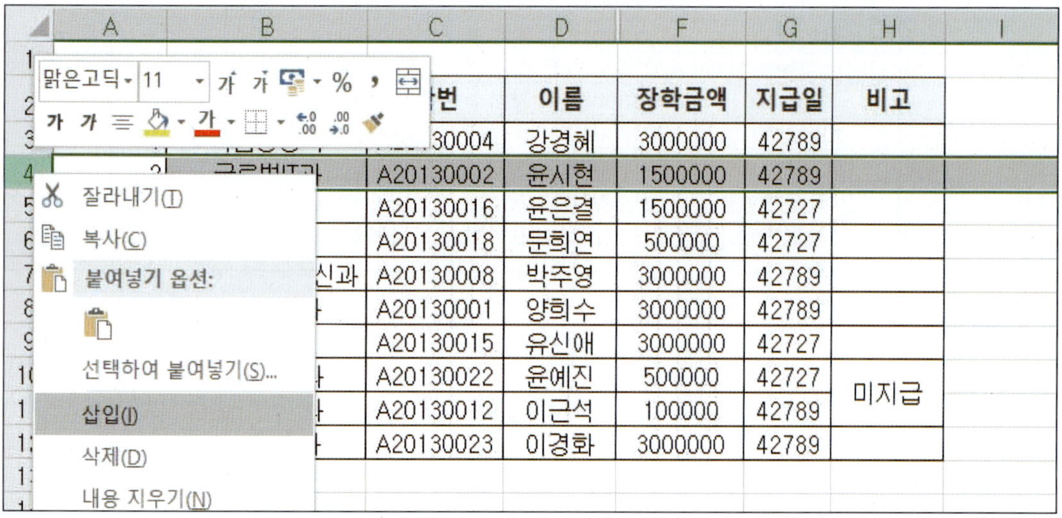

Tip 행이나 열은 선택한 행이나 열 앞에 삽입되므로 행이나 열을 삽입하기 위해서는 원하는 위치의 다음 행이나 열을 선택하고 삽입해야 합니다.

2. '3' 행과 '4' 행 사이에 빈 행 한 줄이 추가되는 것을 확인할 수 있습니다.

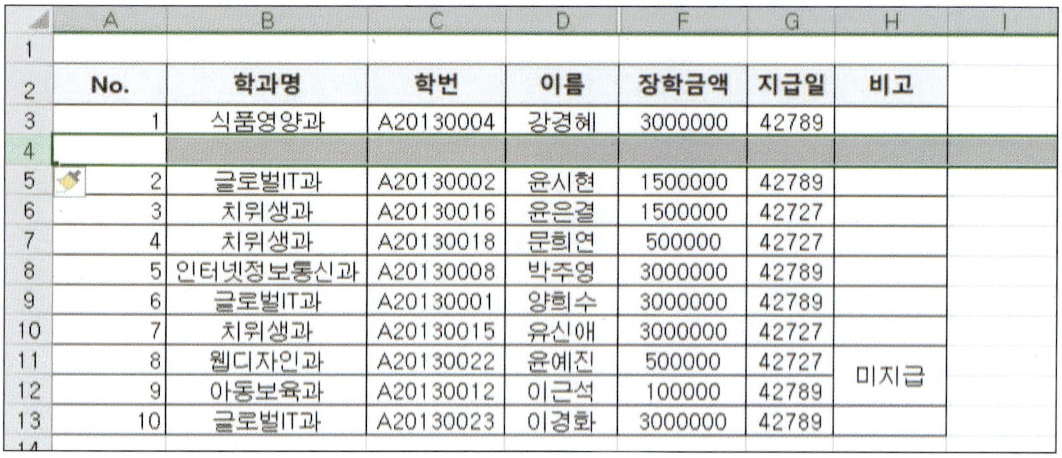

No.	학과명	학번	이름	장학금액	지급일	비고
1	식품영양과	A20130004	강경혜	3000000	42789	
2	글로벌IT과	A20130002	윤시현	1500000	42789	
3	치위생과	A20130016	윤은결	1500000	42727	
4	치위생과	A20130018	문희연	500000	42727	
5	인터넷정보통신과	A20130008	박주영	3000000	42789	
6	글로벌IT과	A20130001	양희수	3000000	42789	
7	치위생과	A20130015	유신애	3000000	42727	
8	웹디자인과	A20130022	윤예진	500000	42727	미지급
9	아동보육과	A20130012	이근석	100000	42789	
10	글로벌IT과	A20130023	이경화	3000000	42789	

3. '윤시현' 학생의 행을 삭제하기 위하여 '5' 행 머리글에서 [마우스 오른 클릭 – 삭제]를 클릭합니다.

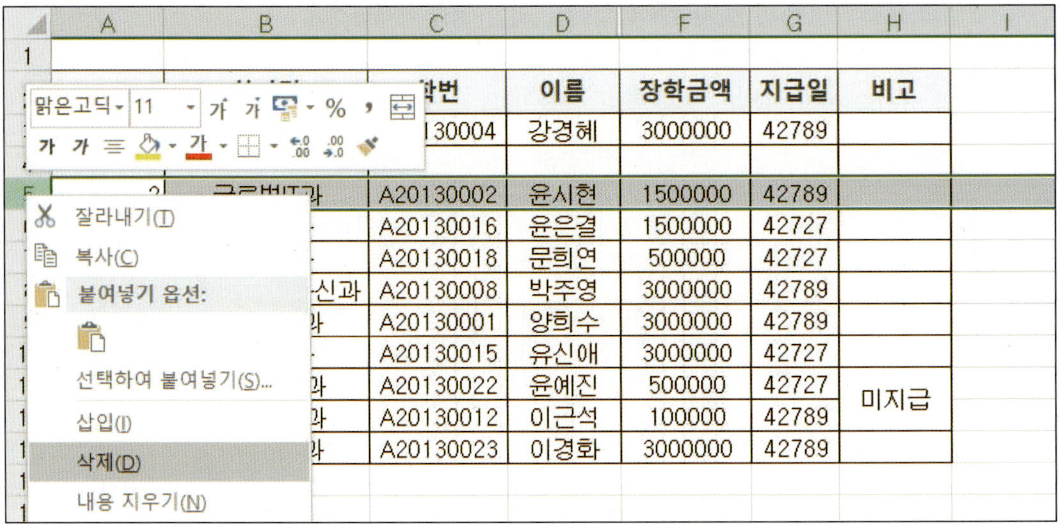

4. '윤시현' 학생의 행 전체가 삭제되는 것을 확인할 수 있습니다.

	A	B	C	D	F	G	H	I
1								
2	No.	학과명	학번	이름	장학금액	지급일	비고	
3	1	식품영양과	A20130004	강경혜	3000000	42789		
4								
5	3	치위생과	A20130016	윤은결	1500000	42727		
6	4	치위생과	A20130018	문희연	500000	42727		
7	5	인터넷정보통신과	A20130008	박주영	3000000	42789		
8	6	글로벌IT과	A20130001	양희수	3000000	42789		
9	7	치위생과	A20130015	유신애	3000000	42727		
10	8	웹디자인과	A20130022	윤예진	500000	42727	미지급	
11	9	아동보육과	A20130012	이근석	100000	42789		
12	10	글로벌IT과	A20130023	이경화	3000000	42789		
13								

따라해 보세요 – 열 삽입하기 및 삭제하기

*시트명 : 행 열

'G'열과 'H'열 사이에 빈 열 하나를 삽입하고 '학번' 열을 삭제하세요.

1. 'H' 열 머리글에서 [마우스 오른 클릭 – 삽입]을 클릭합니다.

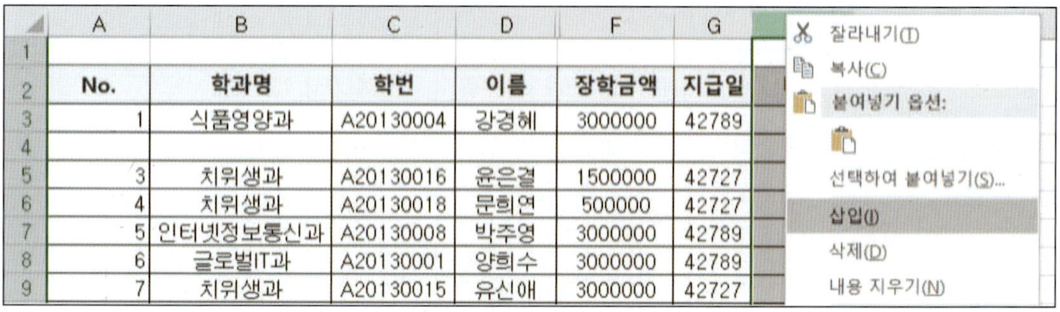

2. '지급일' 열과 '비고' 열 사이에 빈 열 하나가 추가되는 것을 확인할 수 있습니다. '학번' 열을 삭제하기 위하여 C열 머리글에서 [마우스 오른 클릭 – 삭제]를 클릭합니다.

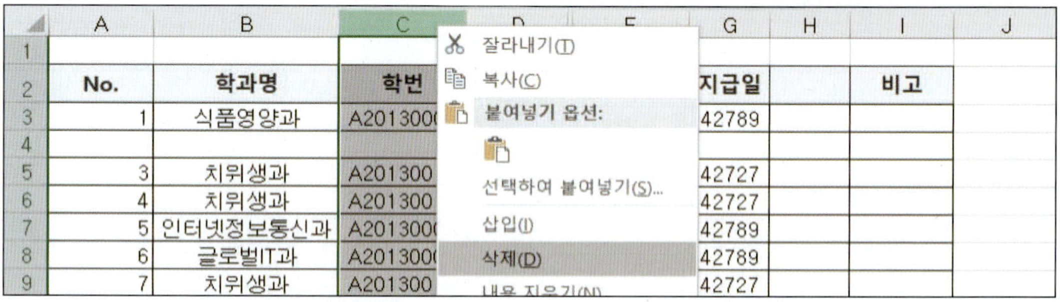

3. '학번' 열이 삭제되는 것을 확인할 수 있습니다.

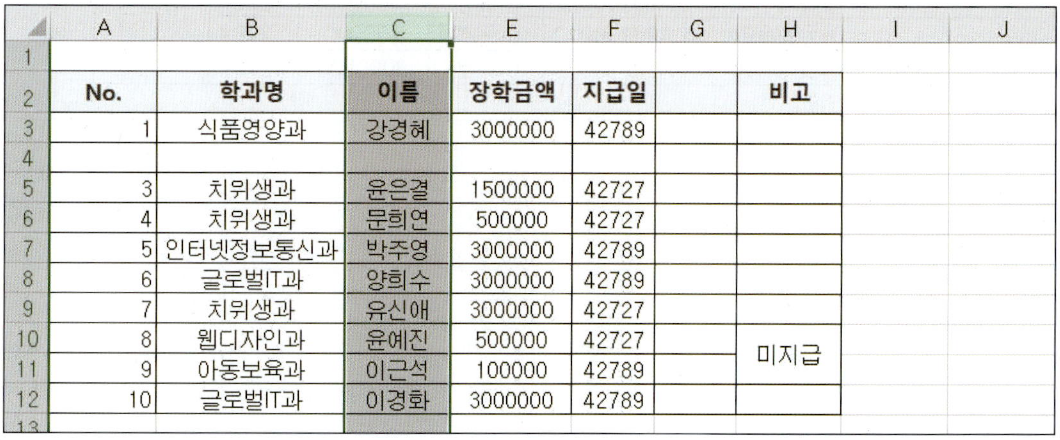

따라해 보세요 – 행 / 열 숨기기 및 숨기기 취소하기

※시트명 : 행 열

'윤은결' 학생과 '양희수' 학생 행을 숨기세요. 숨겨진 D열을 숨기기 취소하세요.

1. Ctrl 키를 이용하여 '5행' 머리글과 '8행' 머리글을 동시에 선택합니다. [마우스 오른 클릭 – 숨기기]를 클릭합니다.

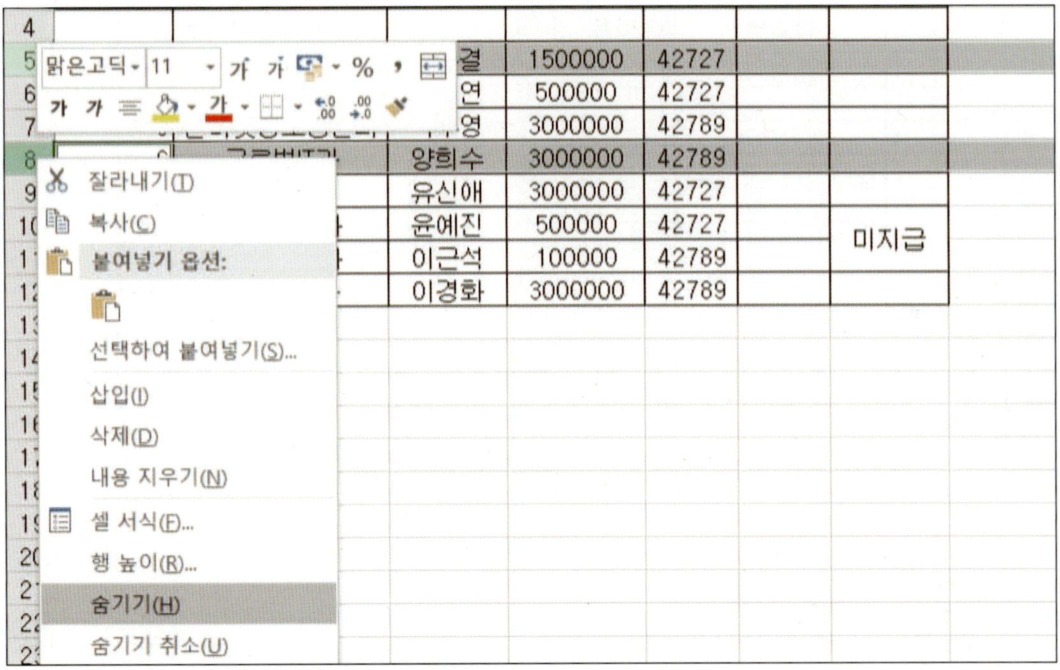

Tip

여러 범위를 동시에 선택하는 경우 'Ctrl' 키 또는 'Shift' 키를 이용하여 선택합니다.

- Ctrl : 불연속적인 데이터를 동시에 선택합니다.(5행과 8행만 선택)
- Shift : 연속적인 데이터를 동시에 선택합니다.(5행부터 8행까지 모두 선택)

2. '5행'과 '8행'이 숨겨지게 되고 행 머리글의 경계선이 ‘이중’ 으로 변경되는 것을 확인할 수 있습니다.

3. 숨겨진 D열을 다시 나타내기 위하여 C열과 E열을 선택한 후 [마우스 오른 클릭 – 숨기기 취소]를 클릭합니다.

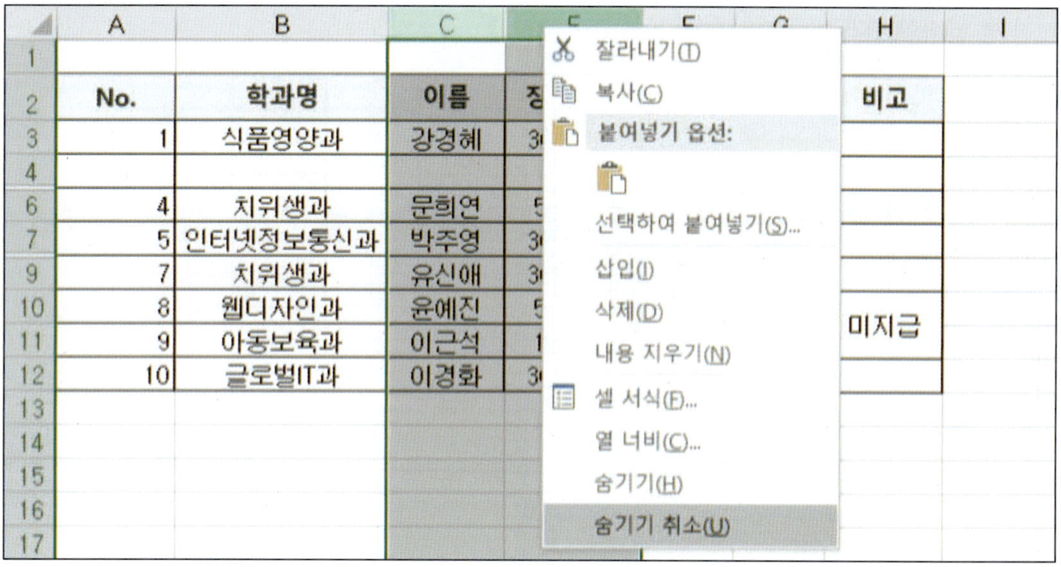

4. 숨겨진 ‘장학금명’ 열이 나타나는 것을 확인할 수 있습니다.

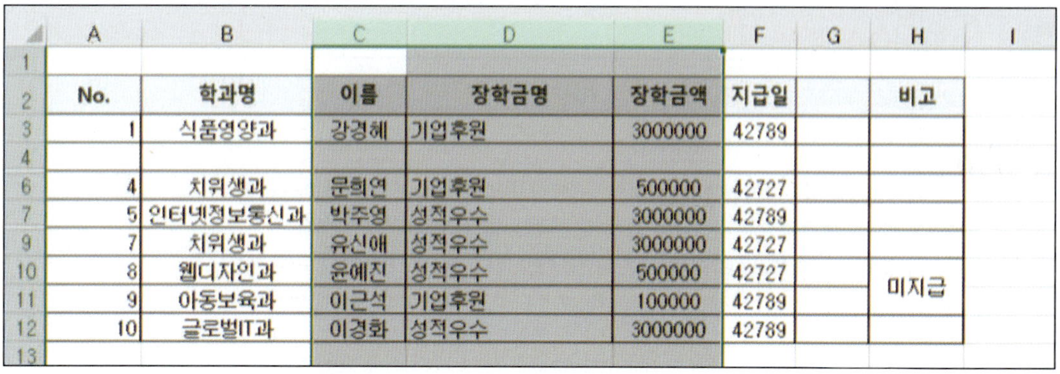

3-3 창 나누기

따라해 보세요 – 틀 고정

*시트명 : 틀 고정

아래로 스크롤 할 때 1행부터 3행까지 항상 표시되도록 워크시트를 설정합니다.

1. 4행 머리글을 선택하고 [보기 탭 – 창 그룹 – 틀 고정 – 틀 고정]을 클릭합니다.

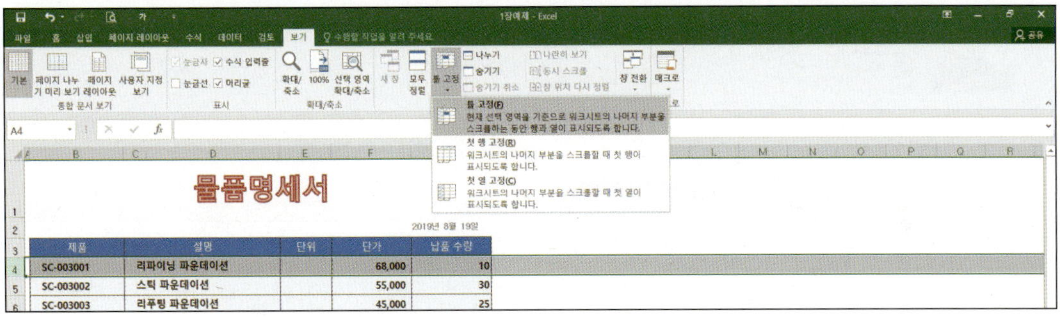

2. 1행부터 3행까지 행이 고정되어 움직이지 않는 것을 확인할 수 있습니다.

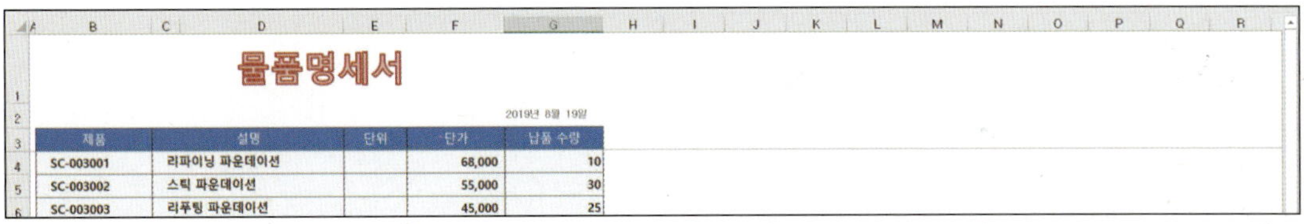

Tip

틀 고정할 때 보이고자 하는 부분이 화면에 나타나 있는 상태로 틀 고정 하세요. 만약, 화면에 3행부터 보여지는 상태로 틀 고정하면 1~2행이 보이지 않는 상태로 틀 고정 됩니다.

따라해 보세요 - 가로로 창 나누기

*시트명 : 창나누기

9행 표 머리글 아래로 창이 개별적으로 스크롤되는 창이 되도록 설정하세요.

1. 9행과 10행 사이에 창 나누기를 설정하기 위하여 10행 머리글을 선택하고 [보기 탭 - 창 그룹 - 나누기]를 클릭합니다.

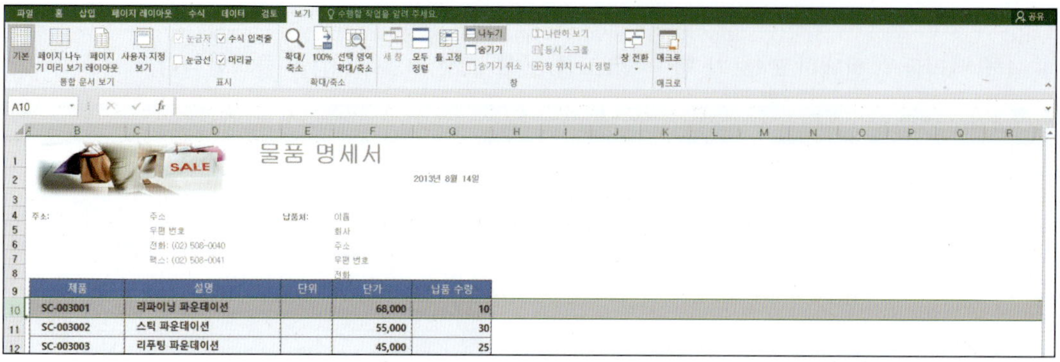

2. 9행과 10행 사이로 창이 2개로 개별 분할되고 오른쪽에 스크롤이 2개 생성된 것을 확인할 수 있습니다.

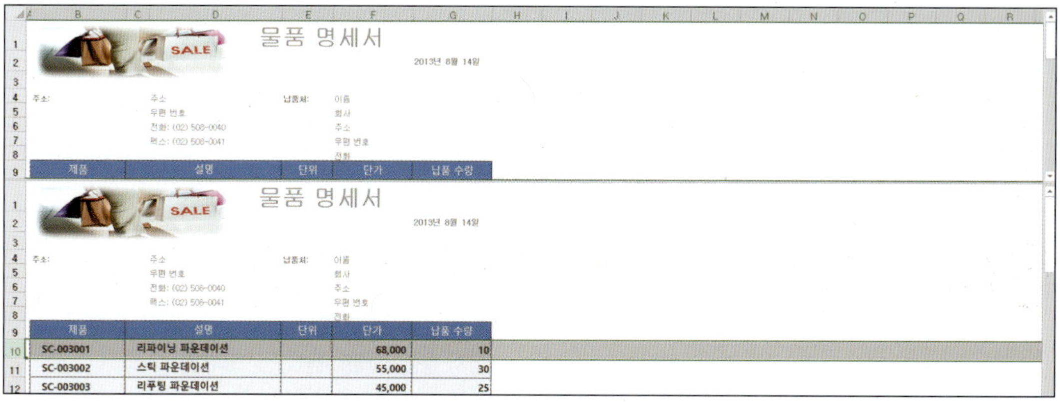

설명

창 나누기 기준

- 창을 상/하로 나누려면 반드시 행 머리글을 선택해야 합니다.
- 창을 좌/우로 나누려면 반드시 열 머리글을 선택해야 합니다.
- 창을 4분할로 나누려면 반드시 시트 안의 셀을 선택해야 합니다.

3-4 워크시트 편집하기

따라해 보세요 – 워크시트 삽입하기

*시트명 : 채우기핸들

'다양한 데이터 입력' 시트와 '채우기 핸들' 시트 사이에 새 시트를 삽입하세요. 시트 이름은 '삽입'으로 변경하세요. 탭 색은 '주황'으로 변경하세요.

1. '채우기핸들' 시트를 선택한 후 탭 위에서 [마우스 오른 클릭 – 삽입]을 클릭합니다.

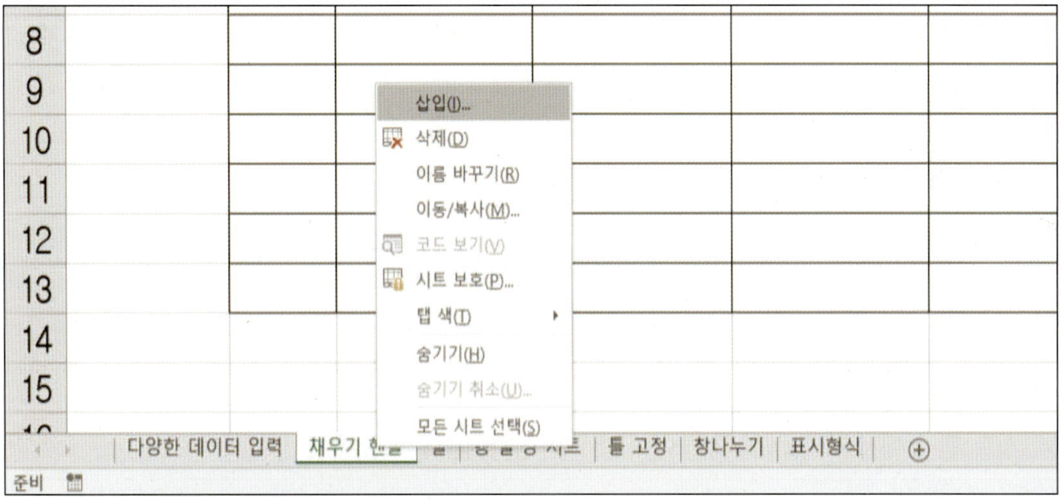

2. 삽입 대화상자가 나타나면 워크시트를 선택한 후 확인 버튼을 클릭합니다.

Tip

- [홈 탭 – 셀 그룹 – 삽입 – 시트 삽입]을 이용하거나, 시트 탭 오른쪽에 있는 '⊕' 버튼을 클릭하여 워크시트를 삽입할 수 있습니다.
- 위와 동일한 방법으로 시트명 위에서 마우스 오른 클릭하여 시트를 삭제하거나, [홈 탭 – 셀 그룹 – 삭제 – 시트 삭제]를 클릭하여 워크시트를 삭제 할 수 있습니다.

3. 'Sheet1' 이름의 워크시트가 생성되는 것을 확인할 수 있습니다. 시트 탭 위에서 [마우스 오른 클릭 – 이름 바꾸기]를 클릭합니다. 'Sheet1' 시트명을 '삽입' 으로 변경 할 수 있습니다.

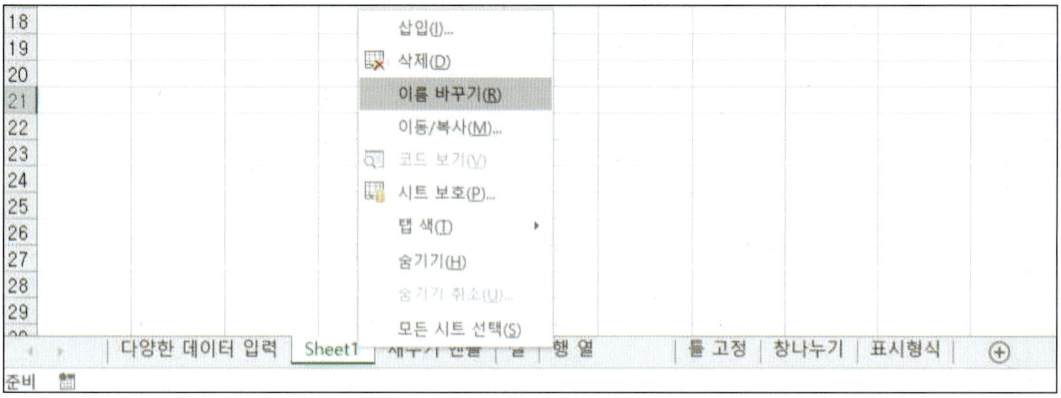

4. 시트 탭 위에서 [마우스 오른 클릭 – 탭 색 – 주황]을 클릭합니다.

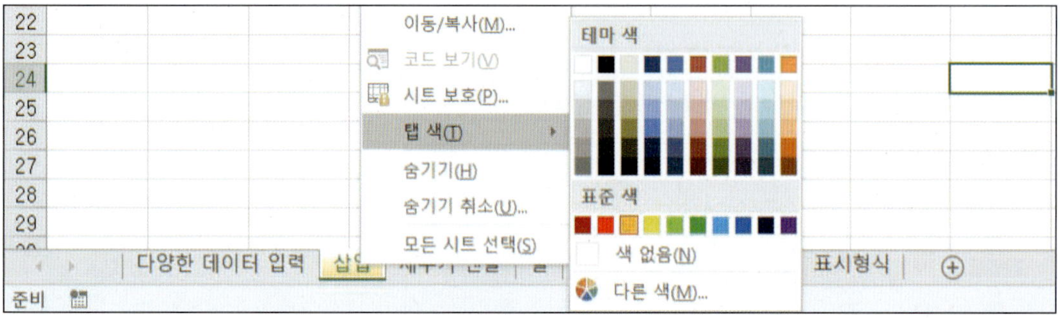

5. 탭 색이 주황으로 변경되는 것을 확인할 수 있습니다.

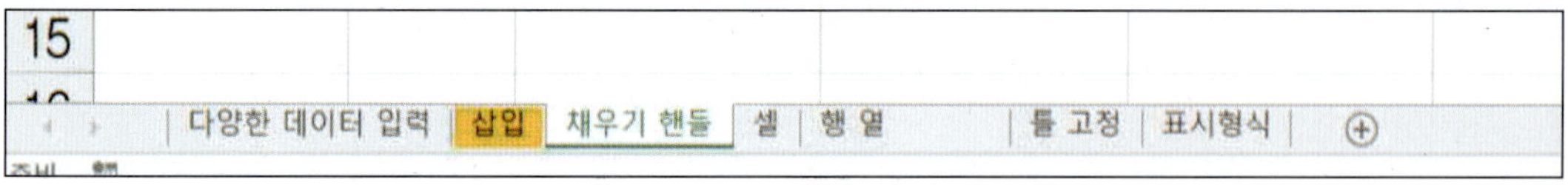

따라해 보세요 – 워크시트 이동 / 복사하기

*시트명 : 삽입

'삽입' 시트를 맨 끝으로 이동하세요.

1. '삽입' 시트 탭 위에서 [마우스 오른 클릭 – 이동 / 복사]를 클릭합니다.

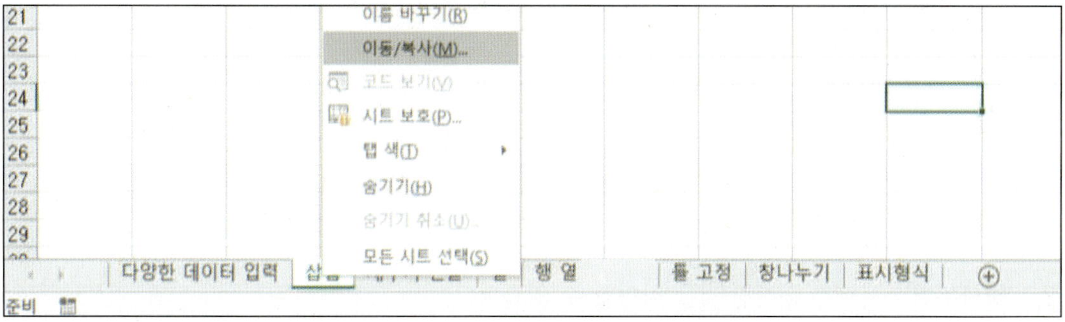

2. [대상 통합 문서 : 1장예제.xlsx, 다음 시트 앞에 : (끝으로 이동)]을 선택한 후 확인 버튼을 클릭합니다.

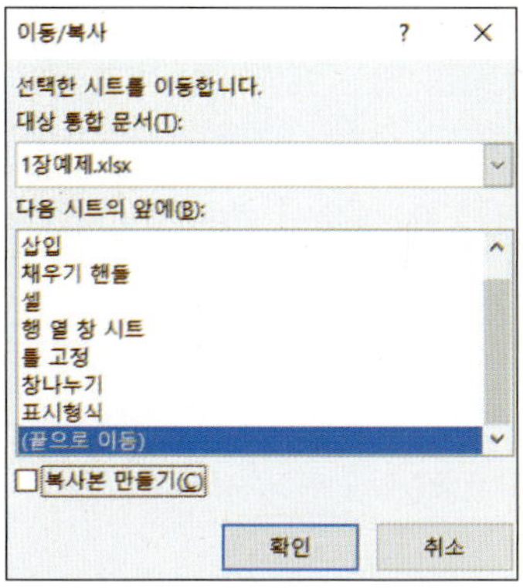

Tip

대화상자에서 '복사본 만들기'를 체크하면 사본을 복사할 수 있습니다.

3. 맨 끝으로 '삽입' 시트가 이동된 것을 확인할 수 있습니다.

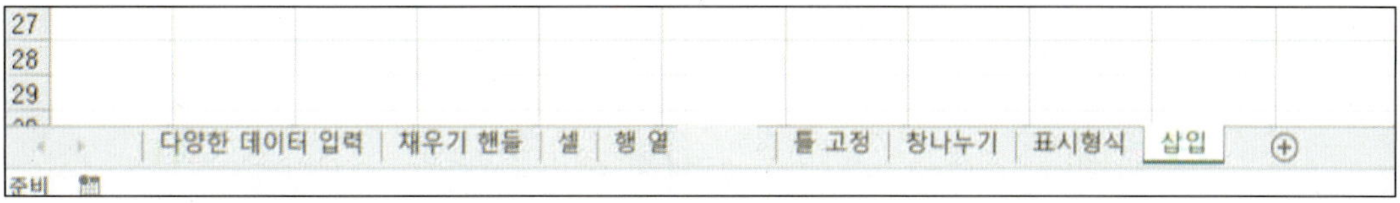

Tip

시트 탭을 드래그하여 원하는 위치로 이동할 수 있습니다.

따라해 보세요 – 시트 숨기기

*시트명 : 창나누기

'창나누기' 시트를 숨기세요.

1. '창나누기' 시트 탭 위에서 [마우스 오른 클릭 – 숨기기]를 클릭합니다.

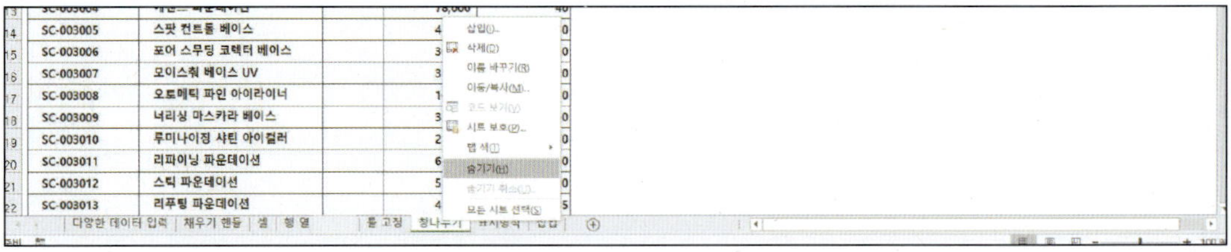

2. '창나누기' 시트가 숨겨진 것을 확인할 수 있습니다.

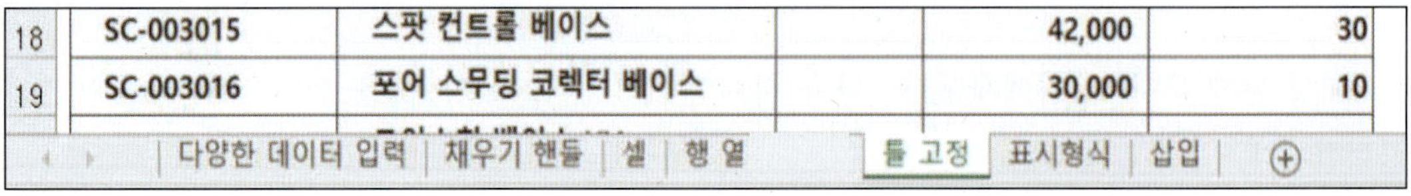

Tip

숨겨진 시트를 확인하고자 할 경우 시트 탭 위에서 [마우스 오른 클릭 – 숨기기 취소]를 실행하면 숨겨진 시트 목록이 나타나는 것을 확인할 수 있습니다.

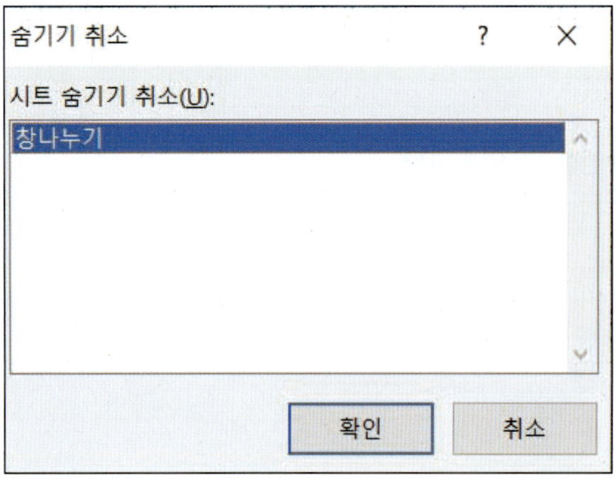

따라해 보세요 – 워크시트 확대 / 축소하기

*시트명 : 표시형식

'표시형식' 워크시트 화면을 150%로 확대하세요.

1. '표시형식' 시트 탭을 클릭합니다. 시트가 이동되면 [보기 탭 – 확대 / 축소 그룹 – 확대 / 축소]를 클릭합니다.

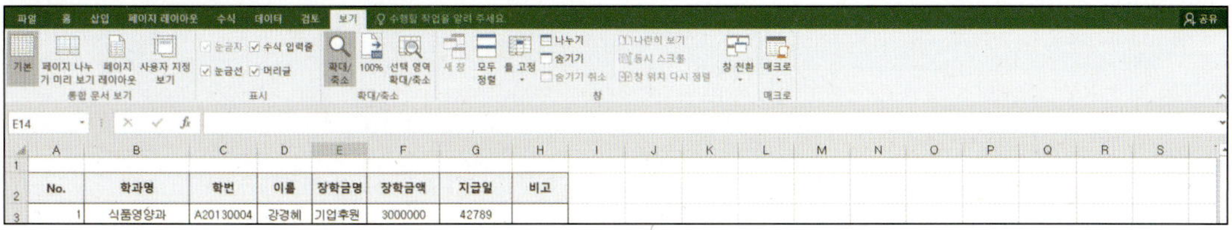

2. 확대 / 축소 대화상자가 나타나면 [사용자 지정 : 150]으로 입력한 후 확인 버튼을 클릭합니다.

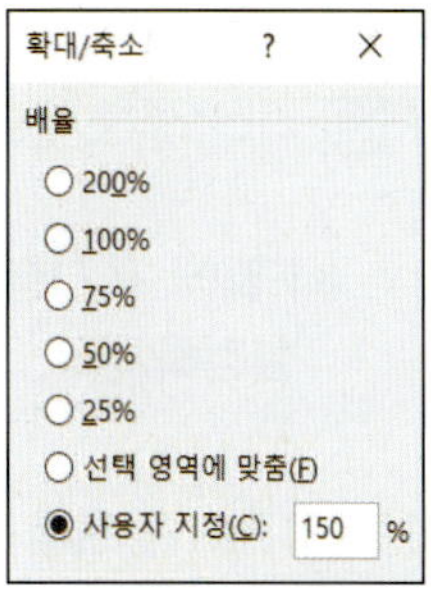

3. 시트 화면이 확대되는 것을 확인할 수 있습니다.

No.	학과명	학번	이름	장학금명	장학금액	지급일	비고
1	식품영양과	A20130004	강경혜	기업후원	3000000	42789	
2	글로벌IT과	A20130002	윤시현	성적우수	1500000	42789	
3	치위생과	A20130016	윤은결	성적우수	1500000	42727	
4	치위생과	A20130018	문희연	기업후원	500000	42727	
5	인터넷정보통신과	A20130008	박주영	성적우수	3000000	42789	
6	글로벌IT과	A20130001	양희수	성적우수	3000000	42789	
7	치위생과	A20130015	유신애	성적우수	3000000	42727	
8	웹디자인과	A20130022	윤예진	성적우수	500000	42727	미지급
9	아동보육과	A20130012	이근석	기업후원	100000	42789	
10	글로벌IT과	A20130023	이경화	성적우수	3000000	42789	

4. 위와 동일한 방법으로 화면을 축소할 수 있습니다.

Tip 상태표시줄 오른쪽에 있는 '확대 / 축소 바'를 이용하여 화면의 크기를 변경할 수 있습니다.

04 표시 형식

표시형식을 이용하여 셀에 회계형식, 쉼표 스타일, 날짜형식, 소수점 등을 표시할 수 있다. 또한 사용자가 원하는 형식을 설정하여 표시형식을 설정할 수 있다.

예제파일 : 1장예제.xlsx

4-1 스타일별 표시형식 설정하기

따라해 보세요 – 표시형식 설정하기

*시트명 : 표시형식

F열에 표시형식 중 '회계' 형식을 설정하세요. 또한 G열에는 'mm월 dd일' 형식을 설정하세요.

1. F3:F12 범위를 선택한 후 [홈 탭 – 표시 형식 그룹 – 목록 화살표 – 회계] 클릭합니다.

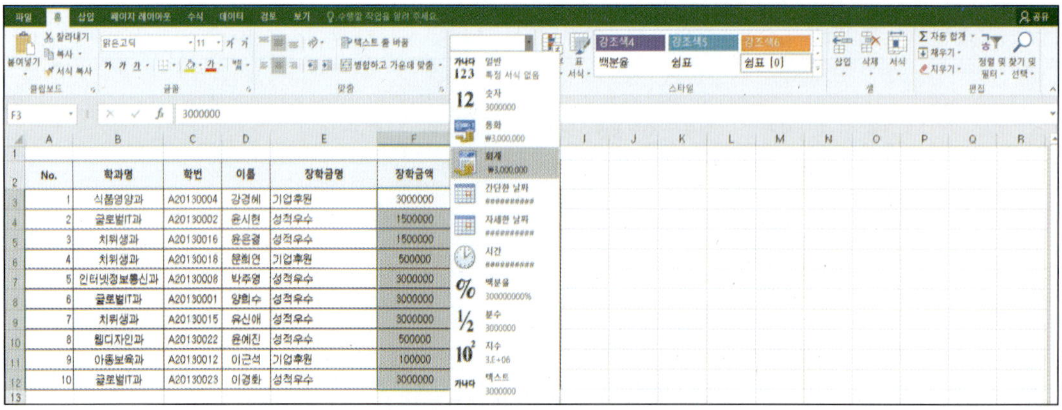

2. F 열이 회계 형식으로 변경되는 것을 확인할 수 있습니다.

3. 위와 동일한 방법으로 G3:G12 범위를 선택한 후 [홈 탭 – 표시 형식 그룹 – 목록 화살표 – 기타 표시 형식]을 클릭합니다.

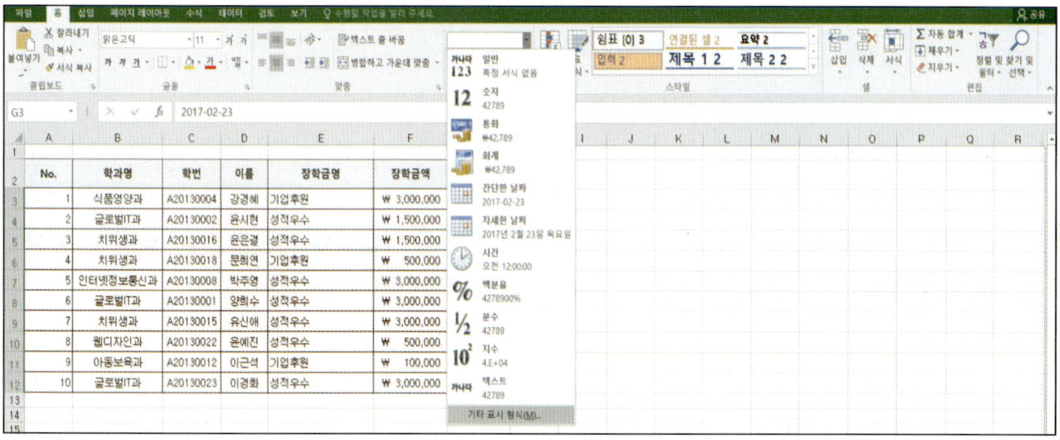

4. 셀 서식 대화상자가 나타나면 [범주 : 날짜, 형식 : 3월 14일]로 선택하고 확인 버튼을 클릭합니다.

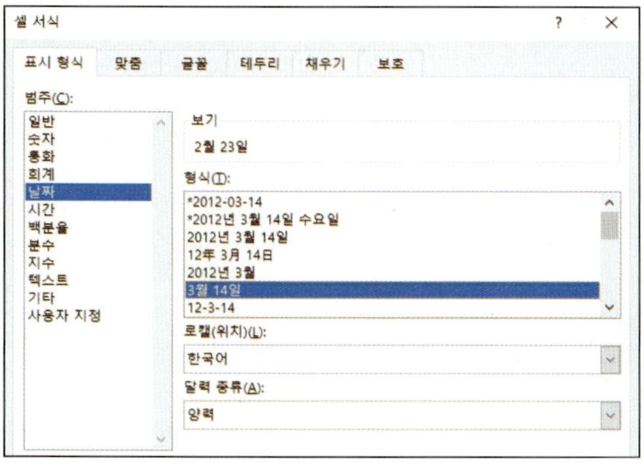

5. G 열에 'mm월 dd일' 형식으로 변경되는 것을 확인할 수 있습니다.

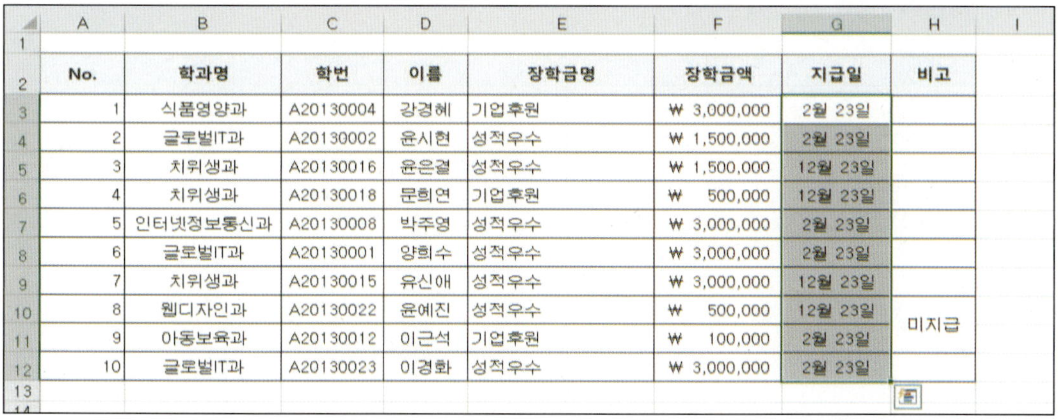

No.	학과명	학번	이름	장학금명	장학금액	지급일	비고
1	식품영양과	A20130004	강경혜	기업후원	₩ 3,000,000	2월 23일	
2	글로벌IT과	A20130002	윤시현	성적우수	₩ 1,500,000	2월 23일	
3	치위생과	A20130016	윤은결	성적우수	₩ 1,500,000	12월 23일	
4	치위생과	A20130018	문희연	기업후원	₩ 500,000	12월 23일	
5	인터넷정보통신과	A20130008	박주영	성적우수	₩ 3,000,000	2월 23일	
6	글로벌IT과	A20130001	양희수	성적우수	₩ 3,000,000	2월 23일	
7	치위생과	A20130015	유신애	성적우수	₩ 3,000,000	12월 23일	
8	웹디자인과	A20130022	윤예진	성적우수	₩ 500,000	12월 23일	미지급
9	아동보육과	A20130012	이근석	기업후원	₩ 100,000	2월 23일	
10	글로벌IT과	A20130023	이경화	성적우수	₩ 3,000,000	2월 23일	

4-2 사용자 정의를 이용하여 설정하기

따라해 보세요 – 사용자 정의를 이용하여 표시형식 설정하기

*시트명 : 표시형식

A 열에는 숫자 앞에 'No. ' 텍스트가 자동으로 표시되도록 설정하세요. 또한 E 열에는 문자 뒤에 ' 장학금' 텍스트가 자동으로 표시되도록 설정하세요.

1. A3:A12 범위를 선택한 후 [홈 탭 – 표시 형식 그룹 – 목록 화살표 – 기타 표시 형식]을 클릭합니다.

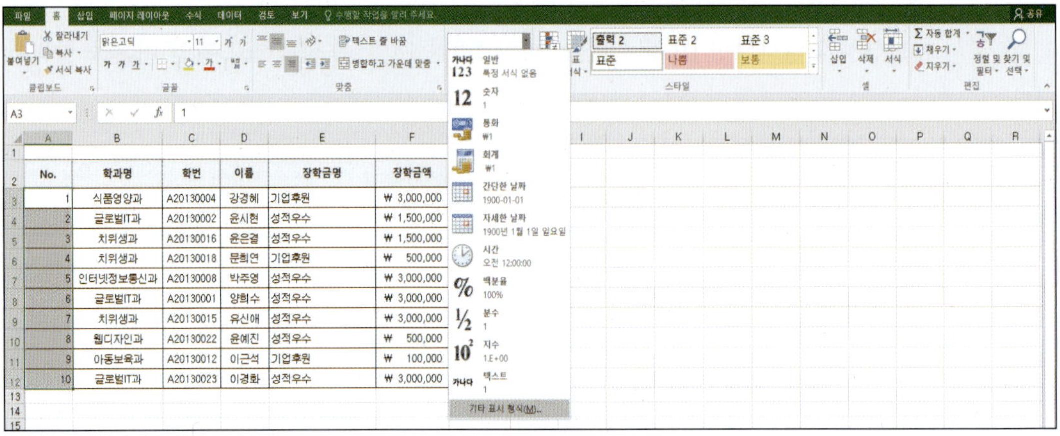

2. 셀 서식 대화상자가 나타나면 [범주 : 사용자 지정, 형식 : "No. " #]을 입력한 후 확인 버튼을 클릭합니다.

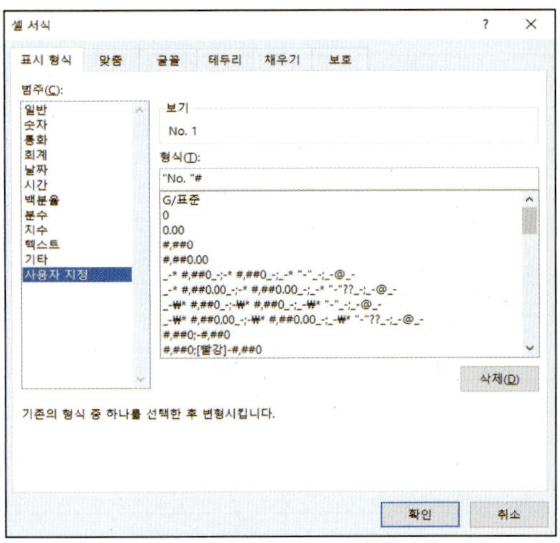

3. 숫자 자릿수에 상관없이 숫자 앞에 'No.' 이 자동으로 표시되는 것을 확인할 수 있습니다.

No.	학과명	학번	이름	장학금명	장학금액	지급일	비고
No. 1	식품영양과	A20130004	강경혜	기업후원	₩ 3,000,000	2월 23일	
No. 2	글로벌IT과	A20130002	윤시현	성적우수	₩ 1,500,000	2월 23일	
No. 3	치위생과	A20130016	윤은결	성적우수	₩ 1,500,000	12월 23일	
No. 4	치위생과	A20130018	문희연	기업후원	₩ 500,000	12월 23일	
No. 5	인터넷정보통신과	A20130008	박주영	성적우수	₩ 3,000,000	2월 23일	
No. 6	글로벌IT과	A20130001	양희수	성적우수	₩ 3,000,000	2월 23일	
No. 7	치위생과	A20130015	유신애	성적우수	₩ 3,000,000	12월 23일	
No. 8	웹디자인과	A20130022	윤예진	성적우수	₩ 500,000	12월 23일	미지급
No. 9	아동보육과	A20130012	이근석	기업후원	₩ 100,000	2월 23일	
No. 10	글로벌IT과	A20130023	이경화	성적우수	₩ 3,000,000	2월 23일	

4. E3:E12 범위를 선택한 후 [홈 탭 – 표시 형식 그룹 – 목록 화살표 – 기타 표시 형식]을 클릭합니다.

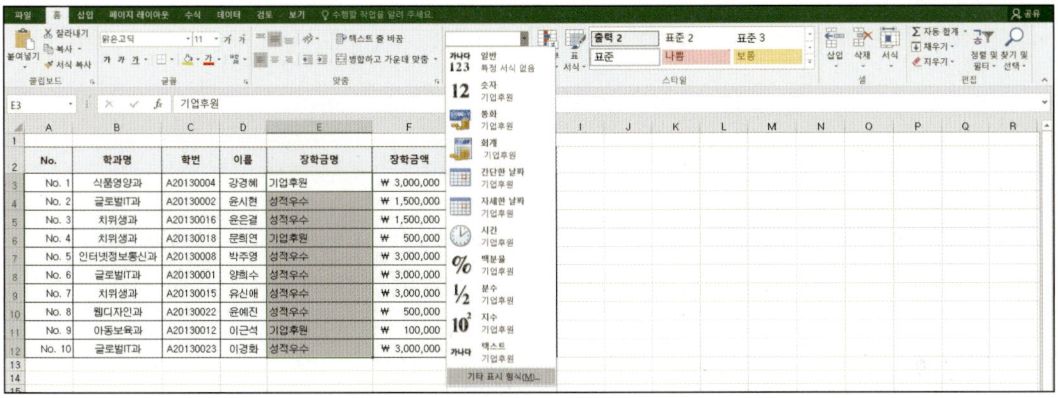

5. 셀 서식 대화상자가 나타나면 [범주 : 사용자 지정, 형식 : @ " 장학금"]을 입력한 후 확인 버튼을 클릭합니다.

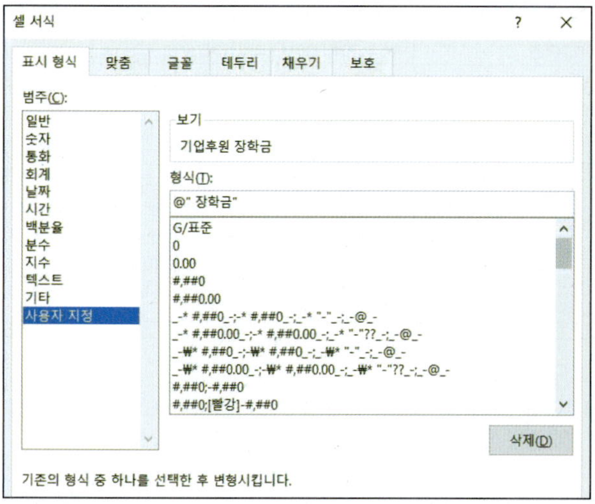

6. 텍스트 뒤에 '장학금' 이 자동으로 표시되는 것을 확인할 수 있습니다.

No.	학과명	학번	이름	장학금명	장학금액	지급일	비고
No. 1	식품영양과	A20130004	강경혜	기업후원 장학금	₩ 3,000,000	2월 23일	
No. 2	글로벌IT과	A20130002	윤시현	성적우수 장학금	₩ 1,500,000	2월 23일	
No. 3	치위생과	A20130016	윤은결	성적우수 장학금	₩ 1,500,000	12월 23일	
No. 4	치위생과	A20130018	문희연	기업후원 장학금	₩ 500,000	12월 23일	
No. 5	인터넷정보통신과	A20130008	박주영	성적우수 장학금	₩ 3,000,000	2월 23일	
No. 6	글로벌IT과	A20130001	양희수	성적우수 장학금	₩ 3,000,000	2월 23일	
No. 7	치위생과	A20130015	유신애	성적우수 장학금	₩ 3,000,000	12월 23일	
No. 8	웹디자인과	A20130022	윤예진	성적우수 장학금	₩ 500,000	12월 23일	미지급
No. 9	아동보육과	A20130012	이근석	기업후원 장학금	₩ 100,000	2월 23일	
No. 10	글로벌IT과	A20130023	이경화	성적우수 장학금	₩ 3,000,000	2월 23일	

1장 실전예제만들기

실전예제 1

아래 화면과 동일하게 이력서를 만들어 보세요.

- 새 통합문서에서 새로 만들기 하십시오.
- 시트명은 '이력서'로 변경하세요.
- A열은 비워 두십시오.(너비 : 1.2)
- 나머지 서식은 임의로 설정하세요(글꼴, 열너비 등)

결과화면

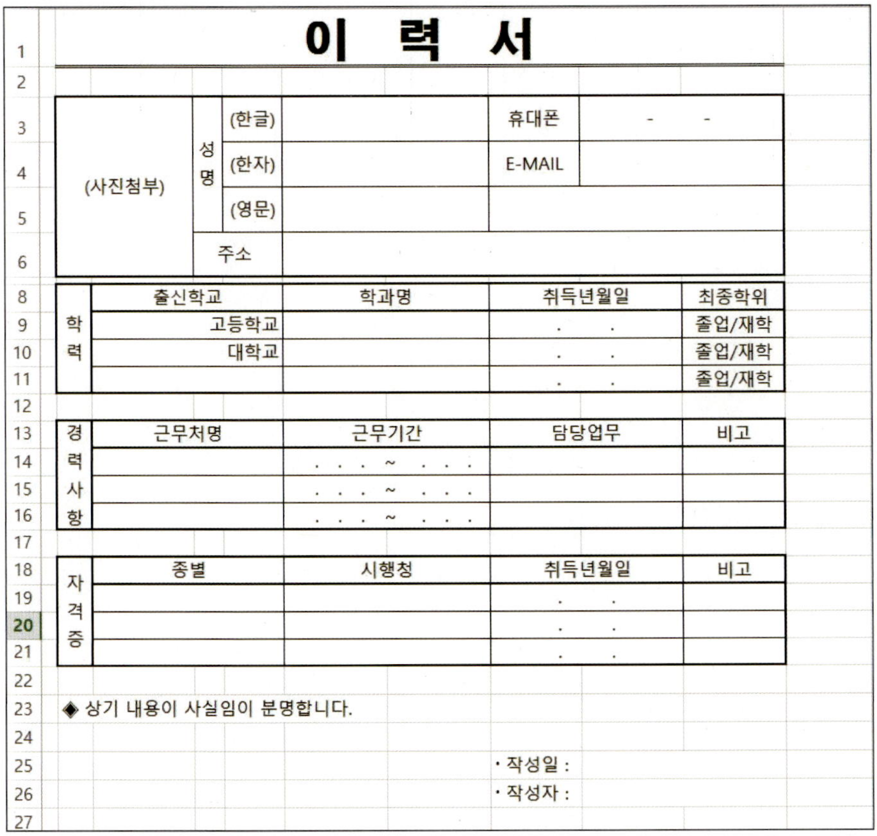

실전예제 2

아래 화면과 동일하게 거래명세서를 만들어 보세요.

- 워크시트를 추가하여 작성하세요.
- 시트명은 '거래명세서'로 변경하세요.
- A열은 비워 두십시오.(너비 : 1.2)
- 나머지 서식은 임의로 설정하세요(글꼴, 열너비 등)

결과화면

	A	B	C	D	E	F	G	H	I
1		거래명세표(공급받는자보관용)				일자			
2						공급자 연락처			
3		공급자				공급받는자			
4		상호				상호			
5		성명			(인)	성명			(인)
6		주소				주소			
7		업태				비고			
8		품목				인수자			
9		월일	품명/규격	단위	수량	단가	공급가액	세액	비고/합계
10									
11									
12									
13									
14									
15									
16									
17		합계					전잔금		
18		메모					총잔금		

실전예제 3

아래 화면과 동일하게 경비내역서를 만들어 보세요.

- 워크시트를 추가하여 작성하세요.
- 시트명은 '경비내역서' 로 변경하세요.
- A열은 비워 두십시오.(너비 : 1.2)
- 나머지 서식은 임의로 설정하세요(글꼴, 열너비 등)

결과화면

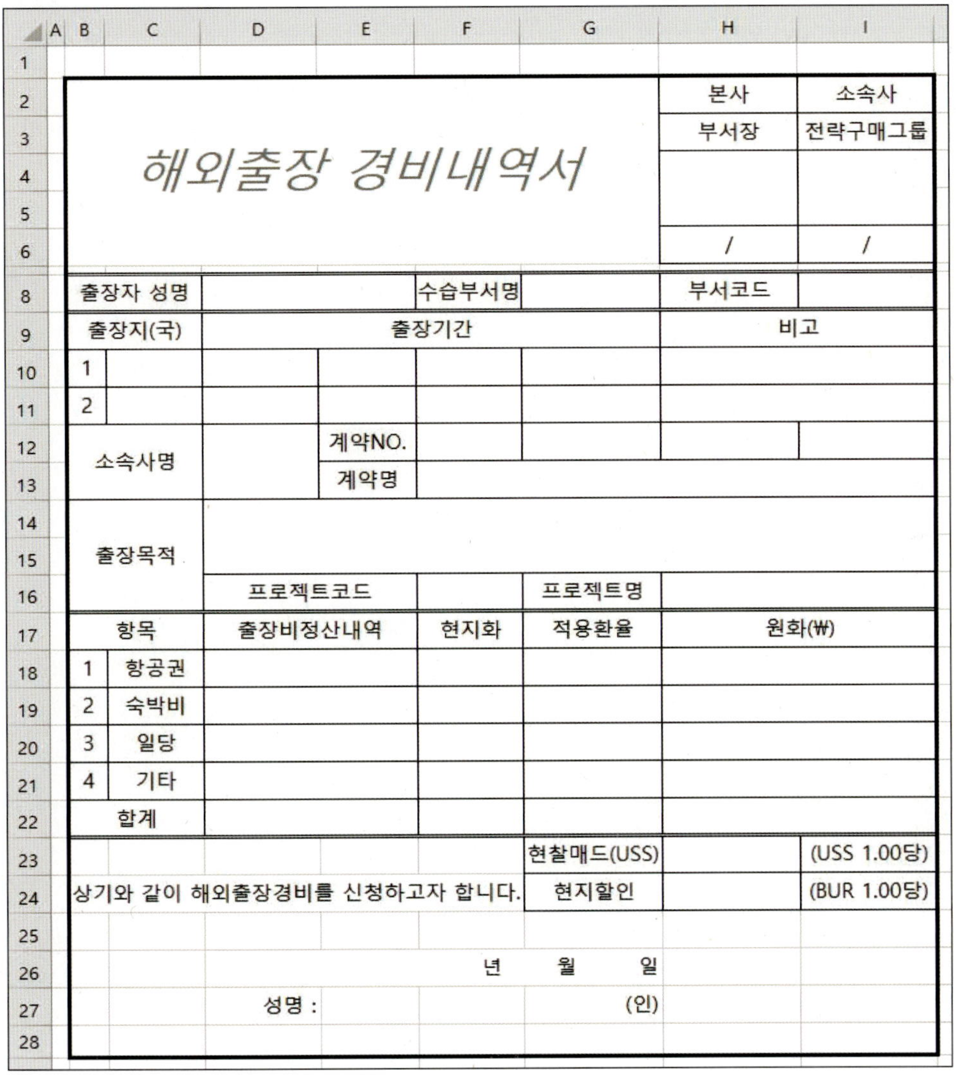

Chapter 2

데이터 시각화 작업

01 개체 삽입

1-1 표 삽입하기
1-2 차트 삽입하기
1-3 스파크라인 삽입하기
1-4 그림 삽입하기
1-5 하이퍼링크 삽입하기
1-6 외부데이터 삽입하기
1-7 피벗 테이블 / 피벗 차트 삽입하기

01 개체 삽입

표, 차트, 스파크라인, 그림, 하이퍼링크, 외부데이터 그리고 피벗 차트를 삽입하여 워크시트를 시각화하고 데이터 값의 흐름을 쉽게 파악할 수 있다.

예제파일 : 2장예제.xlsx

1-1 표 삽입하기

식품단속일지 - 일반 데이터 표

일자	담당자	검사지역	유통기한 위반	가격표시 위반	기타
2017-01-20	고소영	서울지역	8	0	9
2017-01-20	김대영	전북지역	7	5	3
2017-01-22	이진아	경북지역	2	7	6
2017-01-23	김대영	전북지역	6	7	4
2017-01-23	한석봉	충북지역	9	7	3
2017-01-23	고소영	서울지역	2	3	3
2017-01-23	한석봉	충북지역	8	6	3
2017-01-27	김대영	전북지역	3	8	10
2017-02-12	고소영	서울지역	9	4	2
2017-02-13	이진아	경북지역	6	8	2
2017-02-14	한석봉	충북지역	4	8	6

〈일반 데이터 표〉

식품단속일지 - 엑셀 표

일자	담당자	검사지역	유통기한 위반	가격표시 위반	기타
2017-01-20	고소영	서울지역	8	0	9
2017-01-20	김대영	전북지역	7	5	3
2017-01-22	이진아	경북지역	2	7	6
2017-01-23	김대영	전북지역	6	7	4
2017-01-23	한석봉	충북지역	9	7	3
2017-01-23	고소영	서울지역	2	3	3
2017-01-23	한석봉	충북지역	8	6	3
2017-01-27	김대영	전북지역	3	8	10
2017-02-12	고소영	서울지역	9	4	2
2017-02-13	이진아	경북지역	6	8	2
2017-02-14	한석봉	충북지역	4	8	6

〈엑셀 표〉

일반 데이터 표

왼쪽과 같은 표가 가장 기본적인 데이터 표입니다. 데이터를 입력하고 표 테두리를 이용하여 표를 간단하게 작성할 수 있습니다.

엑셀 표

오른쪽과 같은 표가 엑셀 표입니다. 데이터 표를 엑셀 표로 변환할 경우 기본 표 스타일이 적용되고, 자동으로 필터가 적용됩니다.

따라해 보세요 – 셀 서식 설정하기

*시트명 : 표

셀 스타일을 이용하여 표의 제목 스타일을 디자인 하세요.

1. B1:G1 범위를 선택하고 [홈 탭 – 맞춤 그룹 – 목록 화살표 – 병합하고 가운데 맞춤]을 클릭합니다. 표의 제목 셀이 병합되는 것을 확인할 수 있습니다.

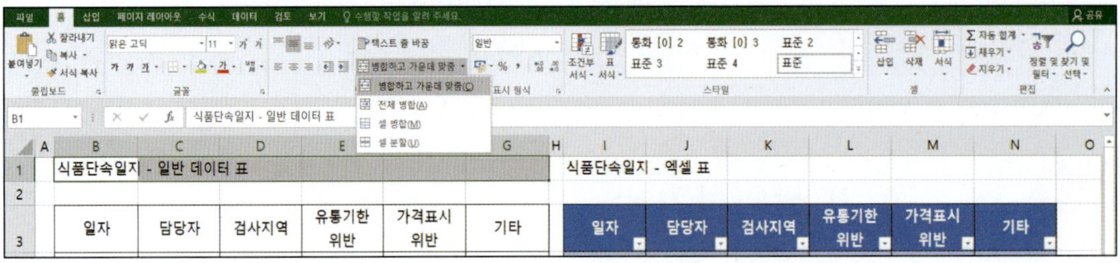

2. [홈 탭 – 스타일 그룹 – 셀 스타일 – 제목 1] 스타일을 클릭합니다. 표 제목 스타일이 변경되는 것을 확인할 수 있습니다.

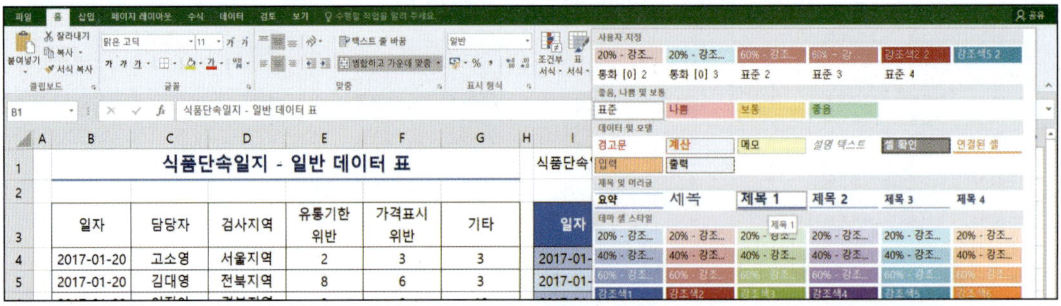

3. 동일한 방법으로 오른쪽 '식품단속일지 – 엑셀 표' 제목 셀 서식도 변경합니다.

4. B3:G3 범위를 선택하고 [홈 탭 - 스타일 그룹 - 셀 스타일 - 강조색2 2] 스타일을 클릭합니다.

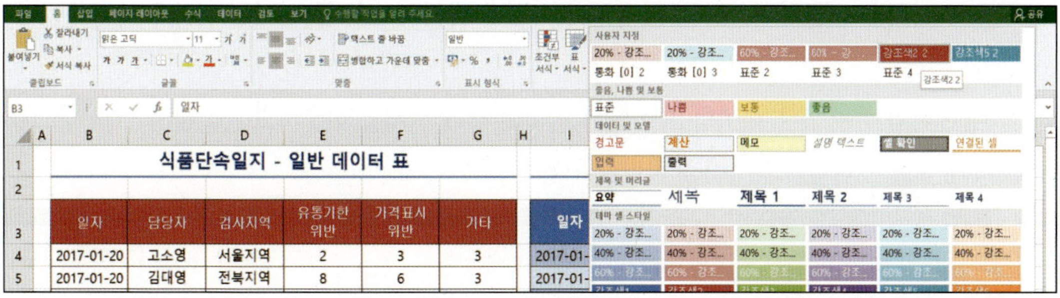

5. 왼쪽 표의 첫 머리글 스타일이 변경되는 것을 확인할 수 있습니다. 이와 같이 각각의 셀에 셀 스타일을 적용하여 표의 디자인을 변경할 수도 있습니다.

식품단속일지 - 일반 데이터 표

일자	담당자	검사지역	유통기한 위반	가격표시 위반	기타
2017-01-20	고소영	서울지역	2	3	3
2017-01-20	김대영	전북지역	8	6	3
2017-01-22	이진아	경북지역	3	8	10
2017-01-23	김대영	전북지역	9	4	2
2017-01-23	한석봉	충북지역	6	8	2
2017-01-23	고소영	서울지역	8	0	9
2017-01-23	한석봉	충북지역	7	5	3
2017-01-27	김대영	전북지역	2	7	6
2017-02-12	고소영	서울지역	6	7	4
2017-02-13	이진아	경북지역	6	8	2
2017-02-14	한석봉	충북지역	4	8	6

따라해 보세요 – 표 서식 설정하기

*시트명 : 표

표 스타일을 이용하여 '식품단속일지 – 일반 데이터 표'를 디자인 하세요.

1. '식품단속일지 – 일반 데이터 표' 안에 임의의 셀에 커서를 이동하고 [홈 탭 – 스타일 그룹 – 표 서식 – 표 스타일 보통 10]을 클릭합니다.

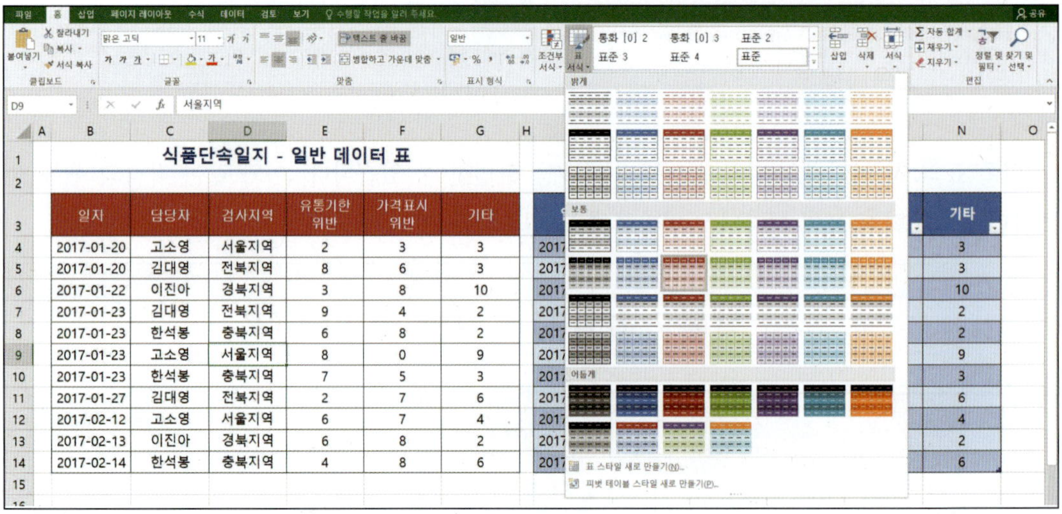

2. 대화상자가 나타나면 표에 사용할 데이터를 지정하고 확인 버튼을 클릭합니다.

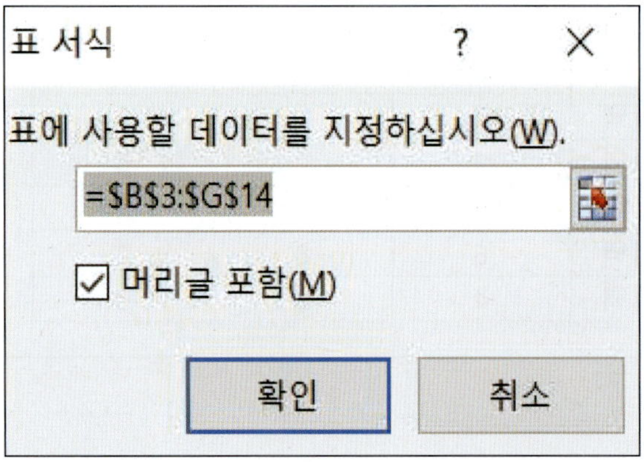

Tip

셀 포인터를 표 위로 이동한 후 스타일을 적용하였기 때문에 범위는 자동으로 설정됩니다.
원하는 범위와 다른 경우 표의 범위를 삭제한 후 다시 재설정하면 됩니다.

3. '식품단속일지 – 일반 데이터 표' 에 표 스타일이 적용되는 것을 확인할 수 있습니다.

식품단속일지 - 일반 데이터 표

일자	담당자	검사지역	유통기한 위반	가격표시 위반	기타
2017-01-20	고소영	서울지역	2	3	3
2017-01-20	김대영	전북지역	8	6	3
2017-01-22	이진아	경북지역	3	8	10
2017-01-23	김대영	전북지역	9	4	2
2017-01-23	한석봉	충북지역	6	8	2
2017-01-23	고소영	서울지역	8	0	9
2017-01-23	한석봉	충북지역	7	5	3
2017-01-27	김대영	전북지역	2	7	6
2017-02-12	고소영	서울지역	6	7	4
2017-02-13	이진아	경북지역	6	8	2
2017-02-14	한석봉	충북지역	4	8	6

Tip

일반 데이터 표에서 엑셀 표로 변경된 경우 아래와 같이 '표 도구' 리본메뉴가 생성되며, 디자인 탭에서 표에 대한 세부 설정을 변경할 수 있습니다.

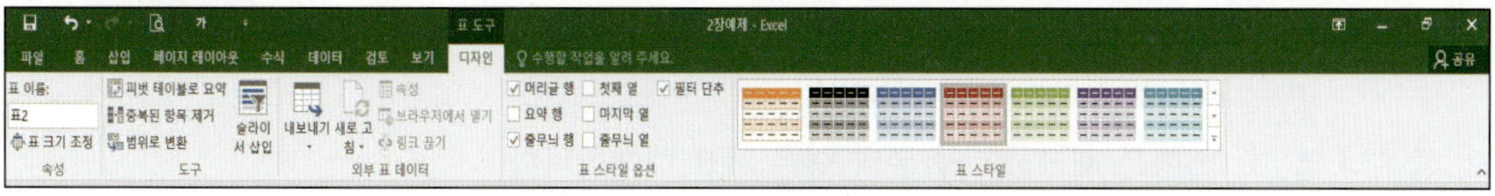

따라해 보세요 – 표 스타일 옵션 설정하기

*시트명 : 표

'식품단속일지 – 엑셀 표' 스타일을 '표 스타일 어둡게 5'으로 변경하세요. 줄무늬 행 대신 줄무늬 열 옵션을 설정하세요. 요약 행을 추가하여 유통기한 위반 열의 평균과 기타 열의 합계를 표시하세요. 단, 결과는 소수점 2자리까지 표시하세요. 표 이름은 '엑셀표'로 설정하세요.

1. '식품단속일지 – 엑셀 표' 안에 임의의 셀에 커서를 이동합니다. [표 도구 : 디자인 탭 – 표 스타일 그룹 – 표 스타일 어둡게 5]를 클릭합니다.

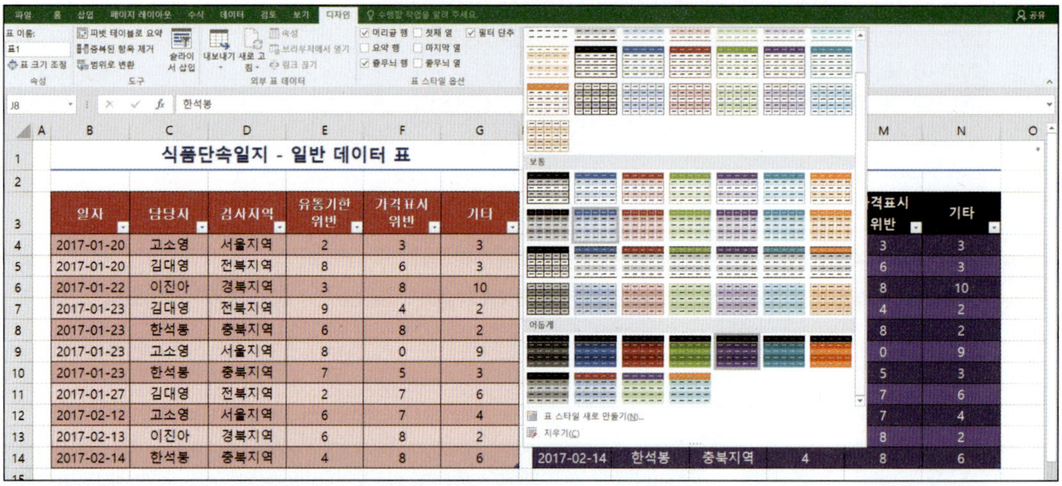

2. 줄무늬 열, 요약 행은 체크하고 줄무늬 행은 체크 해제합니다.

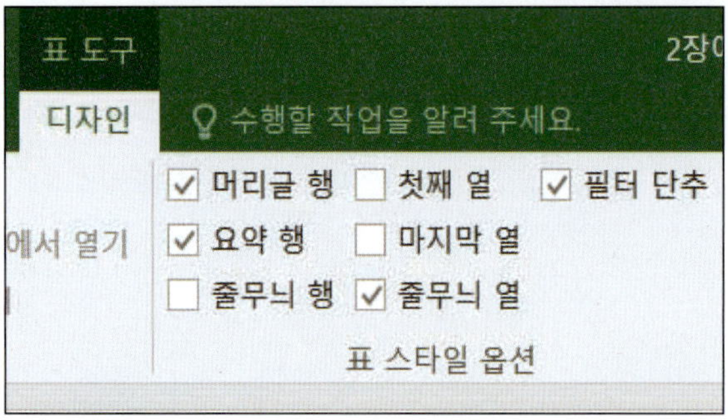

3. 옵션이 설정되는 것을 확인할 수 있습니다. 요약행이 추가되면 L15 셀로 커서를 이동합니다. 목록 화살표가 나타나면 목록을 평균으로 변경합니다.

4. 평균 값이 계산되는 것을 확인할 수 있습니다. L15:N15 범위를 선택한 후 [홈 탭 – 표시형식 그룹 – 창 버튼]을 클릭합니다.

5. 셀 서식 대화상자가 나타나면 [범주 : 숫자, 소수 자릿수 : 2]로 변경 후 확인 버튼을 클릭합니다.

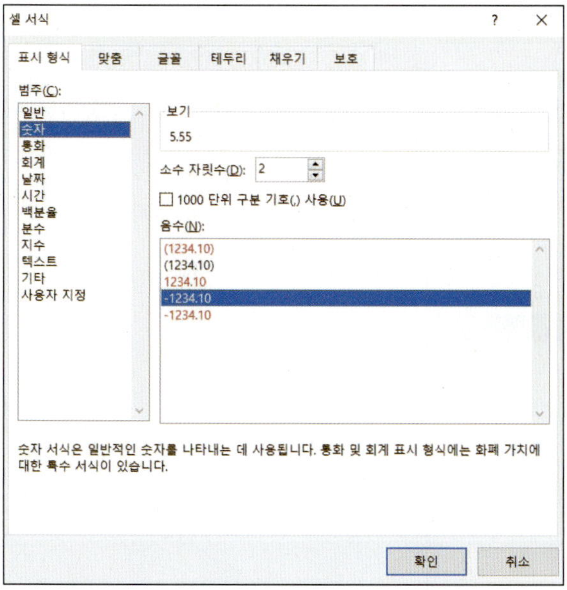

6. 요약행의 자릿수가 2자리로 변경된 것을 확인할 수 있습니다.

식품단속일지 - 일반 데이터 표

일자	담당자	검사지역	유통기한 위반	가격표시 위반	기타
2017-01-20	고소영	서울지역	2	3	3
2017-01-20	김대영	전북지역	8	6	3
2017-01-22	이진아	경북지역	3	8	10
2017-01-23	김대영	전북지역	9	4	2
2017-01-23	한석봉	충북지역	6	8	2
2017-01-23	고소영	서울지역	8	0	9
2017-01-23	한석봉	충북지역	7	5	3
2017-01-27	김대영	전북지역	2	7	6
2017-02-12	고소영	서울지역	6	7	4
2017-02-13	이진아	경북지역	6	8	2
2017-02-14	한석봉	충북지역	4	8	6

식품단속일지 - 엑셀 표

일자	담당자	검사지역	유통기한 위반	가격표시 위반	기타
2017-01-20	고소영	서울지역	2	3	3
2017-01-20	김대영	전북지역	8	6	3
2017-01-22	이진아	경북지역	3	8	10
2017-01-23	김대영	전북지역	9	4	2
2017-01-23	한석봉	충북지역	6	8	2
2017-01-23	고소영	서울지역	8	0	9
2017-01-23	한석봉	충북지역	7	5	3
2017-01-27	김대영	전북지역	2	7	6
2017-02-12	고소영	서울지역	6	7	4
2017-02-13	이진아	경북지역	6	8	2
2017-02-14	한석봉	충북지역	4	8	6
요약			5.55		50.00

7. [표 도구 : 디자인 탭 – 속성 그룹 – 표 이름 : 엑셀표]를 입력합니다.

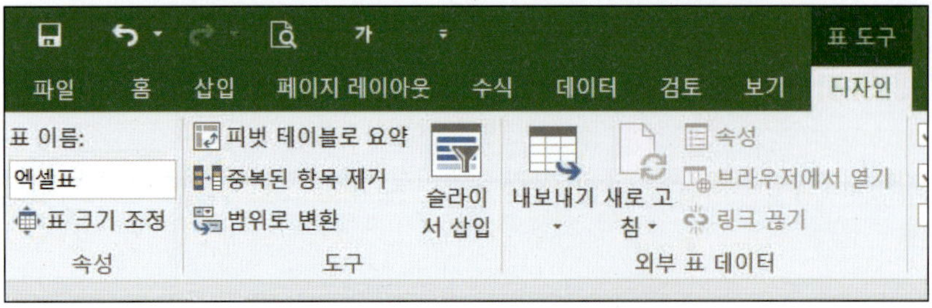

8. I4:N14 범위까지 표 이름 '엑셀표' 로 설정됩니다. 설정된 표 이름은 [수식 탭 – 정의된 이름 그룹 – 이름관리자] 또는 [이름상자]에서 확인할 수 있습니다.

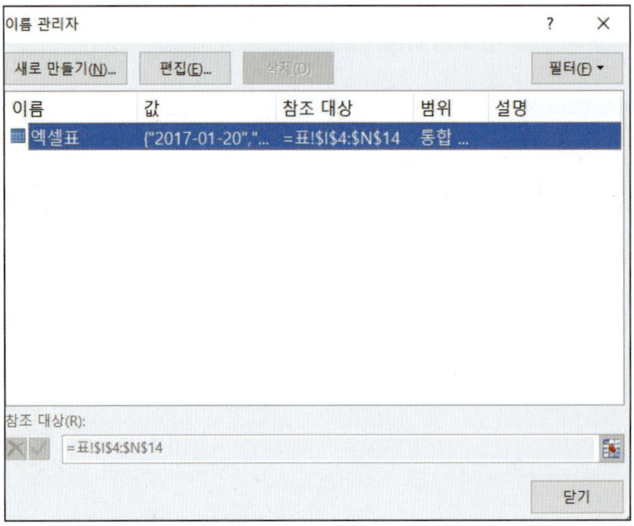

따라해 보세요 – 표 기능 제거하기

*시트명 : 표

'식품단속일지 – 일반 데이터 표'를 데이터 표 범위로 변경하세요.

1. '식품단속일지 – 일반 데이터 표' 안에 임의의 셀에 커서를 이동합니다. [표 도구 : 디자인 탭 – 도구 그룹 – 범위로 변환]을 클릭합니다.

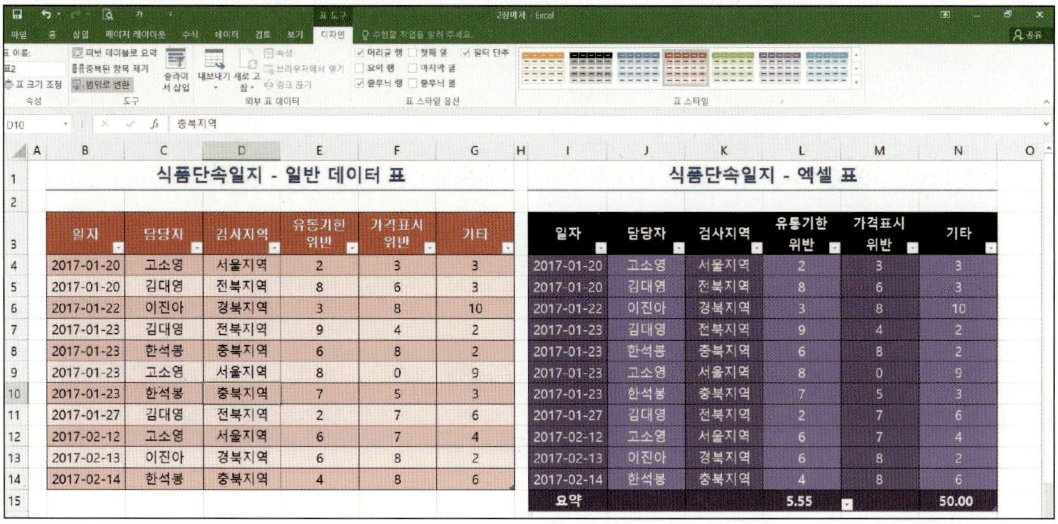

2. '표를 정상 범위로 변환하시겠습니까?' 라는 메시지가 나타나면 '예' 버튼을 클릭합니다.

3. 기존에 적용된 서식은 그대로 적용된 '데이터 표'로 변경되는 것을 확인할 수 있습니다.

따라해 보세요 – 그림으로 복사하기

＊시트명 : 표

'식품단속일지 – 엑셀 표'의 제목과 표 범위를 그림으로 복사하여 새 시트에 삽입하세요. 시트명은 '그림복사'로 변경하세요.

1. I1:N15 범위를 선택한 후 [홈 탭 – 클립보드 그룹 – 복사 – 그림으로 복사]를 클릭합니다.

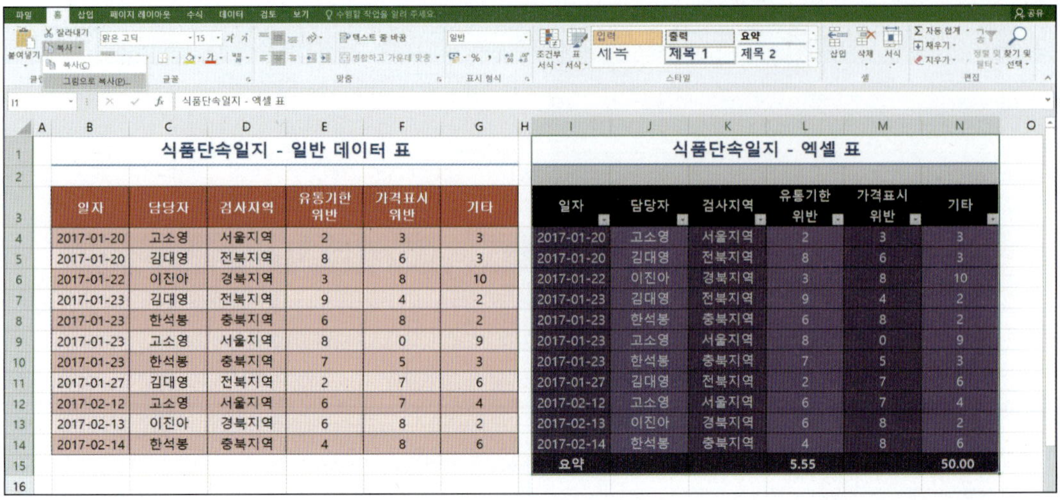

2. 그림 복사 대화상자가 나타나면 확인 버튼을 클릭합니다.

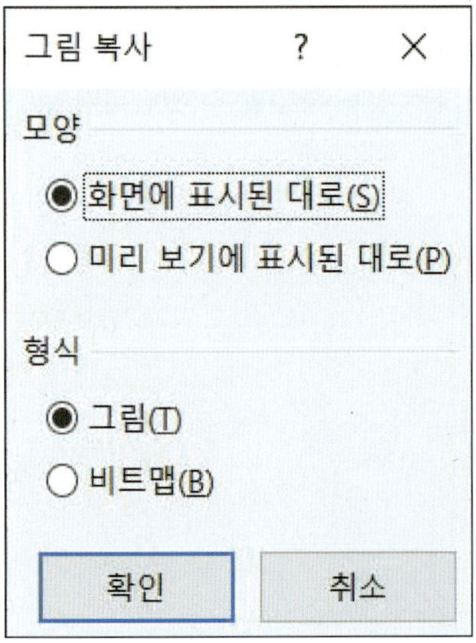

3. 표 범위가 클립보드에 복사되었습니다. 새로운 시트를 삽입합니다. A1셀에서 마우스 오른 클릭하여 붙여넣기 합니다. 표 범위가 이미지로 삽입되는 것을 확인할 수 있습니다.

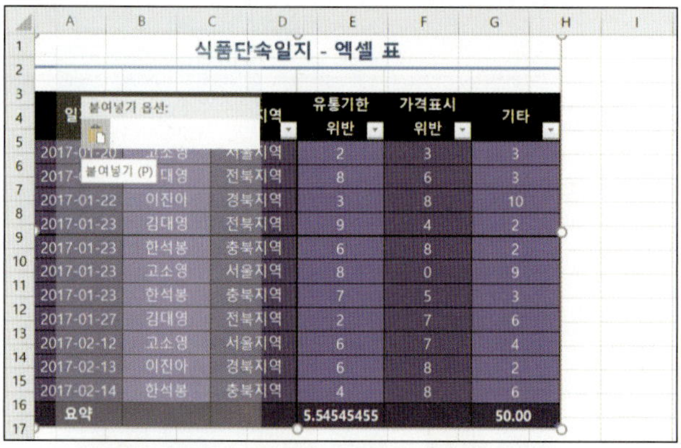

4. 새로 삽입된 시트명 위에서 마우스 오른 클릭하여 '이름 바꾸기' 를 클릭합니다. 시트명에 '그림복사' 를 입력합니다.

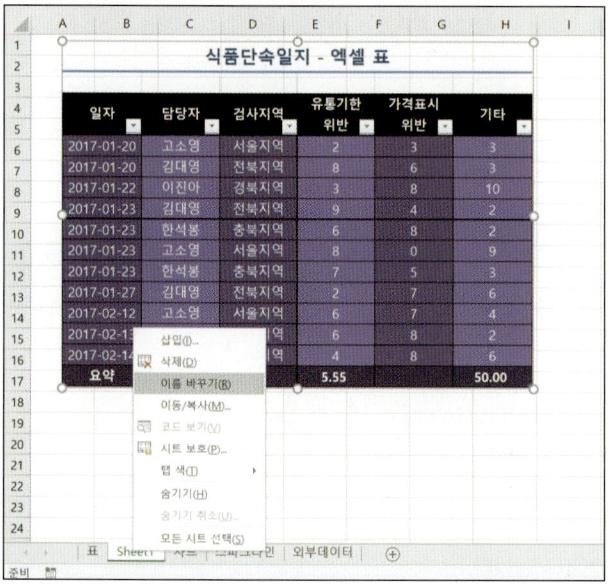

5. 시트명이 변경된 것을 확인할 수 있습니다.

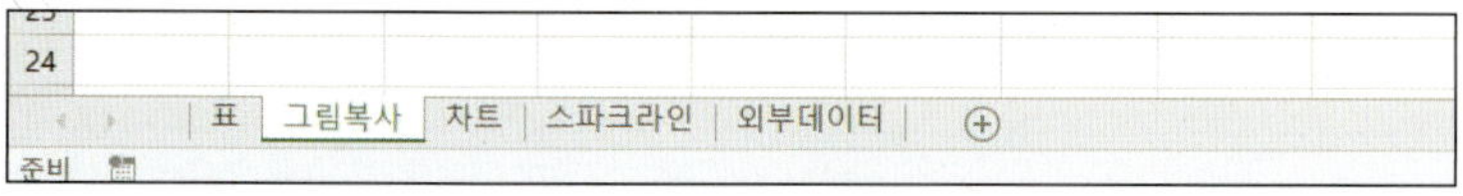

1-2 차트 삽입하기

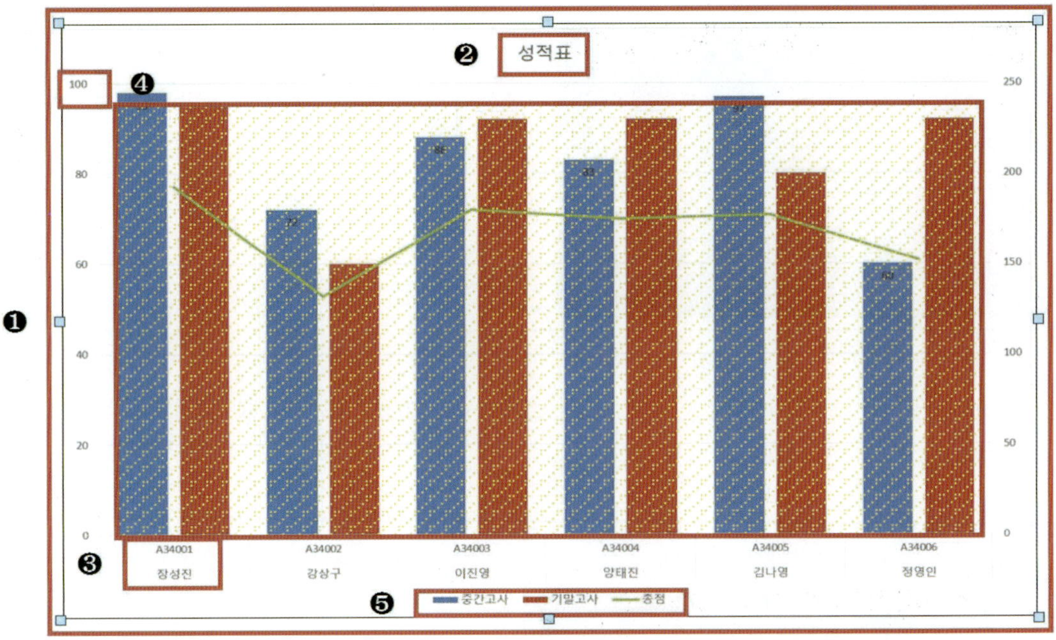

설명

차트 구성 요소

① 차트 영역 : 차트 전체를 의미합니다.

② 차트 제목 : 차트의 제목을 의미합니다.

③ 가로축 레이블 : 가로축에 표시되는 텍스트를 의미합니다.(A34001 장성진, A34002 강상구...)

④ 세로축 레이블 : 세로축에 표시되는 텍스트를 의미합니다.(0, 20, 40...)

⑤ 범례 : 그림 영역에 표시된 데이터 계열을 의미합니다.

⑥ 그림 영역 : 그래프가 표시되는 곳으로 가로축, 세로축, 그림으로 구성됩니다.

- 가로축 : X축으로 보통 항목이 표시됩니다.
- 세로축 : Y축으로 보통 숫자 값이 표시됩니다.
- 데이터 계열 : 데이터 값이 그래프에 표시된 개체를 의미합니다.
  일반적으로 같은 계열의 개체는 같은 색으로 표시됩니다.
- 데이터 레이블 : 데이터 계열에 표시되는 값을 의미합니다.

따라해 보세요 – 차트 삽입하기

*시트명 : 차트

성적 평가표의 이름과 중간고사 성적을 이용하여 세로 막대형 차트를 삽입하세요. 가로축에는 기말고사 항목을 추가하세요.

1. Ctrl 키를 이용하여 B3:B9 범위와 D3:D9 범위를 동시에 선택 합니다. [삽입 탭 – 차트 그룹 – 세로 또는 가로 막대형 차트 삽입 – 2차원 세로 막대형 – 묶은 세로 막대형]을 클릭합니다. 중간고사에 대한 차트가 삽입되는 것을 확인할 수 있습니다.

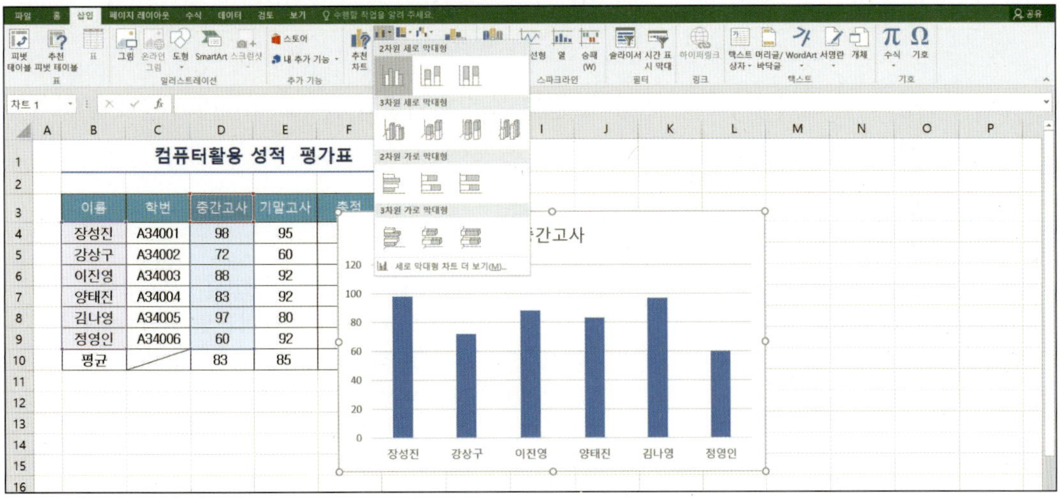

2. 차트에 기말고사 항목을 추가하기 위하여 차트 영역을 클릭 한 후 [차트 도구 : 디자인 탭 – 데이터 그룹 – 데이터 선택]을 클릭합니다.

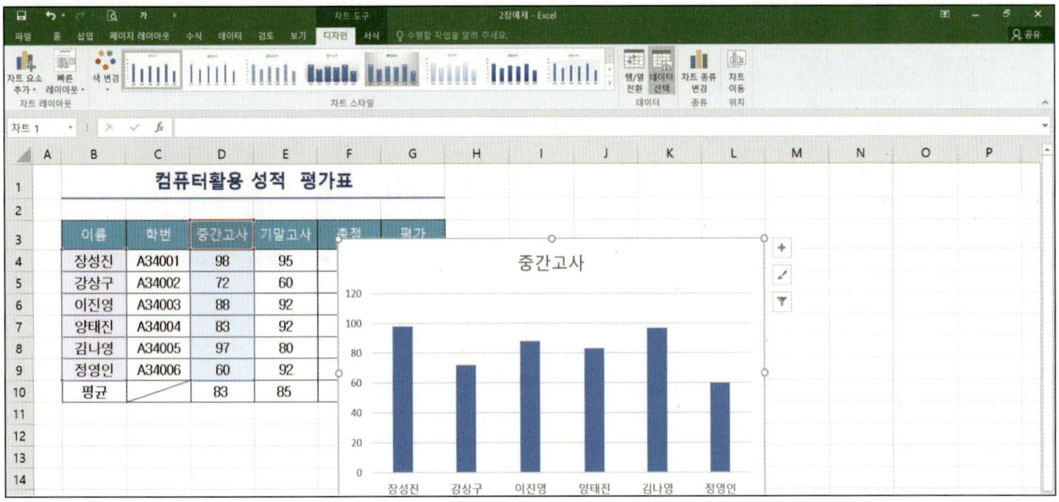

3. 데이터 원본 선택 대화상자가 나타나면 왼쪽 범례 항목(계열)의 '추가' 버튼을 클릭합니다.

4. 계열 편집 대화상자가 나타나면 [계열 이름 : =E3, 계열 값 : =E4:E9]를 입력한 후 확인 버튼을 클릭합니다.

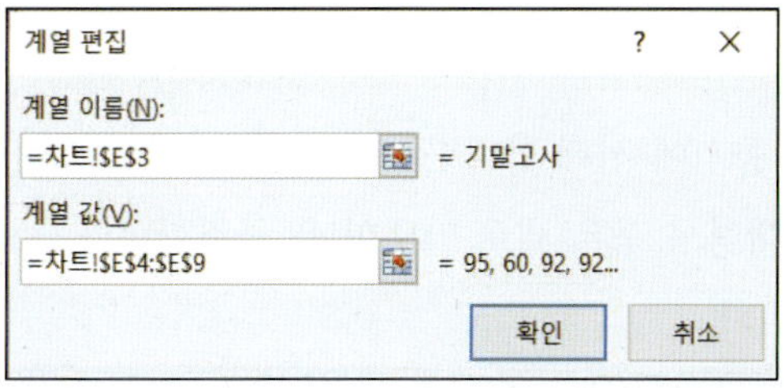

5. 데이터 원본 선택 대화상자의 범례 항목(계열) 목록에 기말고사 항목이 추가되는 것을 확인할 수 있습니다. 확인 버튼을 클릭합니다.

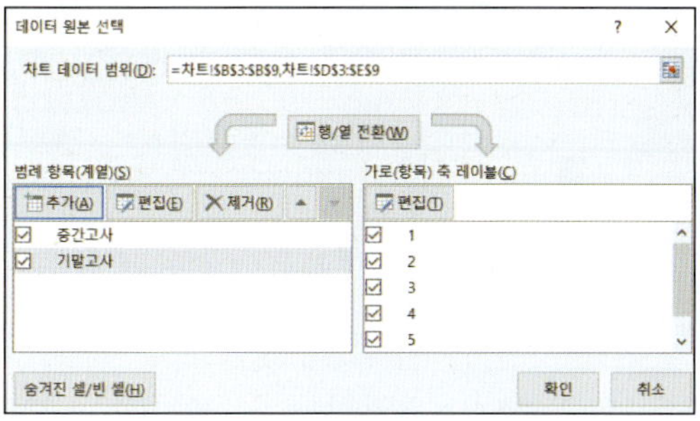

Tip

계열 이름에 '기말고사' 텍스트를 입력해도 차트가 삽입됩니다. 단, 계열이름을 주소로 참조 받지 않은 경우 데이터 범위가 너무 복잡하여 차트 테이터 범위 내용이 표시되지 않습니다.

6. 차트에 기말고사 항목이 추가되는 것을 확인할 수 있습니다.

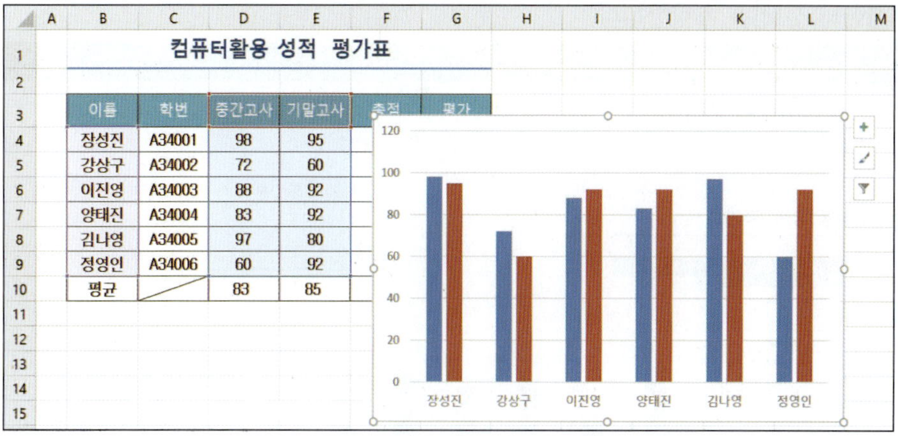

따라해 보세요 – 데이터 표를 이용하여 데이터 범위 추가하기

*시트명 : 차트

컴퓨터활용 성적 평가표 범위 영역을 이용하여 총점 항목을 추가하세요.

1. 차트를 선택합니다. 왼쪽에 '컴퓨터활용 성적 평가표'에 범위 영역 표시가 나타나면 데이터 범위 영역을 오른쪽 방향으로 드래그하여 총점 항목까지 영역을 늘려줍니다.

2. 왼쪽 표에서 데이터 범위 영역이 늘어나면 오른쪽의 차트 항목(녹색 막대 그래프)도 자동으로 추가되는 것을 확인할 수 있습니다.

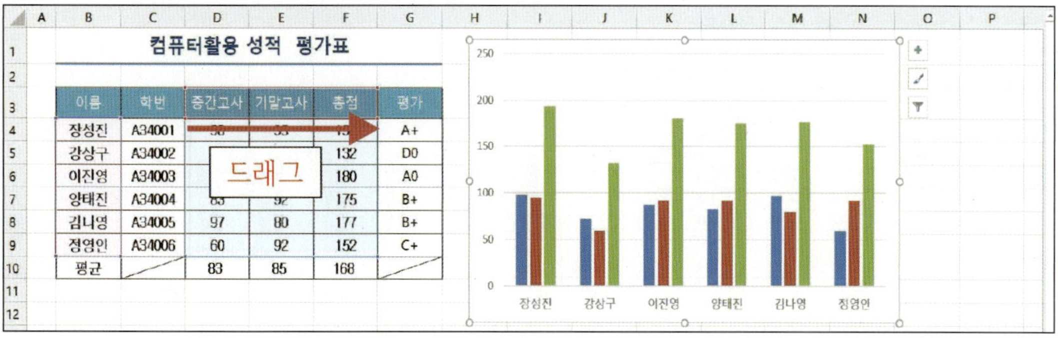

Tip

데이터 범위가 연속된 범위일 경우 가능합니다.

따라해 보세요 – 차트 요소 추가하기

*시트명 : 차트

차트 제목을 '성적표'로 추가하고 범례를 아래쪽으로 삽입하세요

1. 차트를 선택한 후 [차트 도구 : 디자인 탭 – 차트 레이아웃 그룹 – 차트 요소 추가 – 차트 제목 – 차트 위]를 클릭합니다.

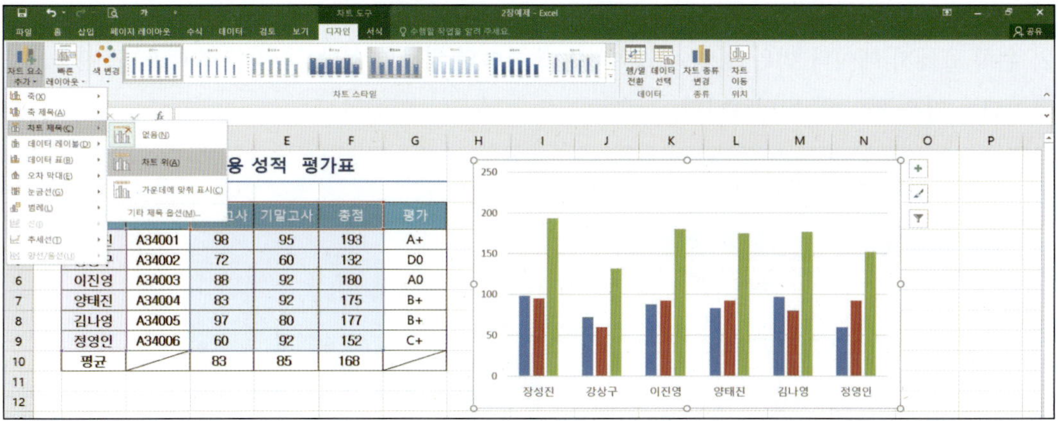

2. 차트 영역 위쪽에 제목을 입력할 수 있는 텍스트 상자가 삽입되는 것을 확인할 수 있습니다. 차트 제목 대신 '성적표'를 입력합니다.

3. 범례를 추가하기 위해 [차트 도구 : 디자인 탭 – 차트 레이아웃 그룹 – 차트 요소 추가 – 범례 – 아래쪽]을 클릭합니다.

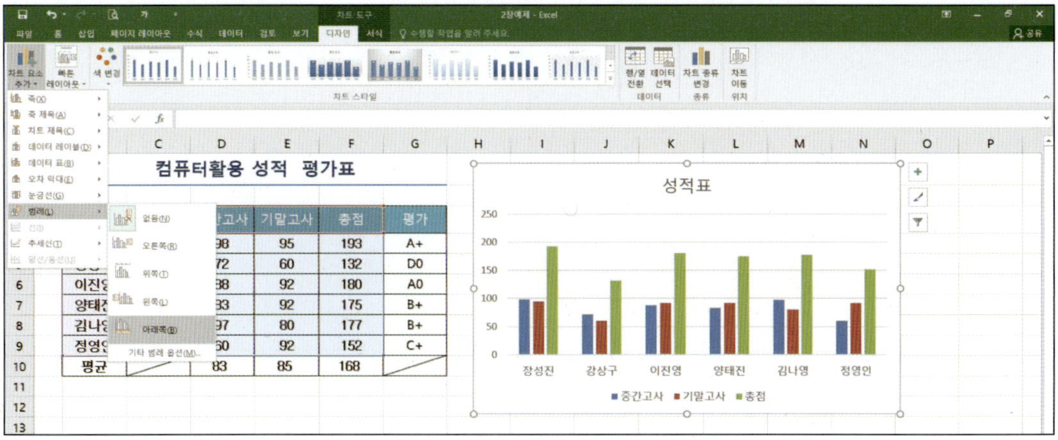

4. 범례가 아래쪽으로 삽입되는 것을 확인할 수 있습니다.

5. 그 외에 추가적으로 차트의 요소를 변경하고자 하면 [차트 도구 – 디자인 탭 – 차트 레이아웃 그룹 – 차트 요소 추가]를 이용할 수 있습니다.

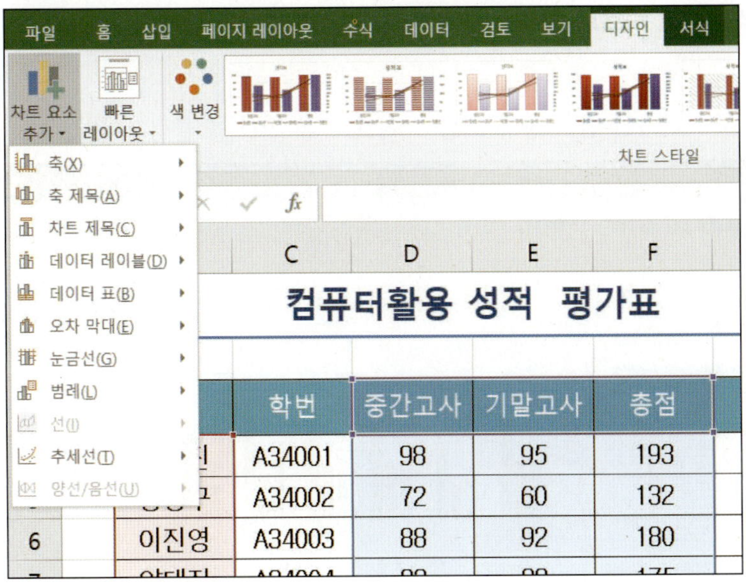

설명

차트 요소 추가

- 축 : 기본 가로, 기본 세로, 보조 가로, 보조 세로 축을 추가할 수 있습니다.
- 축 제목 : 기본 가로, 기본 세로, 보조 가로, 보조 세로 축 제목을 추가할 수 있습니다.
- 차트 제목 : 차트 위, 가운데 맞춰 표시하여 차트 제목을 추가할 수 있습니다.
- 데이터 레이블 : 가운데, 안쪽 끝에, 축에 가깝게, 바깥쪽 끝에, 데이터 설명선으로 데이터 레이블을 추가할 수 있습니다.
- 데이터 표 : 범례 표지 포함, 범례 표지 없음으로 데이터 표를 추가할 수 있습니다.
- 오차 막대 : 표준 오차, 백분율, 표준 편차로 오차 막대를 추가할 수 있습니다.
- 눈금선 : 기본축, 보조축으로 눈금선을 추가할 수 있습니다.
- 범례 : 오른쪽, 위쪽, 왼쪽, 아래쪽으로 범례를 추가할 수 있습니다.
- 선 : 하강선, 최고/최저값 연결선으로 선을 추가할 수 있습니다.
- 추세선 : 선형, 지수, 선형 예측, 이동 평균으로 추세선을 추가할 수 있습니다.
- 양선 / 음선 : 양선/음선을 추가할 수 있습니다.

따라해 보세요 – 차트 종류 변경하기

*시트명 : 차트

항목 중 총점 항목만 꺾은선형 차트로 종류를 변경하고, 보조축을 추가하세요.

1. 차트를 선택한 후 [차트 도구 : 디자인 탭 – 종류 그룹 – 차트 종류 변경]을 클릭합니다.

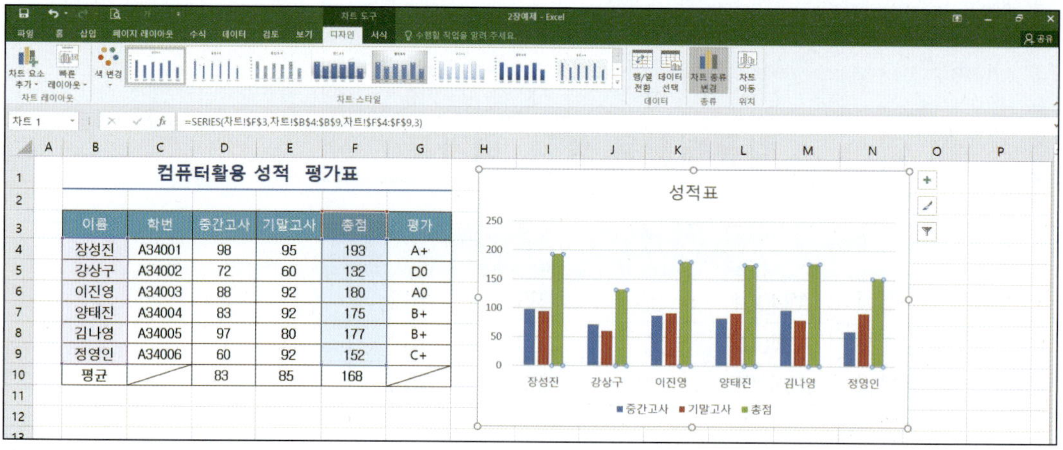

2. 차트 종류 변경 대화상자가 나타나면 [차트 종류 : '콤보' , 총점 : '꺾은선형' , 보조축 : '체크']한 뒤 확인 버튼을 클릭합니다.

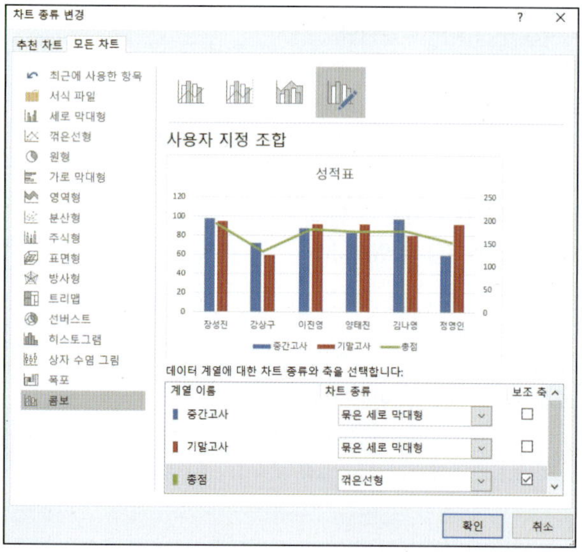

3. 오른쪽에 보조축이 생성되고 총점 차트의 종류가 '꺾은선형' 으로 변경되는 것을 확인할 수 있습니다.

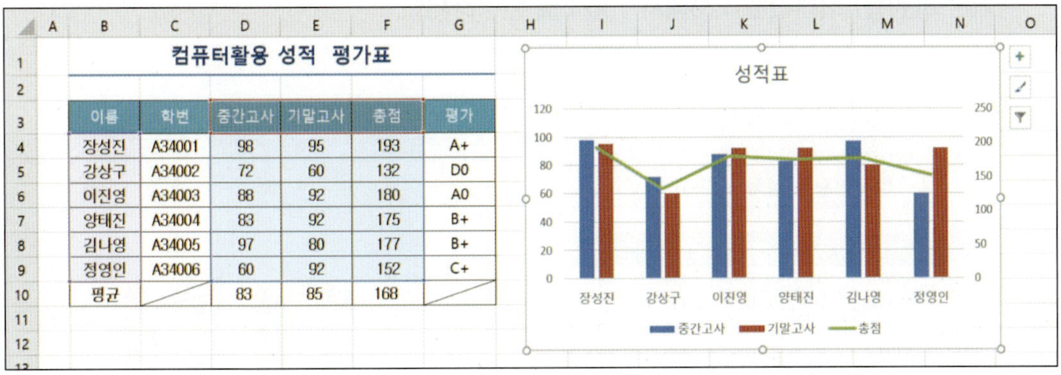

Tip

차트의 데이터 계열 간의 값 차이가 발생할 경우 데이터 계열의 간격을 최소화 하기 위해 보조축을 사용합니다. 보조축은 기본축(왼쪽)이 아닌 오른쪽에 축이 생기게 됩니다.

따라해 보세요 – 축 서식 변경하기

*시트명 : 차트

기본축(왼쪽) 최대값을 120에서 100으로 변경하세요.

1. 세로축 레이블 위에서 [마우스 오른 클릭 – 축 서식]을 클릭합니다.

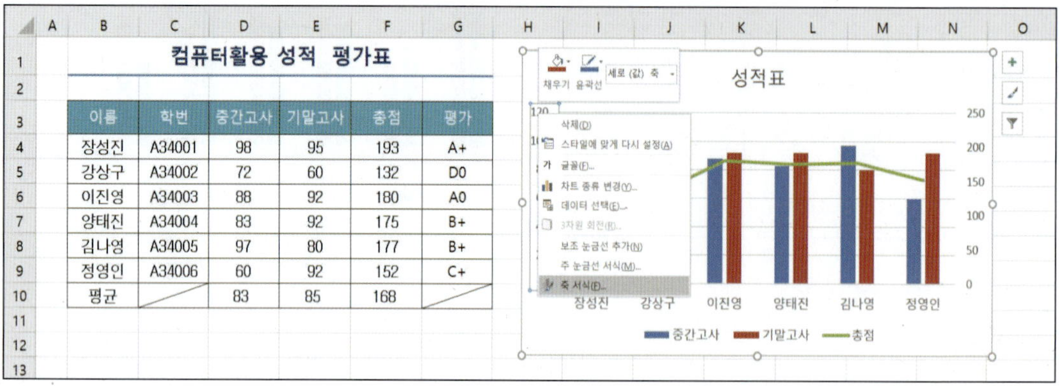

2. 오른쪽에 축 서식 창에 [최소값 : 0, 최대값 : 100, 주 단위 : 20]을 입력합니다. 값을 변경하면 바로 차트에 적용되는 것을 확인할 수 있습니다.

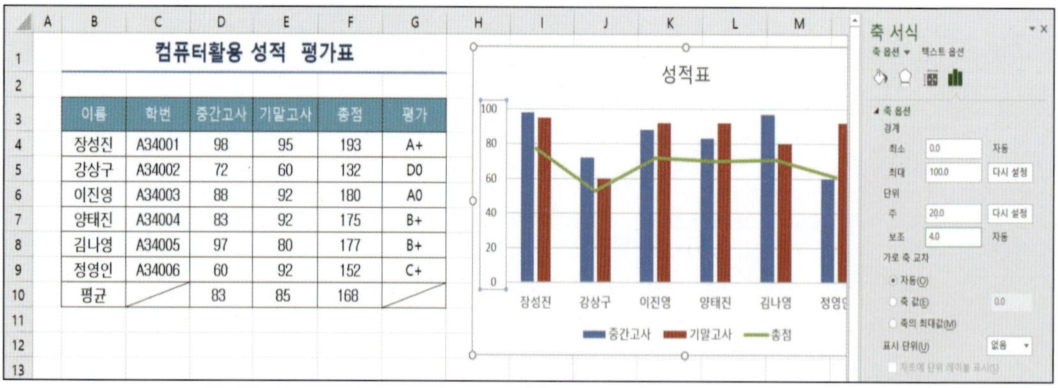

따라해 보세요 – 차트 레이아웃 변경하기

※시트명 : 차트

차트 레이아웃을 이용하여 '레이아웃 3'으로 변경하세요. 색은 '색상형 색 3', 차트 스타일은 '스타일 6'으로 변경하세요.

1. 차트 선택 후 [차트 도구 – 디자인 탭 – 차트 레이아웃 그룹 – 빠른 레이아웃 – 레이아웃 3]을 선택합니다. 쉽고 빠르게 차트의 레이아웃을 변경되는 것을 확인할 수 있습니다.

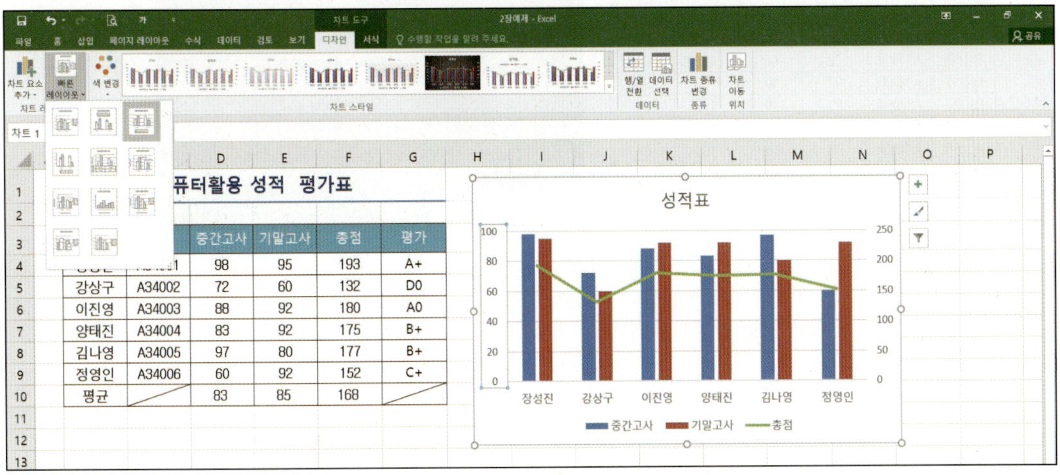

2. [차트 도구 – 디자인 탭 – 차트 스타일 그룹 – 색 변경 – 색상형 색 3]을 클릭합니다. 그에 맞는 스타일 색으로 차트 색이 변경되는 것을 확인할 수 있습니다.

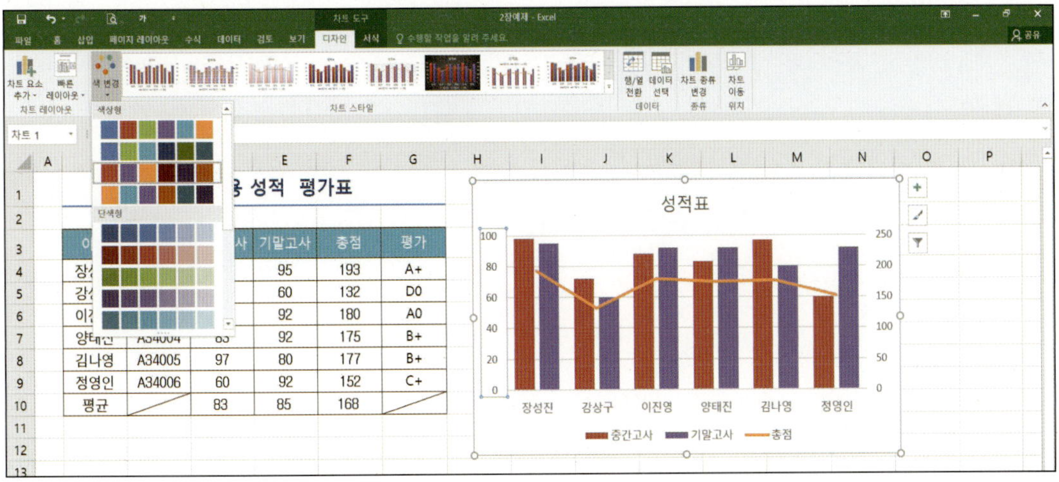

3. [차트 도구 – 디자인 탭 – 차트 스타일 그룹 – 스타일 6]을 클릭합니다. 그에 맞는 스타일로 차트 서식이 변경되는 것을 확인할 수 있습니다.

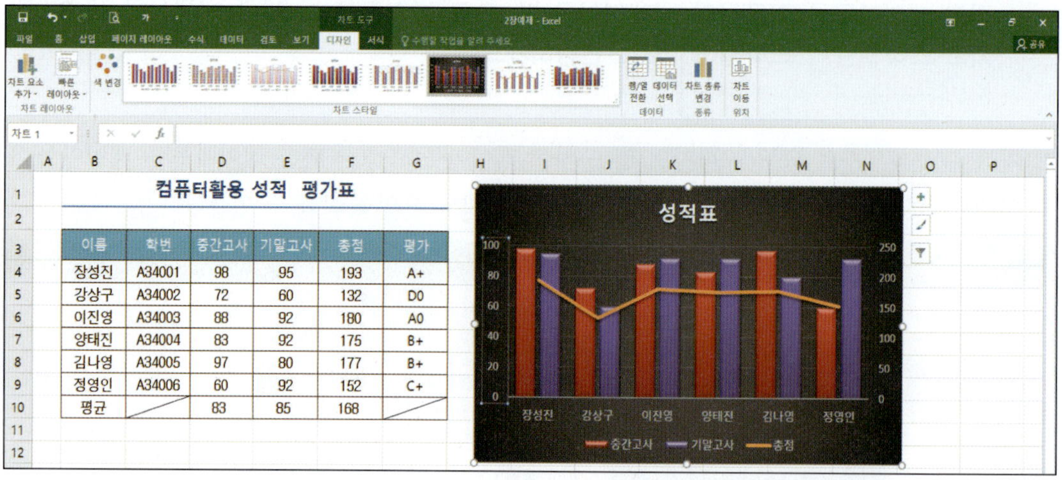

따라해 보세요 – 차트 이동하기

*시트명 : 차트

현재 완성된 차트를 새로운 시트로 이동하세요. 차트 이름은 '차트이동' 으로 설정하세요. 이동된 차트의 종류는 '묶은 3차원 가로 막대형' 으로 변경한 후 '행/열을 전환' 하세요.

1. 차트 선택 후 [차트 도구 – 디자인 탭 – 위치 그룹 – 차트 이동]을 클릭합니다.

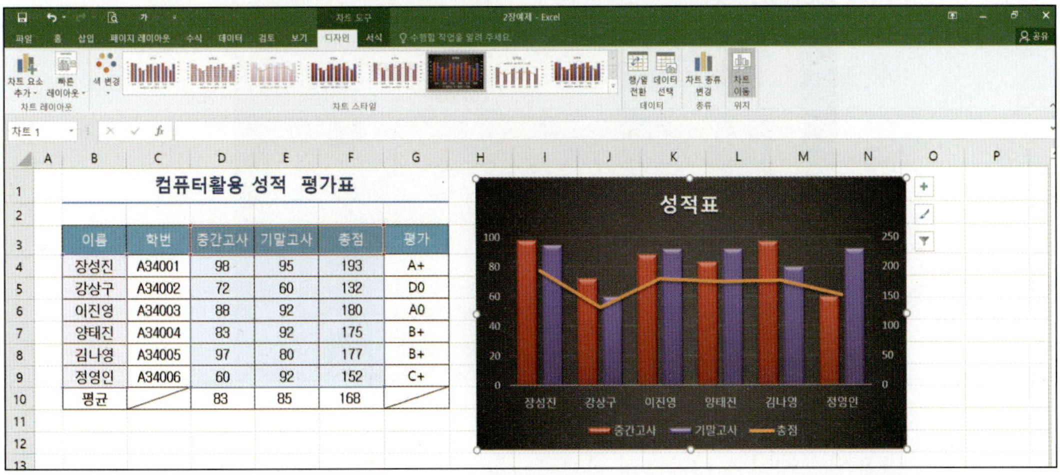

2. 대화상자가 나타나면 새 시트를 선택한 뒤 시트이름은 '차트이동' 으로 입력하고 확인 버튼을 클릭합니다.

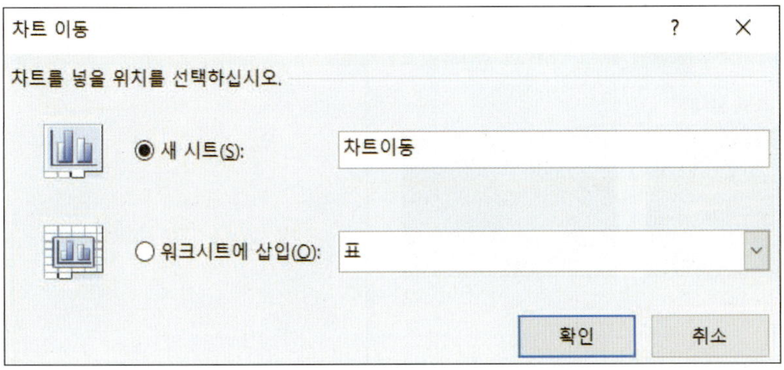

3. '차트이동' 이라는 새로운 시트가 생성되고 그 시트에 차트가 전체화면으로 추가되는 것을 확인할 수 있습니다. 차트 종류를 변경하기 위하여 [차트 도구 중 디자인 탭 - 종류 그룹 - 차트 종류 변경]을 클릭합니다.

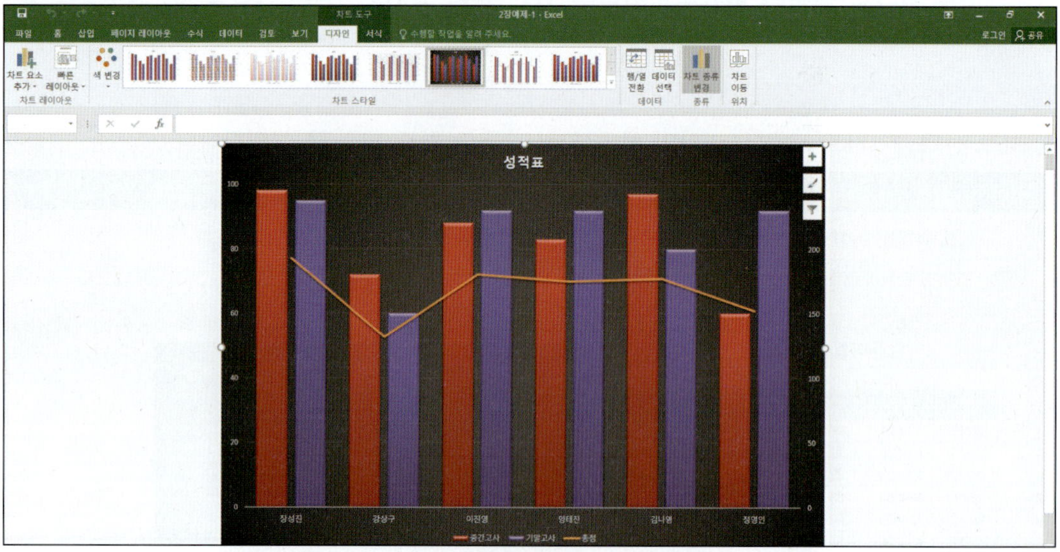

4. 차트 종류 변경 대화상자가 나타나면 가로막대형 중 3차원 묶은 가로 막대형을 선택한 후 확인 버튼을 클릭합니다.

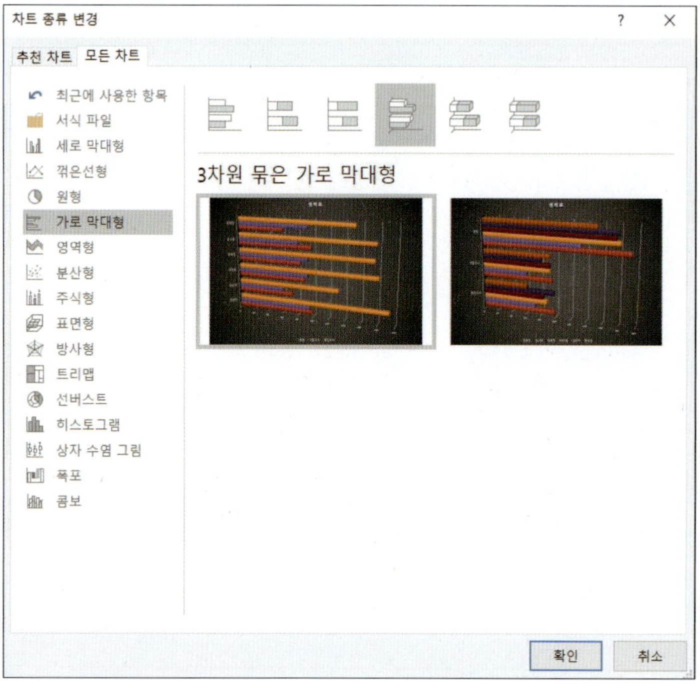

5. 3차원 묶은 가로 막대형으로 변경되는 것을 확인할 수 있습니다. 차트의 행/열을 전환하기 위하여 [차트 도구 중 디자인 탭 – 데이터 그룹 – 행/열 전환]을 클릭합니다.

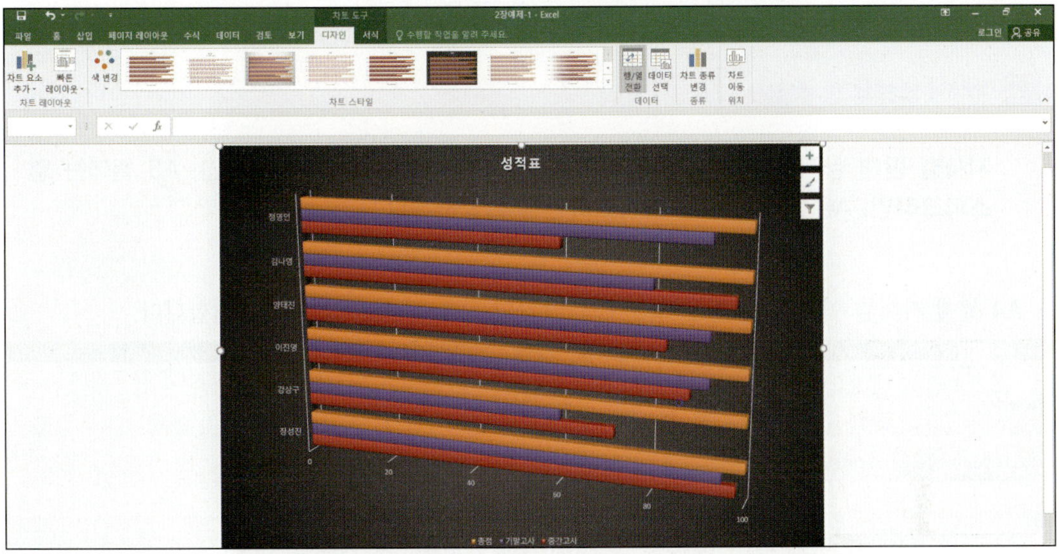

6. 차트의 행/열의 데이터 값이 변경되는 것을 확인할 수 있습니다.

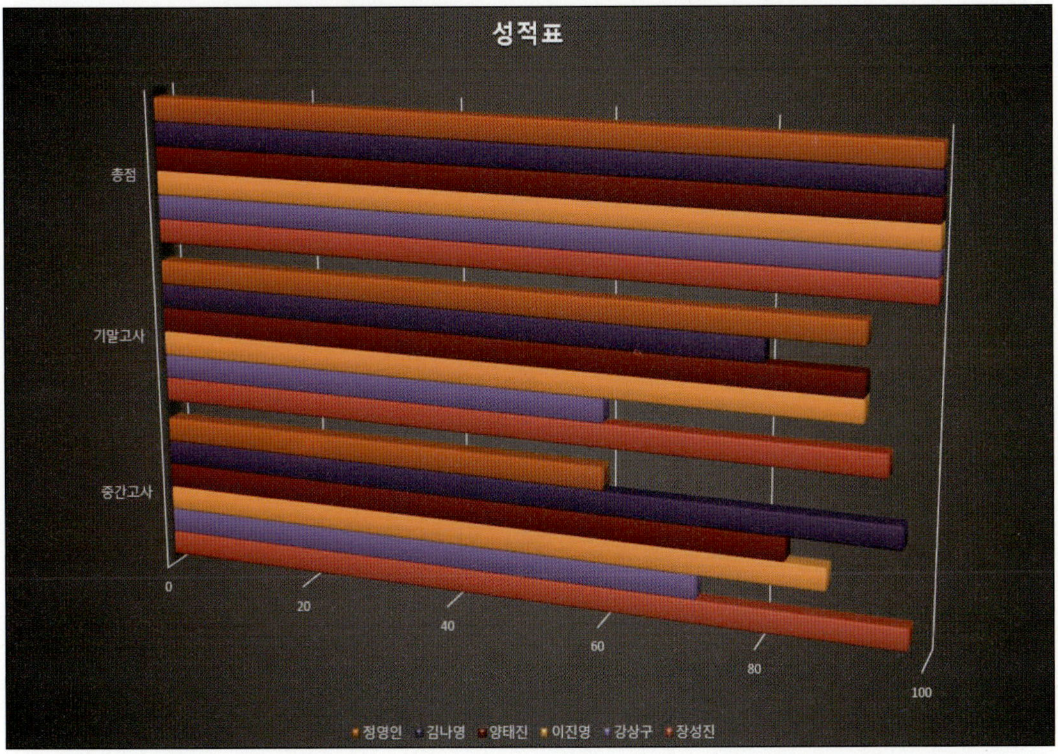

1-3 스파크라인 삽입하기

따라해 보세요

*시트명 : 스파크라인

지사별 판매 실적 데이터를 이용하여 A4 셀에는 꺾은선형 스파크라인, A5 셀에는 열 스파크라인, A6 셀에는 승패 스파크라인을 삽입하세요.

1. A4 셀에 커서를 이동하고 [삽입 탭 - 스파크라인 그룹 - 꺾은선형]을 클릭합니다.

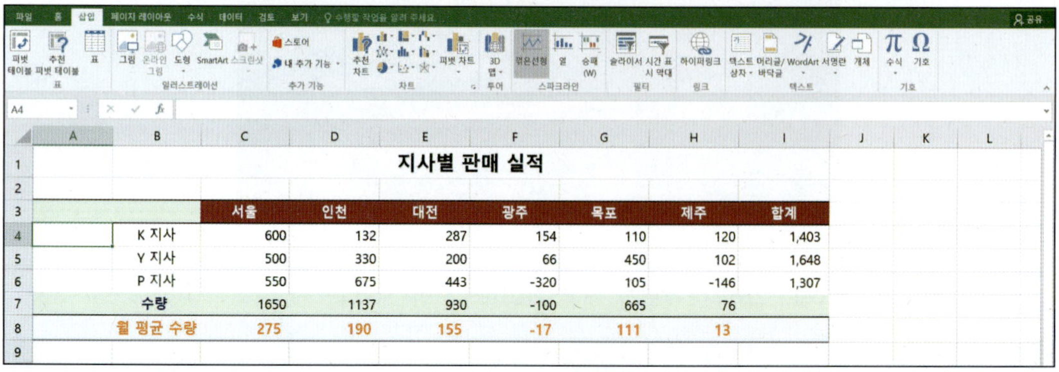

2. [데이터 범위 : C4:H4, 위치 범위 : A4]를 입력한 후 확인 버튼을 클릭합니다.

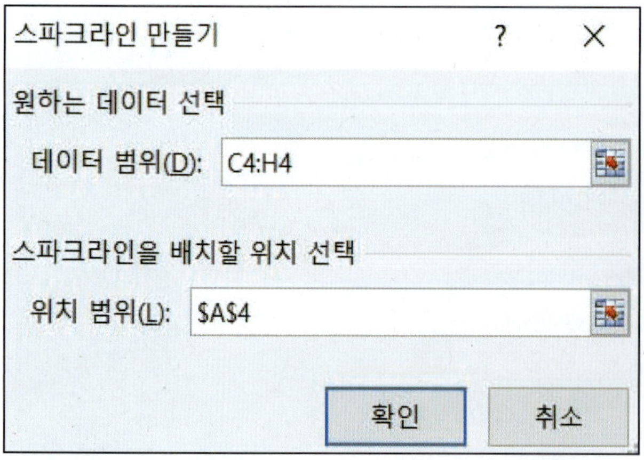

3. '선 스파크라인' 이 삽입되는 것을 확인할 수 있습니다. 선 스파크라인의 속성을 설정하기 위하여 스파크라인을 선택한 후 [스파크라인 도구 : 디자인 탭 – 표시 그룹 – 높은 점, 낮은 점 체크], [스타일 자세히 – 스파크라인 스타일 강조 2, 25% 더 어둡게]를 클릭하여 스파크라인을 디자인합니다.

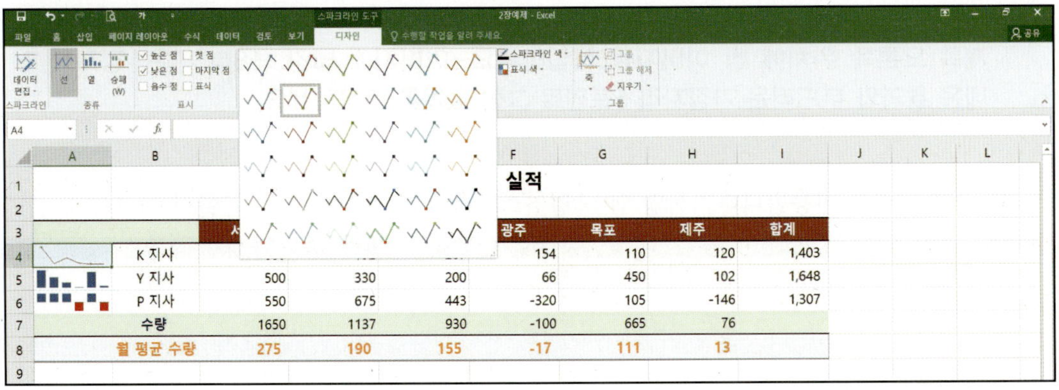

4. 위와 같은 방법으로 '열 스파크라인' 과 '승패 스파크라인' 을 삽입합니다.

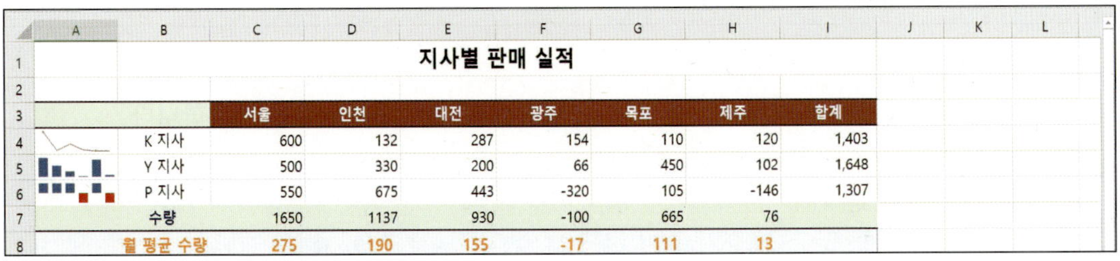

설명

스파크라인 종류

- 꺾은선형, 열 : 값의 추세, 비교를 표현하며 데이터 값 차이를 나타냅니다.
- 승패 : 승패 기록 등을 표현하며 양수 값과 음수 값의 표현만 가능합니다.

1-4 그림 삽입하기

따라해 보세요

*시트명 : 외부데이터

제목 오른쪽 위치에 빵 이미지를 삽입하세요. 이미지에 빨강, 18pt 네온, 강조색 2 네온 효과와 부드러운 가장자리 5포인트 그림 효과를 적용하세요.

1. H1 셀에 커서를 이동합니다. [삽입 탭 – 일러스트레이션 그룹 – 그림]을 클릭합니다.

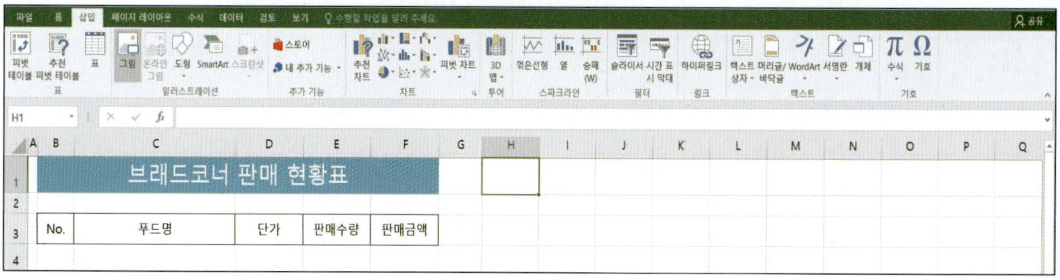

2. 그림 삽입 대화상자가 나타나면 '빵.JPG' 파일 선택하고 삽입 버튼을 클릭합니다.

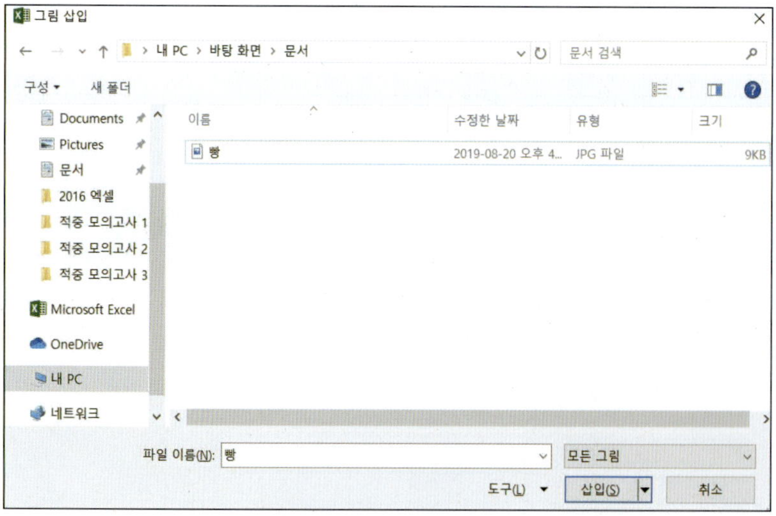

3. 제목 오른쪽에 '빵.JPG' 이미지가 삽입되는 것을 확인할 수 있습니다. 네온 효과를 적용하기 위하여 [그림 도구 : 서식 탭 – 그림 스타일 그룹 – 그림 효과 – 네온 – 빨강, 18pt 네온, 강조색 2]를 클릭합니다.

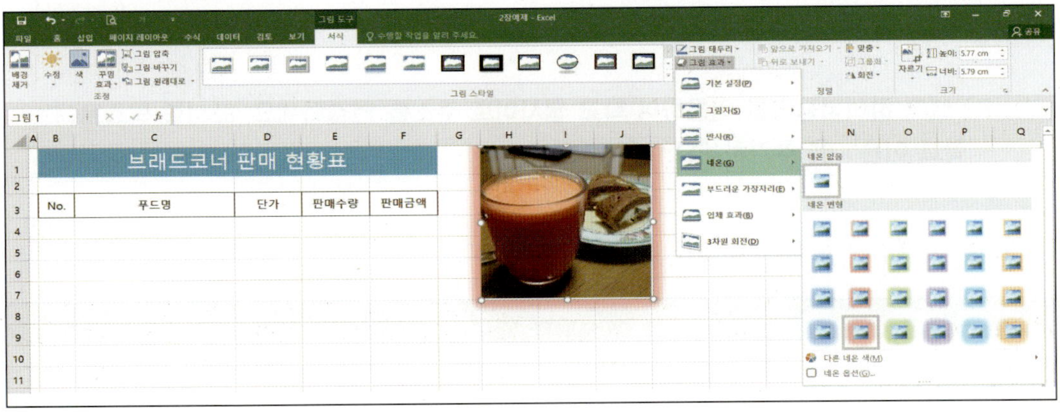

4. 부드러운 가장자리 효과를 적용하기 위하여 [그림 도구 : 서식 탭 – 그림 스타일 그룹 – 그림 효과 – 부드러운 가장자리 – 5 포인트]를 클릭합니다.

5. 이미지에 그림 효과가 적용되는 것을 확인할 수 있습니다.

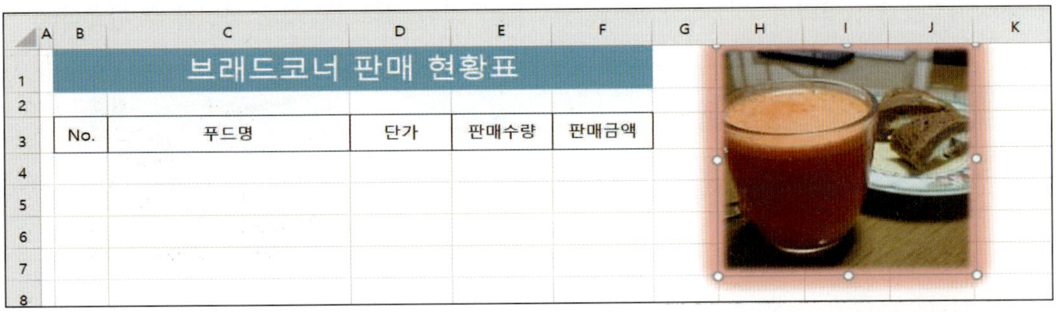

1-5 하이퍼링크 삽입하기

따라해 보세요

*시트명 : 외부데이터

B2 셀에 하이퍼링크를 이용하여 학교 웹사이트 주소를 연결하세요. 표시할 텍스트에는 '학교 이름' 을 추가하세요.

1. B2 셀에 커서를 이동합니다. [삽입 탭 – 링크 그룹 – 하이퍼링크]를 클릭합니다.

2. 하이퍼링크 삽입 대화상자가 나타나면 [연결 대상 : 기본 파일/웹 페이지, 표시할 텍스트 : XX대학교, 주소 : www.test.ac.kr]을 입력하고 확인 버튼을 클릭합니다.

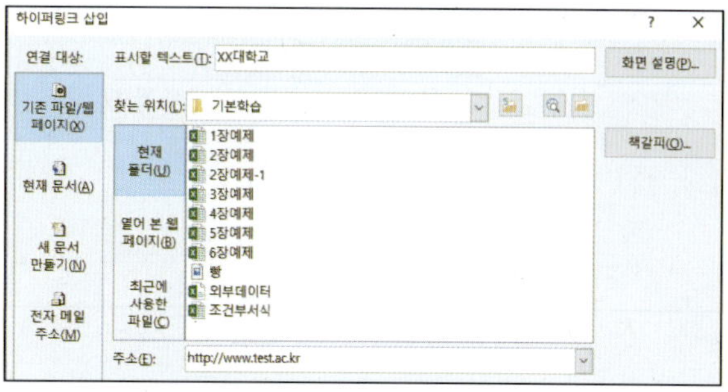

3. 하이퍼링크가 삽입되며 'XX대학교' 텍스트가 B2 셀에 입력되는 것을 확인할 수 있습니다.

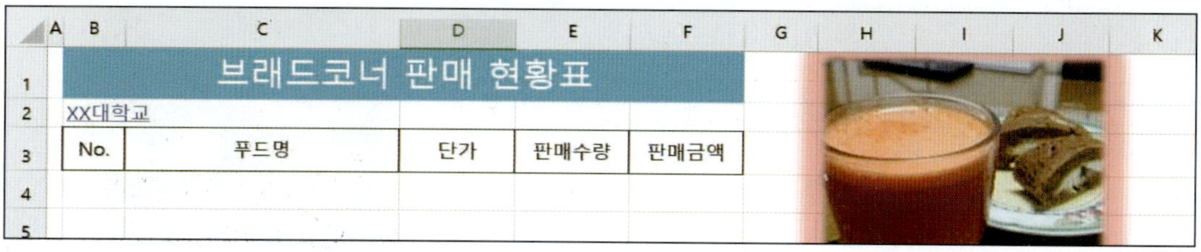

1-6 외부 데이터 삽입하기

따라해 보세요

*시트명 : 외부데이터

'외부 데이터.csv' 파일을 B4셀에 삽입하세요. 쉼표를 구분기호로 사용하세요.

1. B4 셀에 커서를 이동합니다. [데이터 탭 – 외부 데이터 가져오기 그룹 – 텍스트]를 클릭합니다.

2. 텍스트 파일 가져오기 대화상자가 나타나면 '외부데이터.csv' 파일을 선택한 후 가져오기 버튼을 클릭합니다.

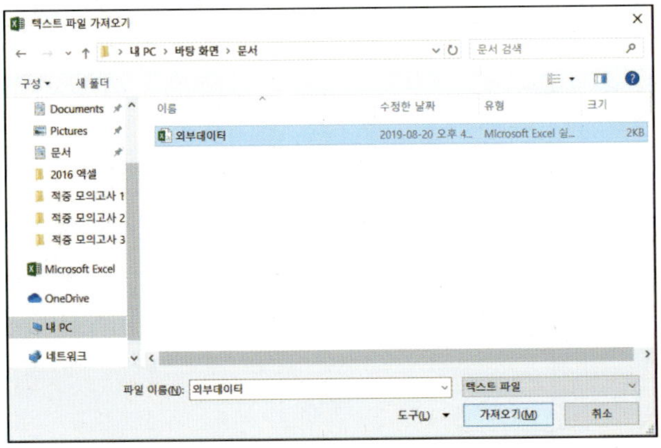

3. 텍스트 마법사 – 3단계 중 1단계 대화상자가 나타나면 '구분 기호로 분리됨' 이 체크되어 있는지 확인하고 원본파일 언어가 '949 : 한국어' 인지 확인한 후 다음 버튼을 클릭합니다.

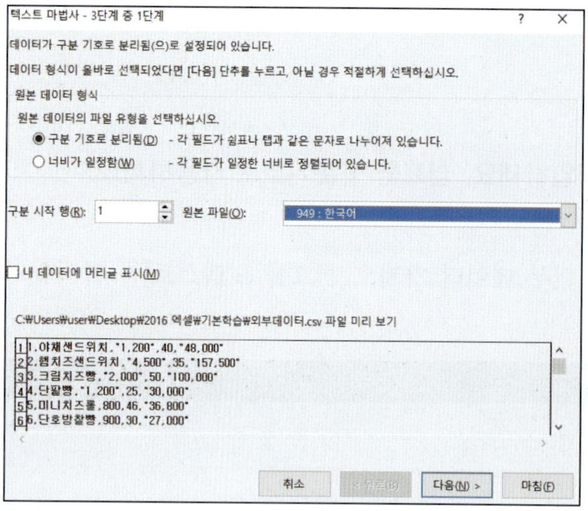

Tip

원본 파일의 언어가 잘못 설정된 경우 글자 깨짐 현상이 나타날 수 있습니다.

4. 텍스트 마법사 – 3단계 중 2단계 대화상자가 나타나면 구분기호를 '쉼표' 만 체크하고 마침 버튼을 클릭합니다.

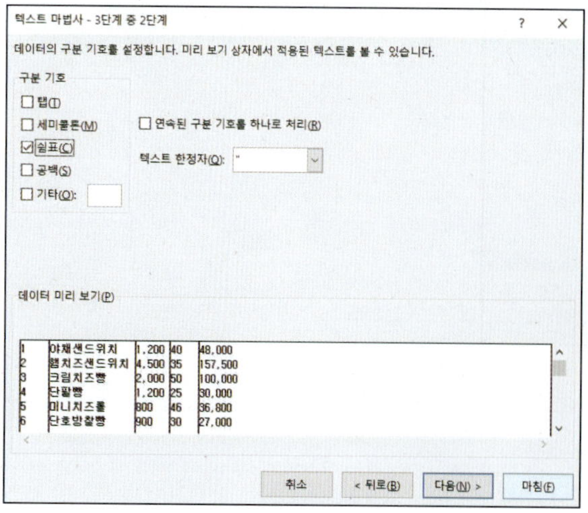

5. 데이터 가져오기 대화상자가 나타나면 데이터가 들어갈 위치가 '기존 워크시트의 B4' 셀이 맞는지 확인하고 확인 버튼을 클릭합니다.

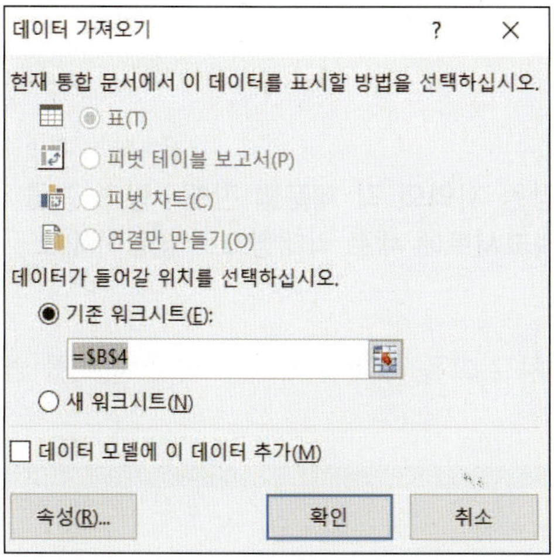

6. B4 셀 다음부터 데이터가 입력되는 것을 확인할 수 있습니다.

	A	B	C	D	E	F
1		브래드코너 판매 현황표				
2		XX대학교				
3		No.	푸드명	단가	매수	판매금액
4		1	야채샌드위치	1,200	40	48,000
5		2	햄치즈샌드위치	4,500	35	157,500
6		3	크림치즈빵	2,000	50	100,000
7		4	단팥빵	1,200	25	30,000
8		5	미니치즈롤	800	46	36,800
9		6	단호박찰빵	900	30	27,000
10		7	치즈 프레첼	2,000	40	80,000

1-7 피벗 테이블 / 피벗 차트 삽입하기

따라해 보세요

*시트명 : 피벗

피벗 시트의 데이터를 이용하여 서울, 경기, 강원 지역의 각 제품별 판매수량의 합을 나타내는 피벗 차트를 삽입하세요. 차트는 새 워크시트에 세로 막대형으로 삽입하세요.

1. 표 안의 임의의 셀에 커서를 이동하고 [삽입 탭 – 차트 그룹 – 피벗 차트 – 피벗 차트]를 클릭합니다.

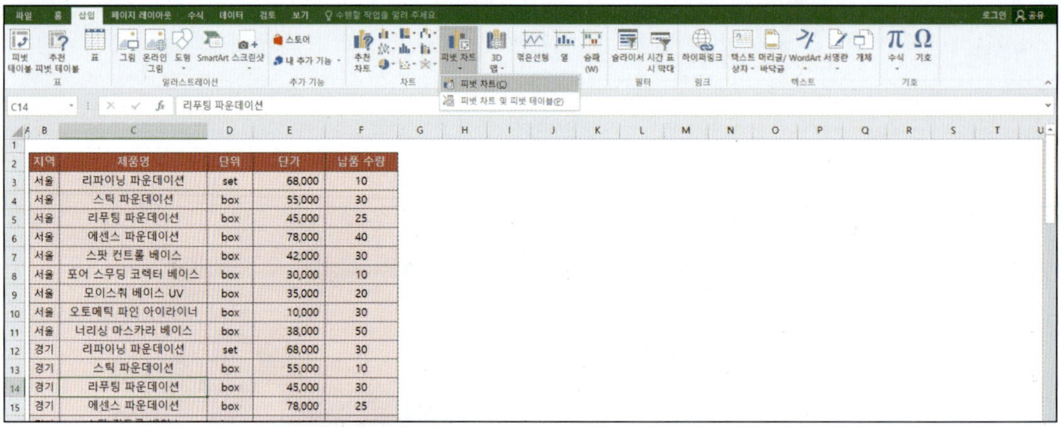

2. 피벗 차트 만들기 대화상자가 나타나면 [표 / 범위 : 피벗!$B$2:$F$92, 피벗 차트 위치 : 새 워크시트]가 맞는지 확인하고 확인 버튼을 클릭합니다.

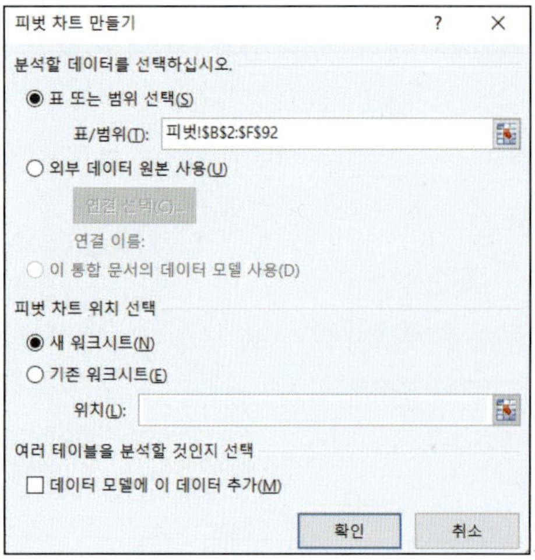

3. 피벗 시트 앞으로 새로운 시트가 생성되는 것을 확인할 수 있습니다. 오른쪽 피벗 차트 필드 목록을 이용하여 피벗 테이블과 피벗 차트를 삽입할 수 있습니다.

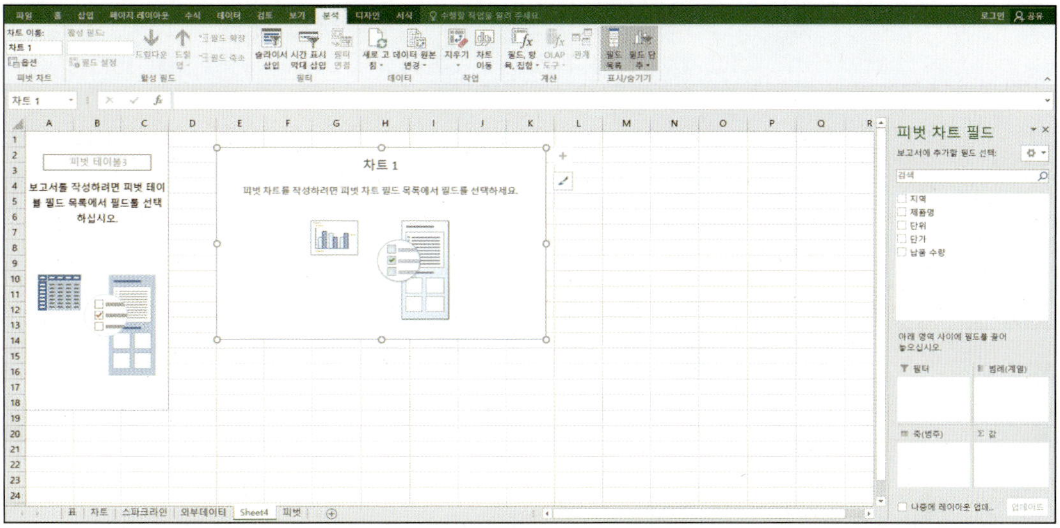

4. 피벗 차트 필드 목록 중 [지역 : 필터, 제품명 : 축(범주), 납품 수량 : 값]으로 필드를 삽입합니다. 필드 목록을 각 항목에 삽입할 때마다 오른쪽 피벗 테이블 영역과 피벗 차트 영역에 내용이 자동으로 생성되는 것을 확인할 수 있습니다.

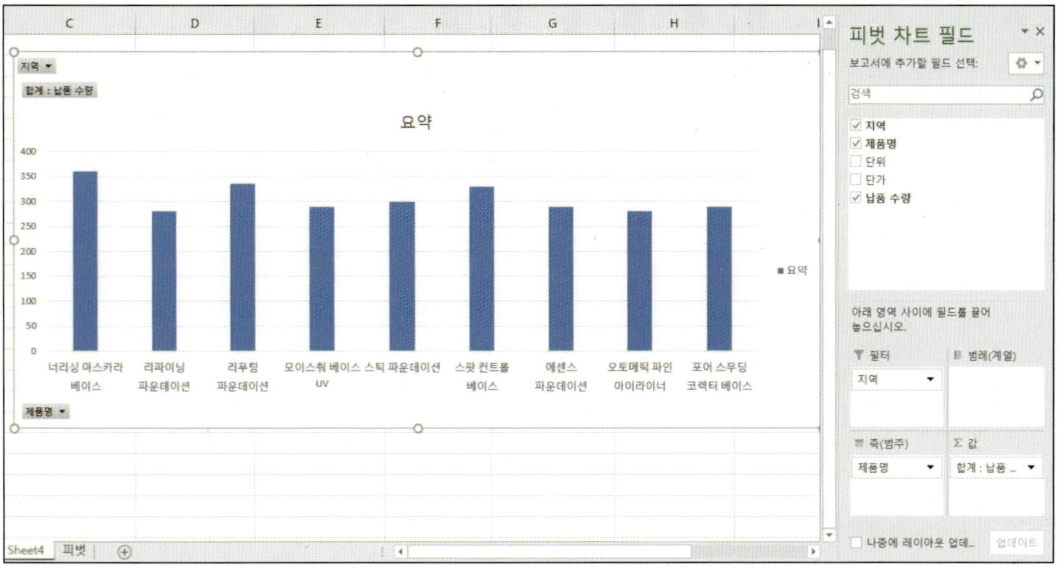

5. 피벗 차트 영역 안의 지역 버튼을 클릭하여 '여러 항목 선택' 을 체크한 후 '서울, 경기, 강원' 지역만 체크하고 확인 버튼을 클릭합니다.

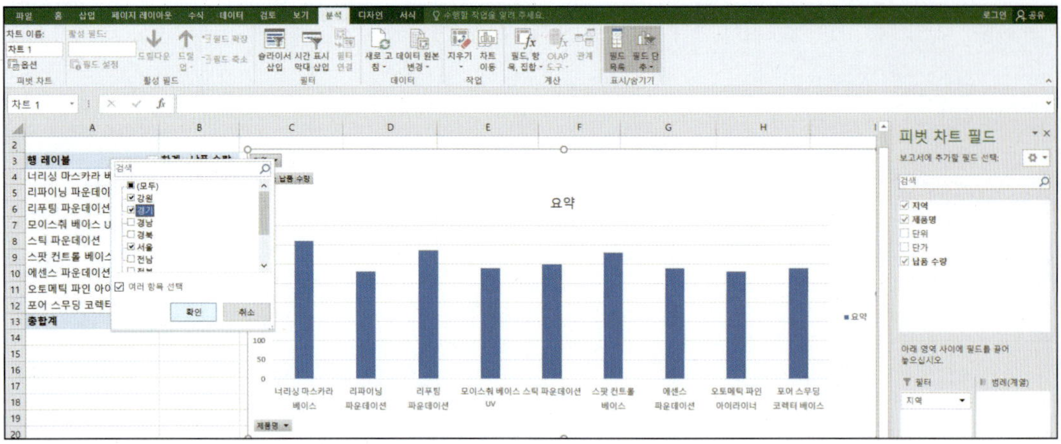

6. 서울, 경기, 강원 지역의 제품별 납품 수량의 합이 적용되는 것을 확인할 수 있습니다.

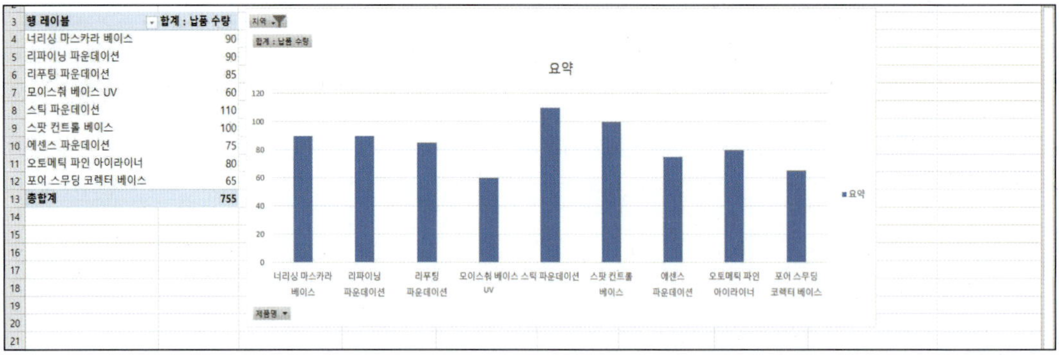

2장 실전예제만들기

실전예제 1

아래 화면과 동일하게 학생별 성적 관리표를 작성하세요.

- 새 통합문서에서 새로 만들기 하십시오.
- A열은 비워 두십시오.(너비 : 1.2)
- 제목 셀은 '셀 병합, 가운데 정렬, 셀 스타일 : 제목 스타일'로 설정하십시오.
- 본문 데이터 값은 '2장 실전학습_데이터.txt' 파일을 이용하여 외부데이터로 삽입하세요.(구분기호 : 탭)
- '본문 글꼴 : 맑은 고딕, 크기 : 12pt, 가운데 맞춤' 으로 설정하십시오.
- 표 서식을 이용하여 '표 스타일 보통 15'로 설정하십시오.
- 시트명은 '성적관리표'로 변경하세요.

결과화면

학생별 성적 관리표

학번	이름	성별	중간고사	기말고사	총점	평균
201703001	김경호	남자	100	94	194	97
201703002	최희원	여자	90	60	150	75
201703003	천성민	남자	88	60	148	74
201703004	장대희	남자	90	98	188	94
201703005	임효성	남자	90	45	135	67.5
201703006	임기남	남자	100	90	190	95
201703007	이현우	남자	90	87	177	88.5
201703008	윤이성	여자	90	89	179	89.5
201703009	엄주인	여자	90	90	180	90
201703010	송상철	남자	90	77	167	83.5

실전예제 2

성적 관리표를 이용하여 차트를 삽입하십시오.

- 차트의 종류는 2차원 묶은 세로 막대형으로 삽입하십시오.
- 중간고사, 기말고사, 총점을 계열 값으로 설정하십시오.
- 가로 축에는 학생 이름만 표시되도록 설정하십시오.
- 차트 제목은 삭제하고, 데이터 표를 추가하십시오.
- 총점 값만 꺾은선형 그래프로 변경하고 보조축으로 설정하십시오.
- 차트를 새로운 시트로 이동하고 시트명은 '차트'로 변경하십시오.

결과화면

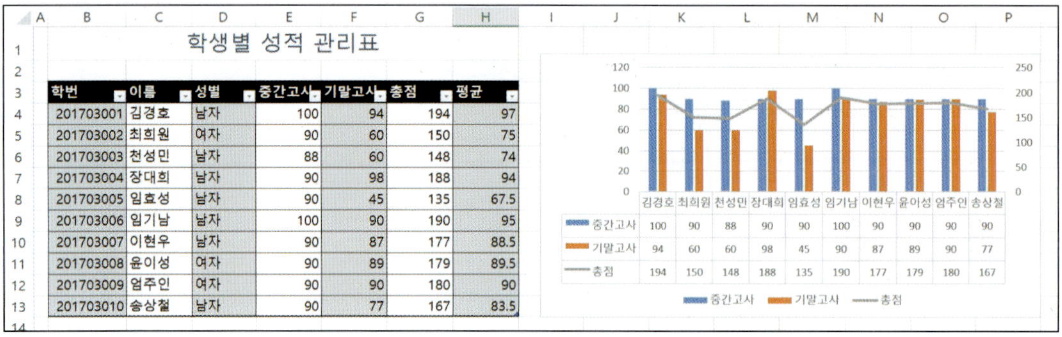

학생별 성적 관리표

학번	이름	성별	중간고사	기말고사	총점	평균
201703001	김경호	남자	100	94	194	97
201703002	최희원	여자	90	60	150	75
201703003	천성민	남자	88	60	148	74
201703004	장대희	남자	90	98	188	94
201703005	임효성	남자	90	45	135	67.5
201703006	임기남	남자	100	90	190	95
201703007	이현우	남자	90	87	177	88.5
201703008	윤이성	여자	90	89	179	89.5
201703009	엄주인	여자	90	90	180	90
201703010	송상철	남자	90	77	167	83.5

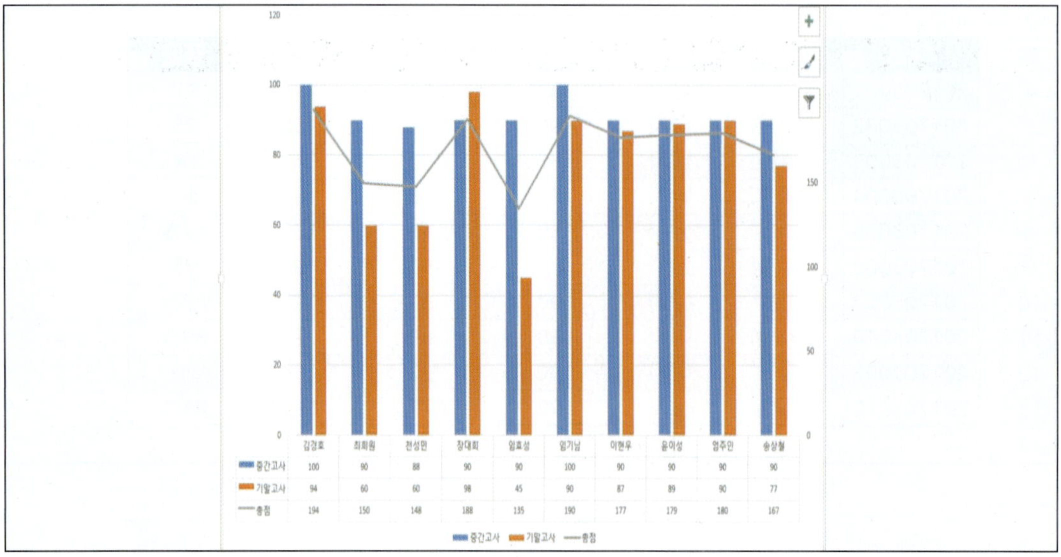

실전예제 3

아래 화면과 동일하게 근무 내역서를 만들어 보세요.

- 결재란은 반드시 그림복사 기능을 이용하여 작성하세요.
- 시트명은 '근무내역' 으로 변경하세요.

결과화면

근무내역

결재	담당	팀장	사장

사원번호	이름	급여 (시간당)	근무시간 (일)	계약일	근무지	비고
T01-2	이현우	55,000	5 h	2012-07-20	송파	
C01-3	윤이성	72,000	6 h	2011-12-20	의왕	
C02-2	엄주인	80,000	5 h	2013-03-20	과천	
E01-2	송상호	65,000	5 h	2013-05-20	영통	
T02-3	백다연	54,000	7 h	2012-09-20	영등포	
E02-3	박진호	58,000	6 h	2011-11-20	종로	
C03-2	김민지	63,000	4 h	2012-11-20	동작	
T03-2	홍슬이	55,000	5 h	2013-02-20	파주	

Chapter 3

데이터 분석

01 정렬 및 필터

데이터를 오름차순 및 내림차순으로 정렬하여 값을 빠르게 찾을 수 있습니다. 또한 셀에 필터를 설정하여 원하는 조건의 데이터만 정렬할 수 있다.

예제파일 : 3장예제.xlsx

1-1 정렬 설정하기

따라해 보세요 – 정렬하기

*시트명 : 정렬 및 필터

학과명을 기준으로 오름차순, 장학금액을 기준으로 내림차순으로 정렬하세요.

1. 표 안의 임의의 셀에 커서를 이동합니다. [데이터 탭 – 정렬 및 필터 그룹 – 정렬]을 클릭합니다.

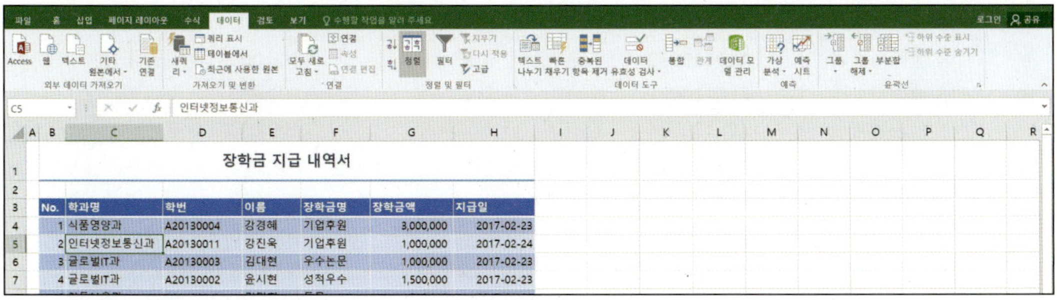

Tip

· 오름차순 : 1–2–3, 가–나–다 등 값이 작은 쪽에서 큰 쪽으로의 순서를 의미합니다.
· 내림차순 : 3–2–1, 다–나–가 등 값이 큰 쪽에서 작은 쪽으로의 순서를 의미합니다.

2. 정렬 대화상자가 나타나면 기준 추가 버튼을 클릭하여 정렬 기준을 추가합니다. 첫 번째 정렬 기준에는 [학과명 – 값 – 오름차순], 두 번째 정렬 기준에는 [장학금액 – 값 – 내림차순]으로 입력하고 확인 버튼을 클릭합니다.

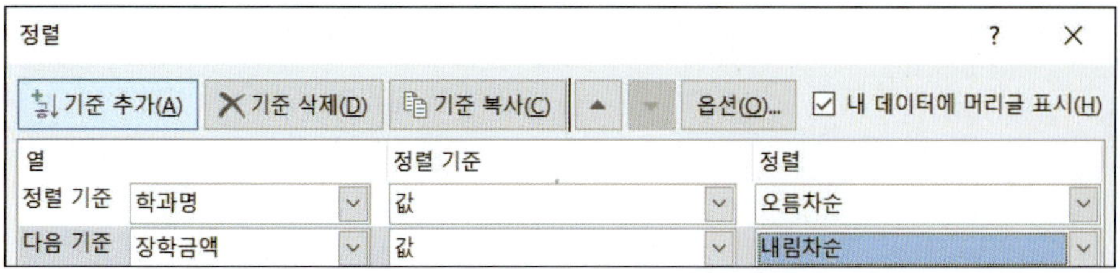

3. 1차적으로 학과명이 '가–나–다' 순으로, 2차적으로 장학 금액이 '큰 값 – 작은 값' 순으로 정렬되는 것을 확인할 수 있습니다.

장학금 지급 내역서

No.	학과명	학번	이름	장학금명	장학금액	지급일
16	글로벌IT과	A20130001	양희수	성적우수	3,000,000	지급예정
4	글로벌IT과	A20130002	윤시현	성적우수	1,500,000	2017-02-23
20	글로벌IT과	A20130023	이근석	성적우수	1,500,000	지급예정
3	글로벌IT과	A20130003	김대현	우수논문	1,000,000	2017-02-23
13	글로벌IT과	A20130019	손다빈	연구	500,000	지급예정
14	물리치료과	A20130020	신종준	동문	500,000	지급예정
15	물리치료과	A20130021	심연수	학회	500,000	지급예정
1	식품영양과	A20130004	강경혜	기업후원	3,000,000	2017-02-23
7	식품영양과	A20130005	김완준	연구	500,000	2017-02-23
23	식품영양과	A20130006	임근영	동문	500,000	지급예정
26	식품영양과	A20130007	진보현	학회	500,000	계좌이체
19	아동보육과	A20130012	이경화	기업후원	3,000,000	지급예정
5	아동보육과	A20130013	김민희	동문	500,000	2017-03-02
6	아동보육과	A20130014	김슬범	학회	500,000	2016-12-23
24	외식산업과	A20130025	장동진	기업후원	1,000,000	지급예정
25	외식산업과	A20130026	전주홍	연구	500,000	계좌이체
27	외식산업과	A20130027	최수현	동문	500,000	계좌이체

1-2 필터 설정하기

따라해 보세요 – 필터 설정하기

*시트명 : 정렬 및 필터

장학금액이 100만원 이상인 학생 중 지급예정인 학생만 필터 하세요.

1. 표 안의 임의의 셀에 커서를 이동합니다. [데이터 탭 – 정렬 및 필터 그룹 – 필터]를 클릭합니다.

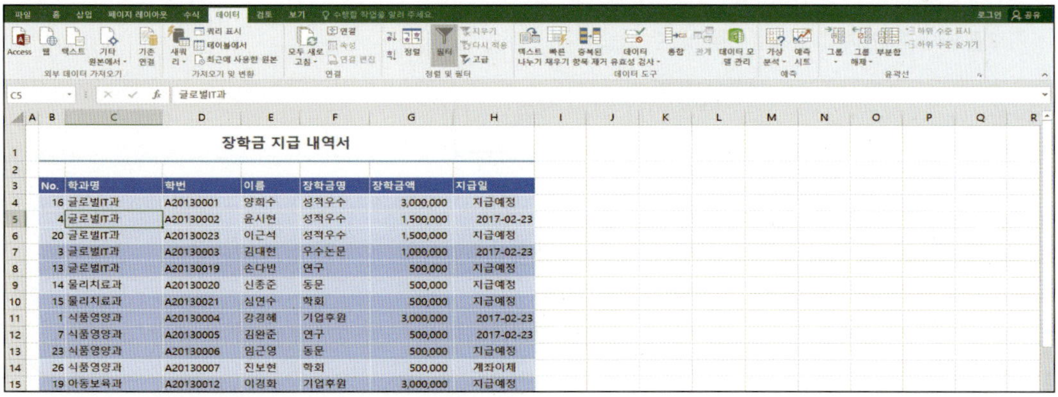

2. 표의 열 머리글에 필터 단추( )가 생성되는 것을 확인할 수 있습니다. 표의 열 머리글에서 '장학금액' 필터 단추를 클릭하여 [숫자 필터 – 크거나 같음]을 클릭합니다.

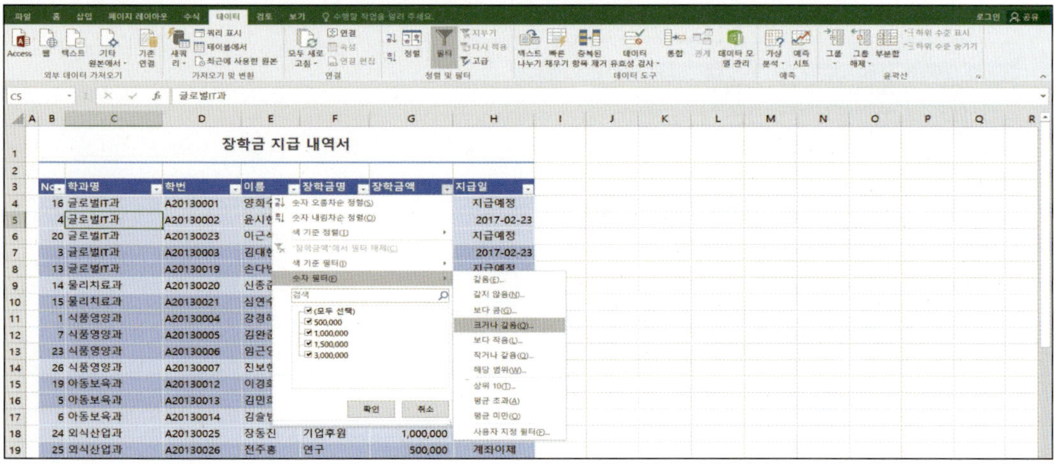

3. 사용자 지정 자동 필터 대화상자가 나타나면 조건에 '>=, 1000000' 을 입력하고 확인 버튼을 클릭합니다.

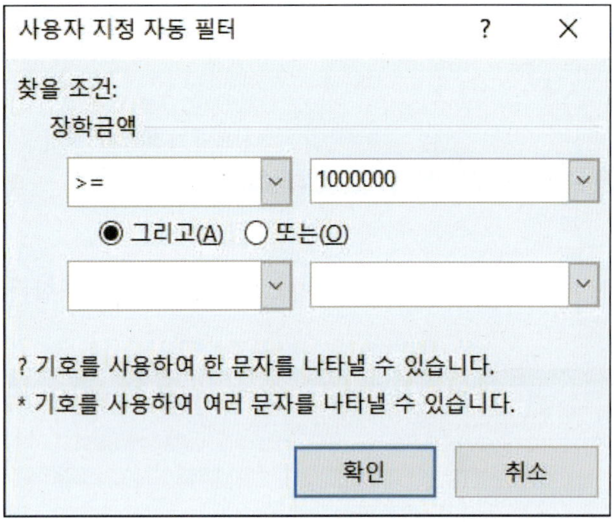

4. 장학금액이 1,000,000원 이상인 값만 나타나게 되는 것을 확인할 수 있습니다.

5. 표의 열 머리글에서 '지급일' 필터 단추를 클릭합니다. 목록 중 '지급예정' 만 체크한 뒤 확인 버튼을 클릭합니다.

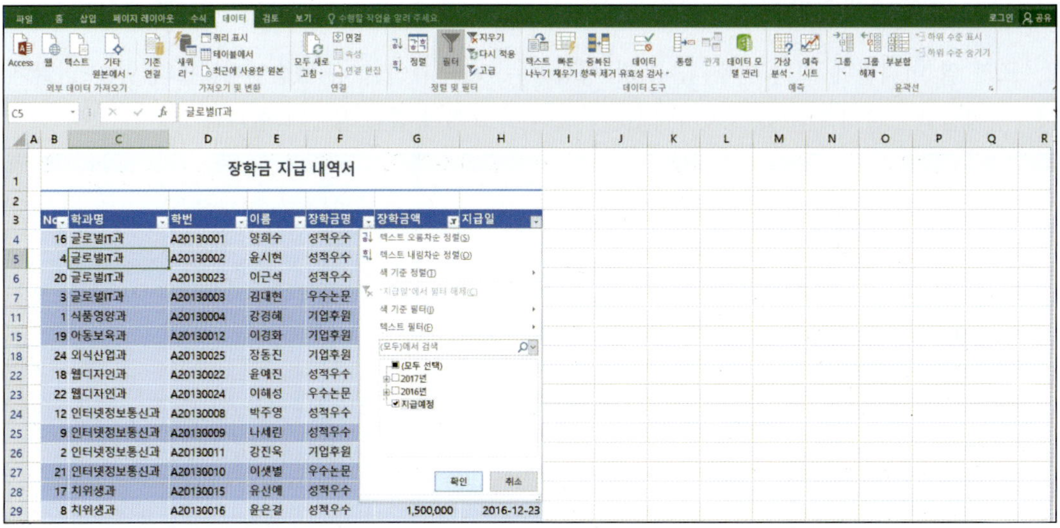

6. '1,000,000원 이상' 의 '지급예정' 인 데이터만 나타나게 되는 것을 확인할 수 있습니다.

장학금 지급 내역서

No	학과명	학번	이름	장학금명	장학금액	지급일
16	글로벌IT과	A20130001	양희수	성적우수	3,000,000	지급예정
20	글로벌IT과	A20130023	이근석	성적우수	1,500,000	지급예정
19	아동보육과	A20130012	이경화	기업후원	3,000,000	지급예정
24	외식산업과	A20130025	장동진	기업후원	1,000,000	지급예정
18	웹디자인과	A20130022	윤예진	성적우수	3,000,000	지급예정
22	웹디자인과	A20130024	이해성	우수논문	1,000,000	지급예정
12	인터넷정보통신과	A20130008	박주영	성적우수	3,000,000	지급예정
21	인터넷정보통신과	A20130010	이샛별	우수논문	1,000,000	지급예정
17	치위생과	A20130015	유신애	성적우수	3,000,000	지급예정

Tip

필터가 적용된 열 머리글의 필터 단추의 모양(▼)이 변경되는 것을 확인할 수 있습니다.

7. 적용된 필터를 해제하기 위하여 필터 단추를 클릭하여 '필터 해제' 를 클릭하면 해당열의 필터만 해제되고 원본 데이터로 다시 돌아오는 것을 확인할 수 있습니다.

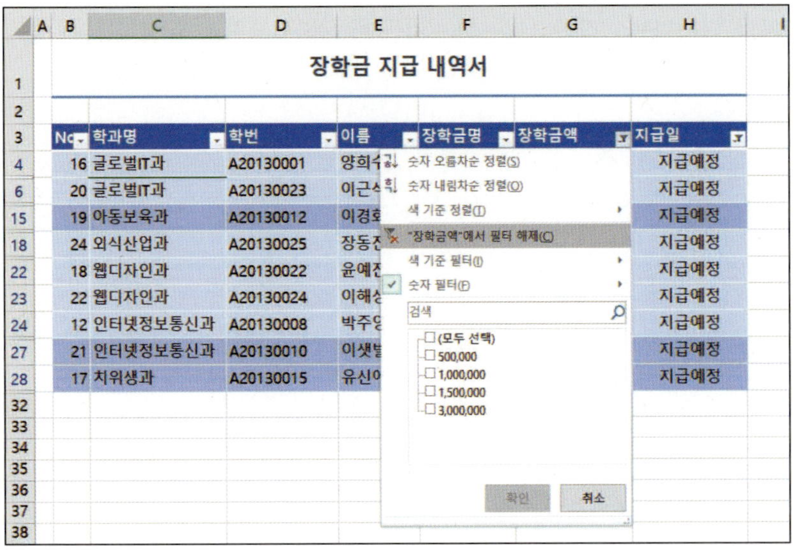

1-3 슬라이서 설정하기

따라해 보세요 – 피벗 차트에 슬라이서 설정하기

*시트명 : 슬라이서

학과별 장학금액 피벗 차트의 데이터 중 성적우수 장학금이 미지급된 금액을 나타내세요.

1. 피벗 차트를 선택한 후 [피벗 차트 도구 중 분석 탭 – 필터 그룹 – 슬라이서 삽입]을 클릭합니다.

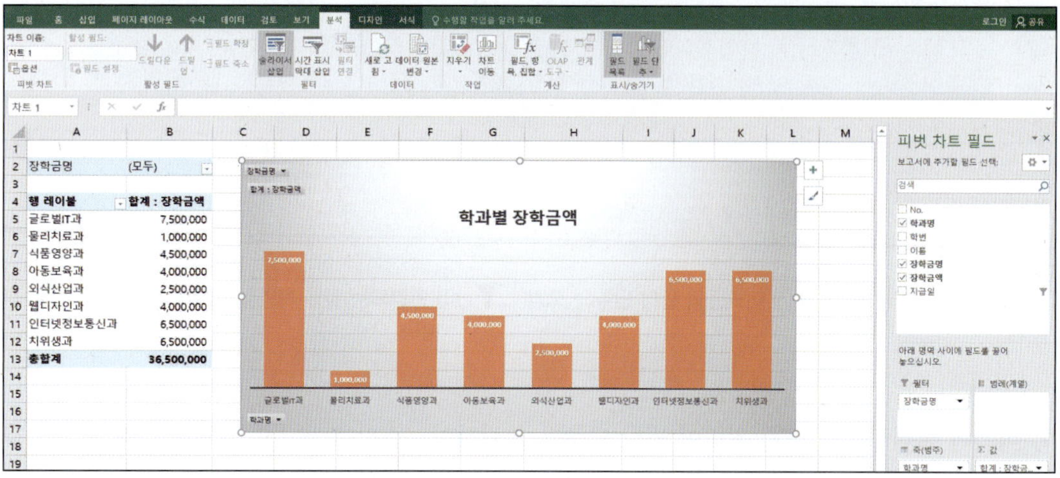

2. 슬라이서 삽입 대화상자가 나타나면 '장학금명' 과 '지급일' 을 체크하고 확인 버튼을 클릭합니다.

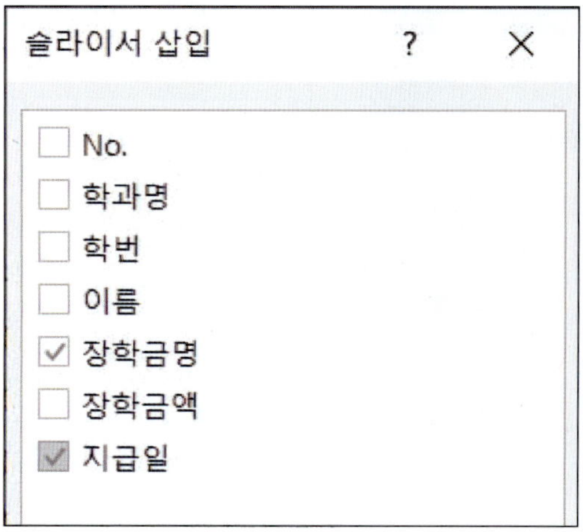

3. 장학금명 중 '성적우수' 항목을 선택하면 성적우수 장학금에 대한 데이터만 피벗 테이블과 피벗 차트에 표시되는 것을 확인할 수 있습니다. 또 지급일 중 '지급예정' 을 선택하면 결과 내에 미지급된 금액만 표시되는 것을 확인할 수 있습니다.

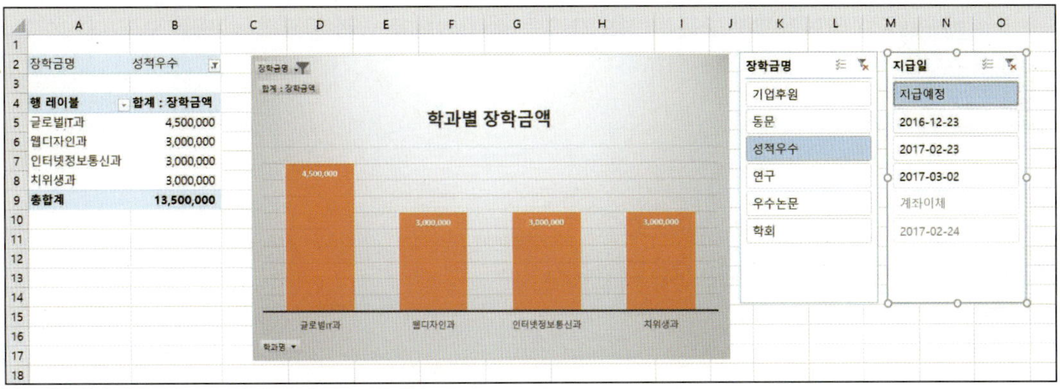

02 중복 항목 제거

데이터에서 중복된 정보가 있는지 확인하고 중복된 행을 삭제할 수 있다.

예제파일 : 3장예제.xlsx

2-1 중복된 항목 제거하기

따라해 보세요 – 중복된 항복 제거하기

*시트명 : 중복된 데이터

제품명과 단가가 중복된 항목을 제거하세요.

1. 표 안의 임의의 셀에 커서를 이동합니다. [데이터 탭 – 데이터 도구 그룹 – 중복된 항목 제거]를 클릭합니다.

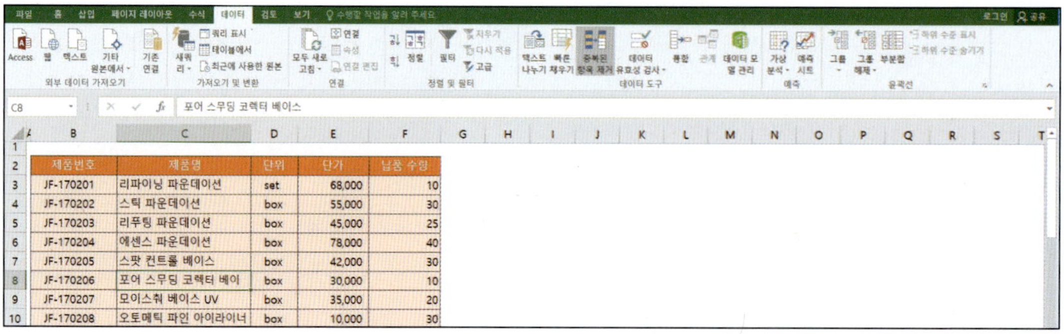

2. 중복된 항목 제거 대화상자가 나타나면 '제품명' 과 '단가' 만 체크하고 확인 버튼을 클릭합니다.

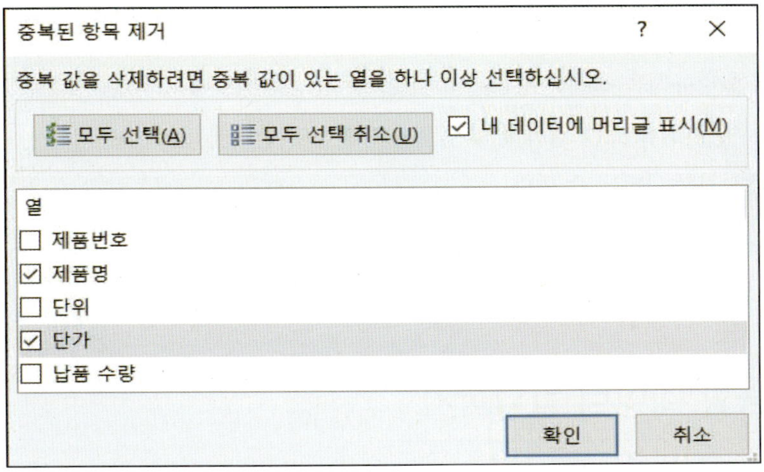

3. 45개의 중복된 항목이 제거되었다는 메시지가 나타납니다. 확인 버튼을 클릭합니다. 37개의 제품 행이 남아있는 것을 확인할 수 있습니다.

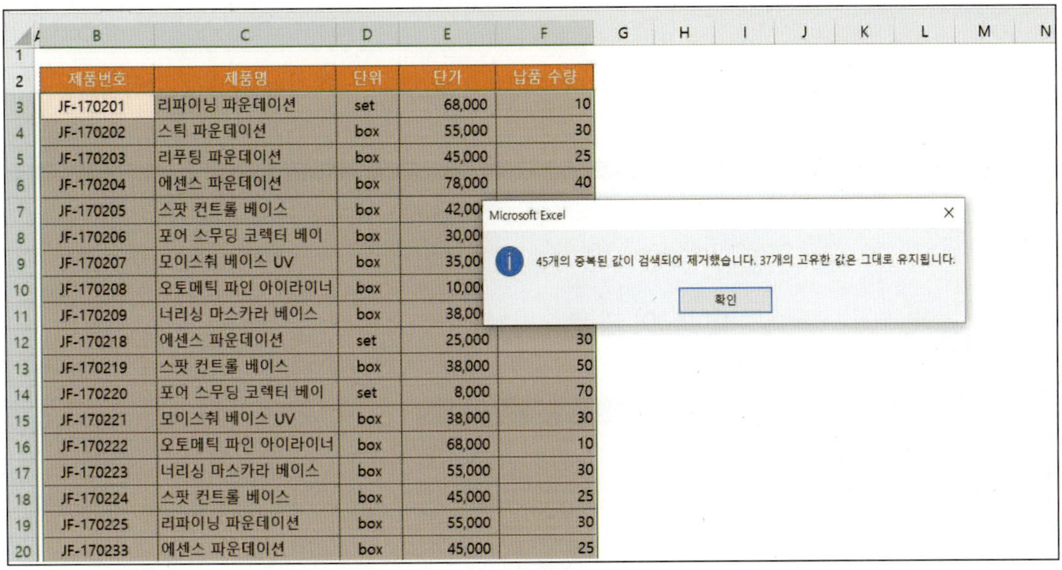

	B	C	D	E	F
1					
2	제품번호	제품명	단위	단가	납품 수량
3	JF-170201	리파이닝 파운데이션	set	68,000	10
4	JF-170202	스틱 파운데이션	box	55,000	30
5	JF-170203	리푸팅 파운데이션	box	45,000	25
6	JF-170204	에센스 파운데이션	box	78,000	40
7	JF-170205	스팟 컨트롤 베이스	box	42,00	
8	JF-170206	포어 스무딩 코렉터 베이	box	30,00	
9	JF-170207	모이스춰 베이스 UV	box	35,00	
10	JF-170208	오토메틱 파인 아이라이너	box	10,00	
11	JF-170209	너리싱 마스카라 베이스	box	38,00	
12	JF-170218	에센스 파운데이션	set	25,000	30
13	JF-170219	스팟 컨트롤 베이스	box	38,000	50
14	JF-170220	포어 스무딩 코렉터 베이	set	8,000	70
15	JF-170221	모이스춰 베이스 UV	box	38,000	30
16	JF-170222	오토메틱 파인 아이라이너	box	68,000	10
17	JF-170223	너리싱 마스카라 베이스	box	55,000	30
18	JF-170224	스팟 컨트롤 베이스	box	45,000	25
19	JF-170225	리파이닝 파운데이션	box	55,000	30
20	JF-170233	에센스 파운데이션	box	45,000	25

03 데이터 유효성 검사

규칙 목록에서 규칙을 선택하여 하나의 셀에 입력할 수 있는 데이터 형식을 제한할 수 있습니다. 또한 입력 값의 범위를 제한하여 범위에 맞지 않은 경우 오류 메시지를 나타낼 수 있다.

예제파일 : 3장예제.xlsx

3-1 목록을 이용한 데이터 입력하기

따라해 보세요 – 목록을 이용한 데이터 입력하기

*시트명 : 유효성 검사

단위 열에 'box, set, ml, g' 목록 상자를 추가하세요.

1. E5:E11 범위를 선택한 후 [데이터 탭 – 데이터 도구 그룹 – 데이터 유효성 검사]를 클릭합니다.

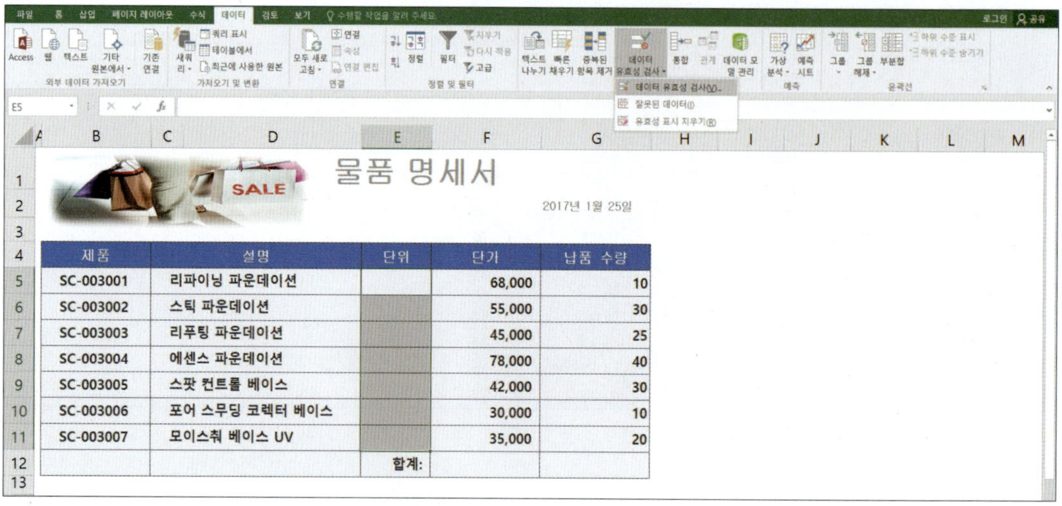

2. 데이터 유효성 대화상자가 나타나면 [제한대상 : 목록, 원본 : box, set, ml, g] 을 입력한 후 확인 버튼을 클릭합니다.

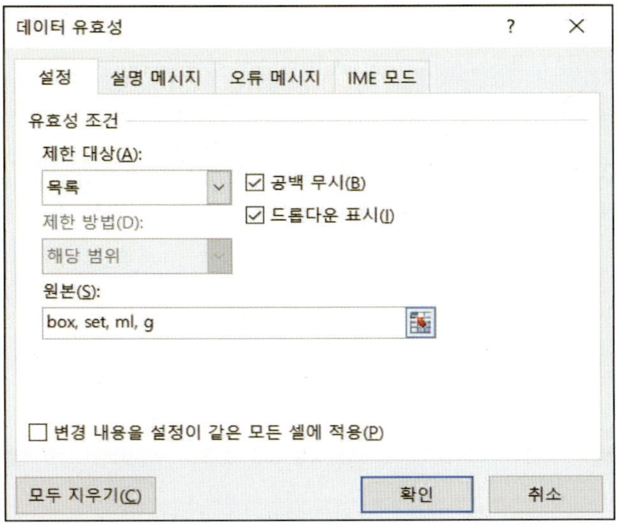

3. 단위 열 오른쪽에 목록 버튼이 생성되고, 버튼을 클릭하면 원본에 추가한 목록(box, set, ml, g)이 드롭다운 목록으로 나타나게 됩니다. 단위 열의 데이터를 목록에서 선택하면 데이터가 입력되는 것을 확인할 수 있습니다.

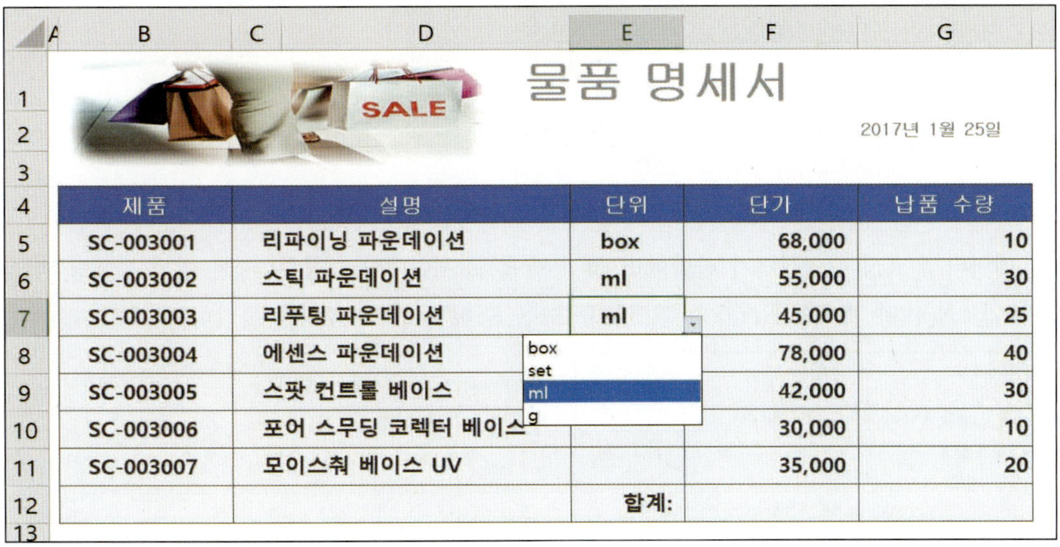

3-2 입력 제한 설정하기

따라해 보세요 – 제한 설정하기

*시트명 : 유효성 검사

단가 열에 40,000원부터 60,000원까지만 입력할 수 있도록 입력 값을 제한하세요. 잘못 입력할 경우 경고창이 나타나도록 설정하세요. 범위에 맞지 않은 단가는 빨강 동그라미로 표시하세요.

1. F5:F11 범위를 선택한 후 [데이터 탭 – 데이터 도구 그룹 – 데이터 유효성 검사]를 클릭합니다.

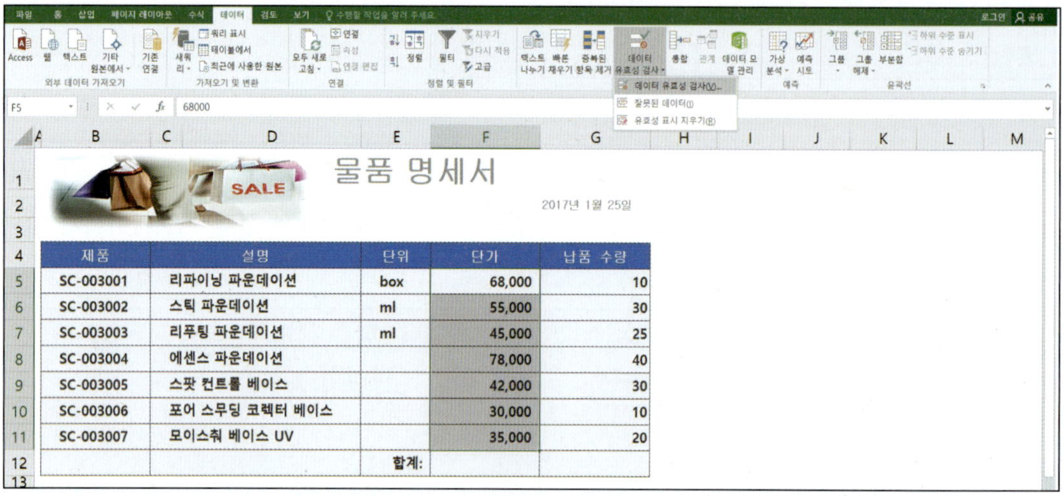

2. 데이터 유효성 대화상자가 나타나면 설정 탭에서 [제한대상 : 정수, 제한 방법 : 해당 범위, 최소값 : 40000, 최대값 : 60000] 을 입력하고 오류 메시지 탭으로 이동합니다.

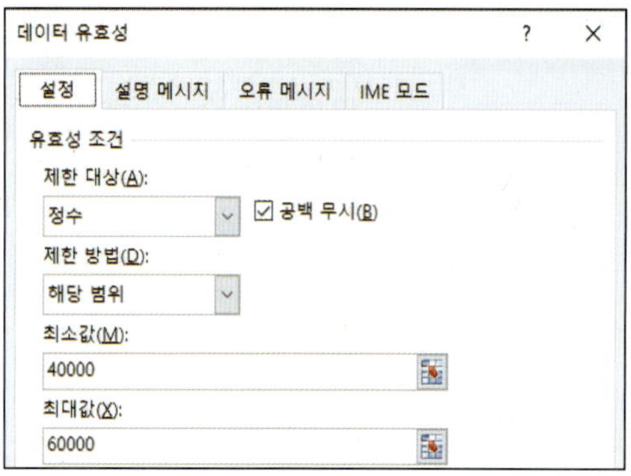

3. 오류 메시지 탭으로 이동하여 [스타일 : 경고, 제목 : 입력오류, 오류 메시지 : 40,000원 이상 60,000원 이하의 금액을 입력하세요.] 를 입력한 후 확인 버튼을 클릭합니다.

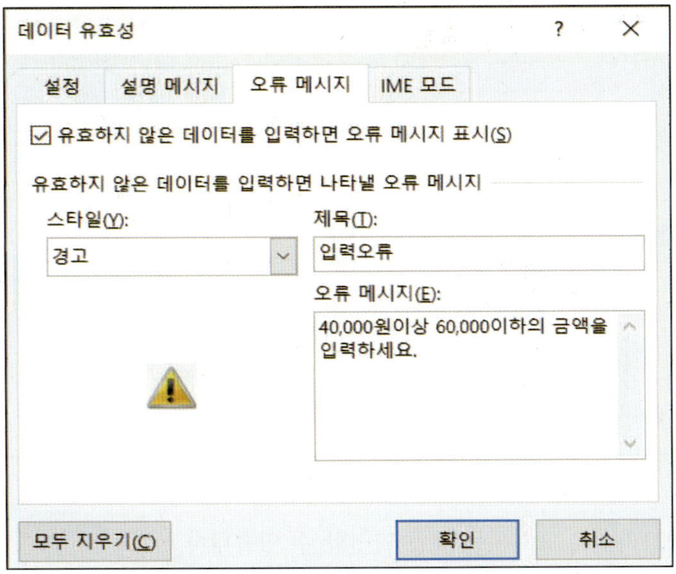

4. 오류 메시지가 잘 적용되었는지 확인하기 위하여 F5 셀을 선택한 후 '100000' 을 입력합니다. 범위에 맞지 않기 때문에 오류 메시지가 나타나는 것을 확인할 수 있습니다. 취소 버튼을 클릭합니다.

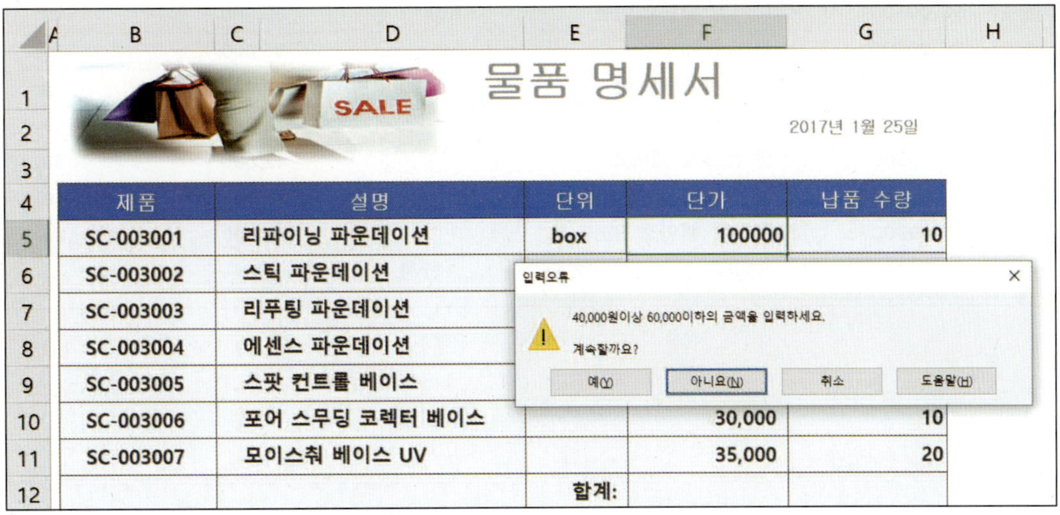

5. 이미 입력된 데이터 값 중 단가 값의 범위가 맞지 않은 데이터를 찾아 빨강 동그라미 표시하기 위하여 [데이터 탭 – 데이터 도구 그룹 – 데이터 유효성 검사 – 잘못된 데이터]를 클릭합니다.

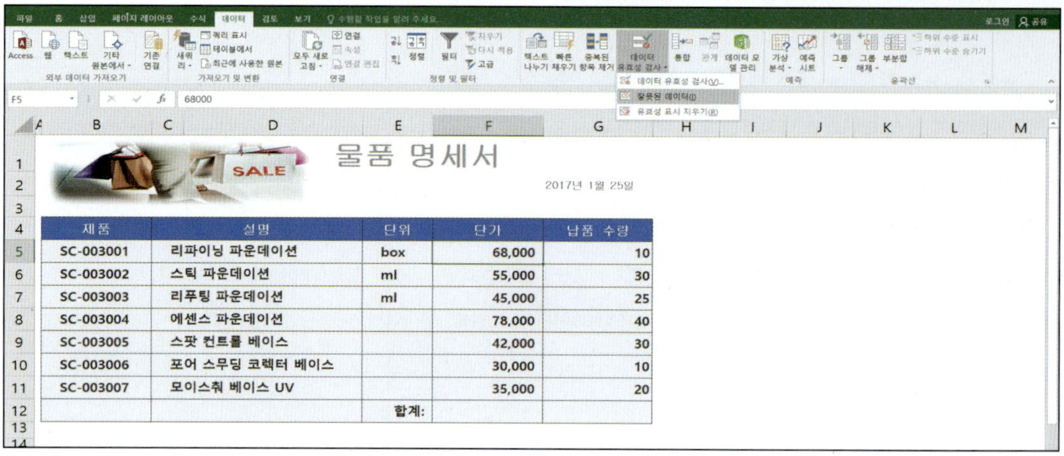

6. 잘못 입력된 데이터 값에 빨강 동그라미로 표시되는 것을 확인할 수 있습니다.

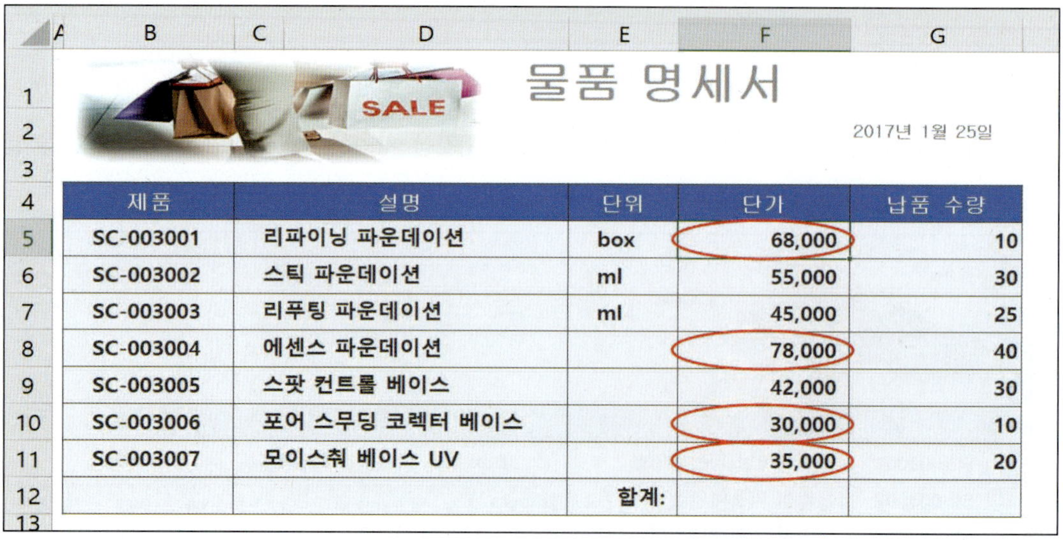

04 부분합

부분합 및 합계를 삽입하여 관련 데이터 행을 빠르게 계산합니다. 합계 뿐만 아니라 평균, 최대값, 최소값, 곱 등 여러 가지 함수로 계산이 가능합니다.

예제파일 : 3장예제.xlsx

4-1 부분합 설정하기

따라해 보세요 – 항목별 부분합 설정하기

*시트명 : 부분합

학과별로 장학금액의 합계를 계산하세요.

1. 표 안의 임의의 셀에 커서를 이동합니다. [데이터 탭 – 정렬 및 필터 그룹 – 정렬]을 클릭합니다. 정렬 대화상자가 나타나면 정렬기준에 '학과명 – 값 – 오름차순' 을 입력하고 확인 버튼을 클릭합니다.

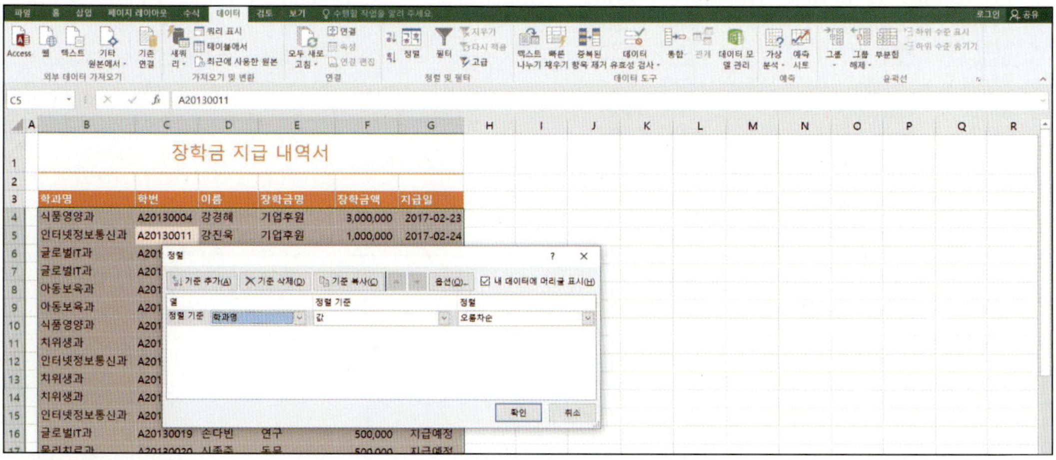

Tip

부분합을 계산하기 전에 그룹으로 설정하고자 하는 기준 열을 미리 정렬해 두면 부분합을 쉽게 설정할 수 있습니다.

2. 학과명 순으로 정렬되는 것을 확인할 수 있습니다.

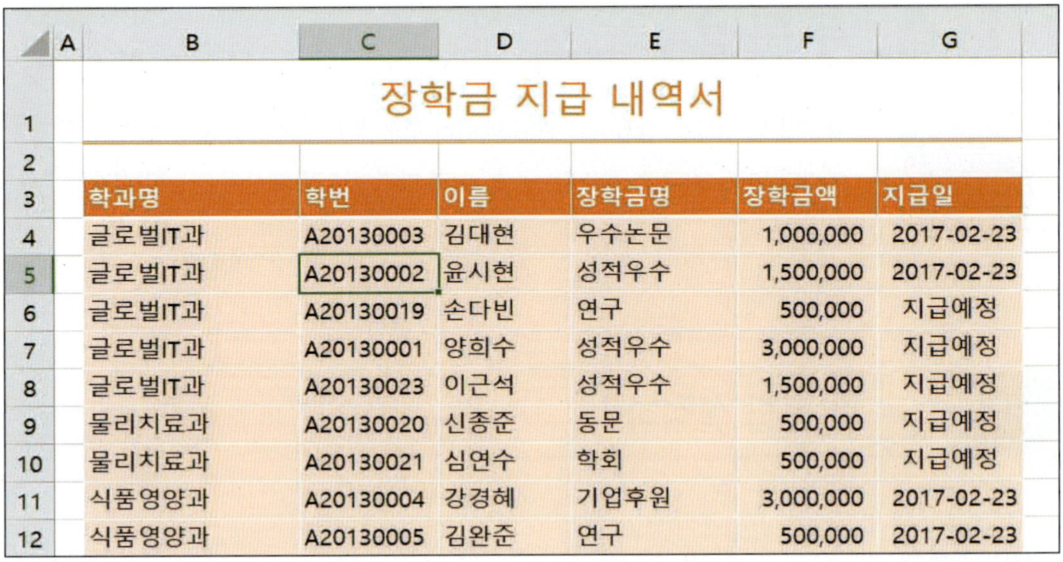

장학금 지급 내역서

학과명	학번	이름	장학금명	장학금액	지급일
글로벌IT과	A20130003	김대현	우수논문	1,000,000	2017-02-23
글로벌IT과	A20130002	윤시현	성적우수	1,500,000	2017-02-23
글로벌IT과	A20130019	손다빈	연구	500,000	지급예정
글로벌IT과	A20130001	양희수	성적우수	3,000,000	지급예정
글로벌IT과	A20130023	이근석	성적우수	1,500,000	지급예정
물리치료과	A20130020	신종준	동문	500,000	지급예정
물리치료과	A20130021	심연수	학회	500,000	지급예정
식품영양과	A20130004	강경혜	기업후원	3,000,000	2017-02-23
식품영양과	A20130005	김완준	연구	500,000	2017-02-23

3. 표 안의 임의의 셀에 커서를 이동합니다. [데이터 탭 – 윤곽선 그룹 – 부분합]을 클릭합니다.

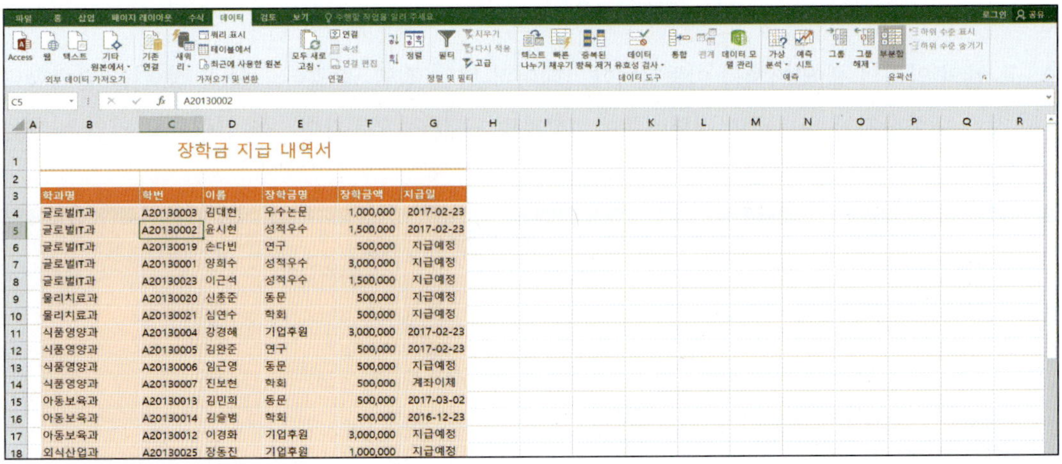

장학금 지급 내역서

학과명	학번	이름	장학금명	장학금액	지급일
글로벌IT과	A20130003	김대현	우수논문	1,000,000	2017-02-23
글로벌IT과	A20130002	윤시현	성적우수	1,500,000	2017-02-23
글로벌IT과	A20130019	손다빈	연구	500,000	지급예정
글로벌IT과	A20130001	양희수	성적우수	3,000,000	지급예정
글로벌IT과	A20130023	이근석	성적우수	1,500,000	지급예정
물리치료과	A20130020	신종준	동문	500,000	지급예정
물리치료과	A20130021	심연수	학회	500,000	지급예정
식품영양과	A20130004	강경혜	기업후원	3,000,000	2017-02-23
식품영양과	A20130005	김완준	연구	500,000	2017-02-23
식품영양과	A20130006	임근영	동문	500,000	지급예정
식품영양과	A20130007	진보현	학회	500,000	계좌이체
아동보육과	A20130013	김민희	동문	500,000	2017-03-02
아동보육과	A20130014	김슬범	학회	500,000	2016-12-23
아동보육과	A20130012	이경화	기업후원	3,000,000	지급예정
외식산업과	A20130025	장동진	기업후원	1,000,000	지급예정

4. 부분합 대화상자가 나타나면 [그룹화 할 항목 : 학과명, 사용할 함수 : 합계, 부분합 계산 항목 : 장학금액] 을 입력하고 확인 버튼을 클릭합니다.

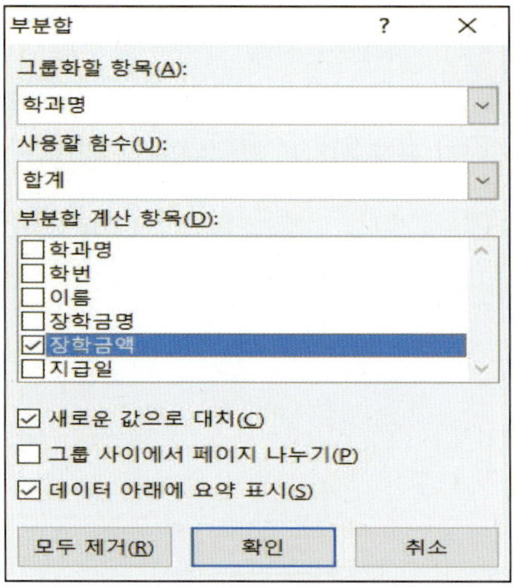

5. 학과별 요약행이 추가되고 F열에 장학금액의 합계가 계산되는 것을 확인할 수 있습니다.

	B	C	D	E	F	G
1	장학금 지급 내역서					
2						
3	학과명	학번	이름	장학금명	장학금액	지급일
4	글로벌IT과	A20130003	김대현	우수논문	1,000,000	2017-02-23
5	글로벌IT과	A20130002	윤시현	성적우수	1,500,000	2017-02-23
6	글로벌IT과	A20130019	손다빈	연구	500,000	지급예정
7	글로벌IT과	A20130001	양희수	성적우수	3,000,000	지급예정
8	글로벌IT과	A20130023	이근석	성적우수	1,500,000	지급예정
9	**글로벌IT과 요약**				7,500,000	
10	물리치료과	A20130020	신종준	동문	500,000	지급예정
11	물리치료과	A20130021	심연수	학회	500,000	지급예정
12	**물리치료과 요약**				1,000,000	
13	식품영양과	A20130004	강경혜	기업후원	3,000,000	2017-02-23
14	식품영양과	A20130005	김완준	연구	500,000	2017-02-23
15	식품영양과	A20130006	임근영	동문	500,000	지급예정
16	식품영양과	A20130007	진보현	학회	500,000	계좌이체
17	**식품영양과 요약**				4,500,000	
18	아동보육과	A20130013	김민희	동문	500,000	2017-03-02
19	아동보육과	A20130014	김슬범	학회	500,000	2016-12-23

05 조건부 서식

조건부 서식을 이용하여 조건에 만족하는 값에 셀 서식을 적용할 수 있고, 다양한 셀 서식과 표 서식을 이용하여 데이터 표를 시각화 할 수 있다.

예제파일 : 3장예제.xlsx

5-1 조건부 서식 설정하기

따라해 보세요 – 셀 강조 규칙 설정하기

*시트명 : 조건부 서식

단가가 3,000원 초과인 경우 단가 열에 '진한 노랑 텍스트가 있는 노랑 채우기' 셀 서식을 설정하세요.

1. E5:E34 범위를 선택하고 [홈 탭 – 스타일 그룹 – 조건부 서식 – 셀 강조 규칙 – 보다 큼]을 클릭합니다.

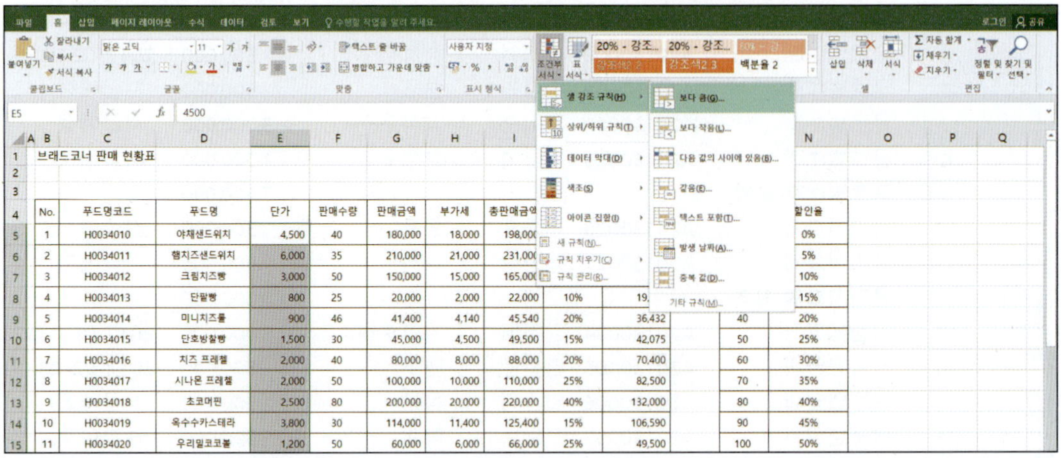

Tip

범위를 선택할 때 범위 시작 셀에 커서를 두고 [Ctrl + Shift + 방향키(↓)]를 이용하면 쉽게 범위를 선택할 수 있습니다.

2. 대화상자가 나타나면 [다음 값보다 큰 셀의 서식 지정 : 3000, 적용할 서식 : 진한 노랑 텍스트가 있는 노랑 채우기]를 선택하고 확인 버튼을 클릭합니다.

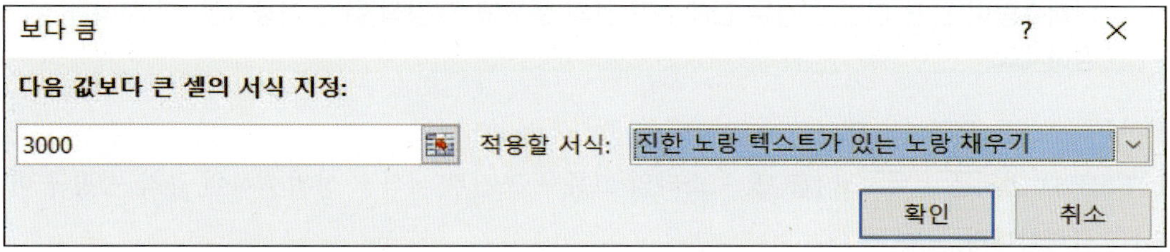

3. 단가 열에 3,000원 초과인 금액만 노랑 서식이 적용되는 것을 확인할 수 있습니다.

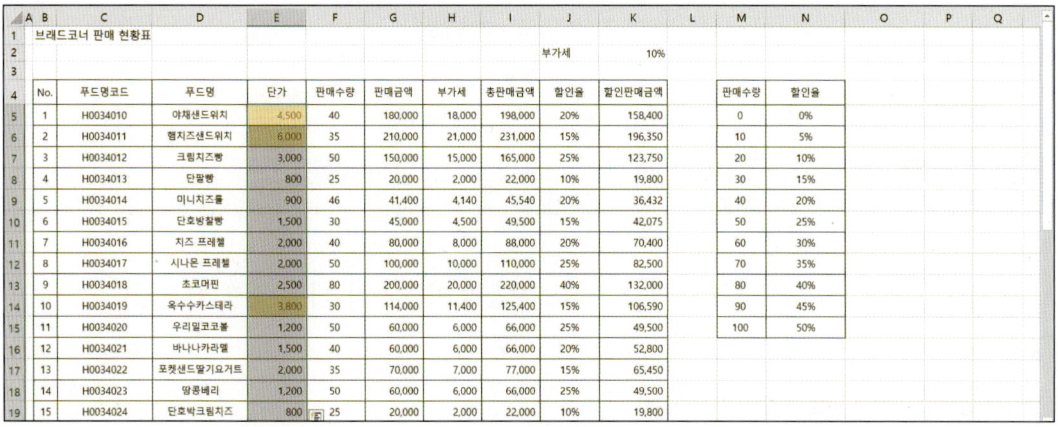

브래드코너 판매 현황표

부가세 10%

No.	푸드명코드	푸드명	단가	판매수량	판매금액	부가세	총판매금액	할인율	할인판매금액
1	H0034010	야채샌드위치	4,500	40	180,000	18,000	198,000	20%	158,400
2	H0034011	햄치즈샌드위치	6,000	35	210,000	21,000	231,000	15%	196,350
3	H0034012	크림치즈빵	3,000	50	150,000	15,000	165,000	25%	123,750
4	H0034013	단팥빵	800	25	20,000	2,000	22,000	10%	19,800
5	H0034014	미니치즈롤	900	46	41,400	4,140	45,540	20%	36,432
6	H0034015	단호박찰빵	1,500	30	45,000	4,500	49,500	15%	42,075
7	H0034016	치즈 프레첼	2,000	40	80,000	8,000	88,000	20%	70,400
8	H0034017	시나몬 프레첼	2,000	50	100,000	10,000	110,000	25%	82,500
9	H0034018	초코머핀	2,500	80	200,000	20,000	220,000	40%	132,000
10	H0034019	옥수수카스테라	3,800	30	114,000	11,400	125,400	15%	106,590
11	H0034020	우리밀코코볼	1,200	50	60,000	6,000	66,000	25%	49,500
12	H0034021	바나나카라멜	1,500	40	60,000	6,000	66,000	20%	52,800
13	H0034022	포켓샌드딸기요거트	2,000	35	70,000	7,000	77,000	15%	65,450
14	H0034023	땅콩베리	1,200	50	60,000	6,000	66,000	25%	49,500
15	H0034024	단호박크림치즈	800	25	20,000	2,000	22,000	10%	19,800

판매수량	할인율
0	0%
10	5%
20	10%
30	15%
40	20%
50	25%
60	30%
70	35%
80	40%
90	45%
100	50%

따라해 보세요 – 상위 / 하위 규칙 설정하기

*시트명 : 조건부 서식

판매수량이 평균 미만인 경우 판매수량 열의 글꼴에 '빨강색 굵은 기울임꼴' 셀 서식을 설정하세요.

1. F5:F34 범위를 선택하고 [홈 탭 – 스타일 그룹 – 조건부 서식 – 상위 / 하위 규칙 – 평균 미만]을 클릭합니다.

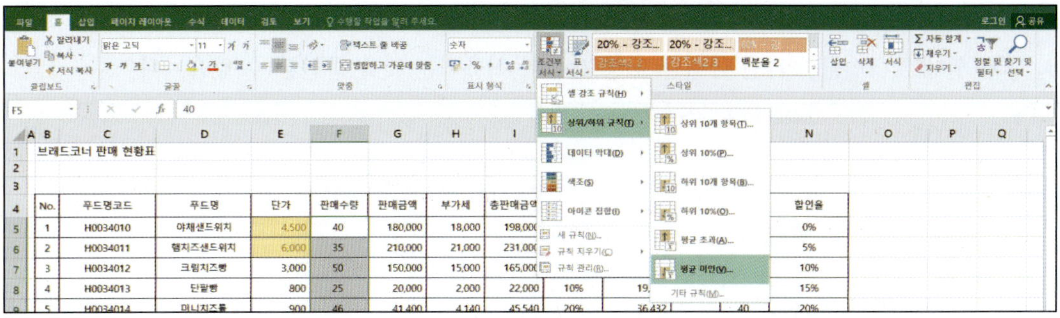

2. 셀 서식 대화상자가 나타나면 [적용할 서식 : 사용자 지정 서식...] 을 선택합니다.

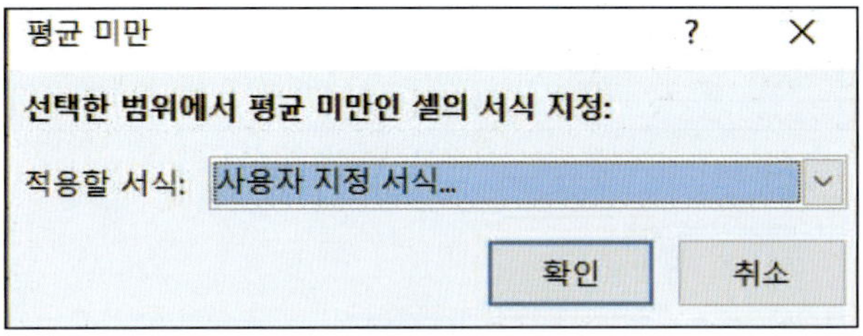

3. 셀 서식 대화상자에서 [글꼴 스타일 : 굵은 기울임꼴, 색 :빨강] 을 선택하고 확인 버튼을 클릭합니다.

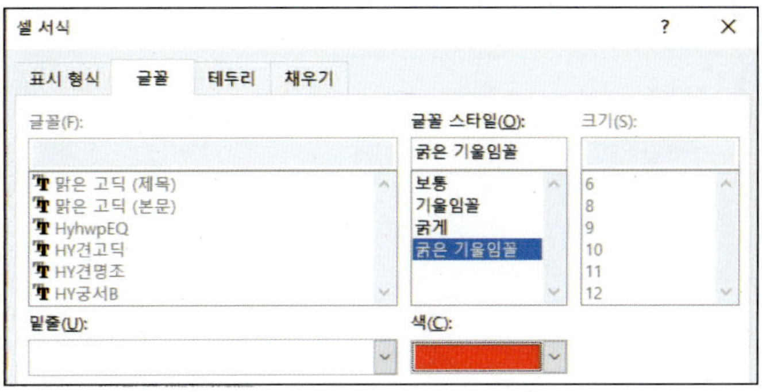

4. 판매수량 열에 평균 미만에 해당되는 수량만 빨강 글꼴 서식이 적용되는 것을 확인할 수 있습니다.

	A	B	C	D	E	F	G	H	I	J	K
1		브래드코너 판매 현황표									
2										부가세	10%
3											
4		No.	푸드명코드	푸드명	단가	판매수량	판매금액	부가세	총판매금액	할인율	할인판매금액
5		1	H0034010	야채샌드위치	4,500	40	180,000	18,000	198,000	20%	158,400
6		2	H0034011	햄치즈샌드위치	6,000	35	210,000	21,000	231,000	15%	196,350
7		3	H0034012	크림치즈빵	3,000	50	150,000	15,000	165,000	25%	123,750
8		4	H0034013	단팥빵	800	25	20,000	2,000	22,000	10%	19,800
9		5	H0034014	미니치즈롤	900	46	41,400	4,140	45,540	20%	36,432
10		6	H0034015	단호박찰빵	1,500	30	45,000	4,500	49,500	15%	42,075
11		7	H0034016	치즈 프레첼	2,000	40	80,000	8,000	88,000	20%	70,400
12		8	H0034017	시나몬 프레첼	2,000	50	100,000	10,000	110,000	25%	82,500
13		9	H0034018	초코머핀	2,500	80	200,000	20,000	220,000	40%	132,000
14		10	H0034019	옥수수카스테라	3,800	30	114,000	11,400	125,400	15%	106,590
15		11	H0034020	우리밀코코볼	1,200	50	60,000	6,000	66,000	25%	49,500
16		12	H0034021	바나나카라멜	1,500	40	60,000	6,000	66,000	20%	52,800
17		13	H0034022	포켓샌드딸기요거트	2,000	35	70,000	7,000	77,000	15%	65,450

※ 비교 연산자

연산자	의미
=	같다
<>	같지 않다
>	크다, 초과
>=	크거나 같다, 이상
<	작다, 미만
<=	작거나 같다, 이하

3장 실전예제만들기

실전예제 1

아래 화면과 동일하게 목록표를 만들어 보세요.

- 새 통합문서에서 새로 만들기 하십시오.
- 시트명은 '목록'으로 변경하세요.
- 나머지 서식은 임의로 설정하세요(글꼴, 열너비 등)

결과화면

	A	B	C	D	E
1					
2			분류내역	결제방법	
3		1	식비	현금	
4		2	교통비	체크카드	
5		3	꾸밈비	신용카드	
6		4	통신비		
7		5	의료비		
8		6	문화생활비		
9		7	생필품비		
10		8	저축		
11		9	기타		

실전예제 2

아래 화면과 동일하게 용돈 사용 내역을 만들어 보세요.

- 워크시트를 추가하여 작성하세요.
- 시트명은 '용돈기입장' 으로 변경하세요.
- 본문 데이터 값은 '3장 실전학습_데이터.txt' 파일을 이용하여 외부데이터로 삽입하세요.
- 분류 열, 결제방법 열은 '유효성 검사를 이용한 목록' 으로 설정하십시오.(목록시트 참조)
- 나머지 서식은 임의로 설정하세요(글꼴, 열너비 등)

결과화면

3월 용돈 사용 내역

날짜	분류	금액	사용내역	결제방법	기타
3/4	문화생활비	₩ 10,000	영화관람	체크카드	
3/4	식비	₩ 6,000	햄버거	현금	
3/7	교통비	₩ 30,000	교통카드충전	현금	
3/7	생필품비	₩ 3,000	우산	현금	
3/15	의료비	₩ 4,800	내과	체크카드	
3/15	통신비	₩ 34,000	핸드폰요금	신용카드	
3/16	꾸밈비	₩ 20,000	화장품	체크카드	
3/16	식비	₩ 10,000	점심식사	현금	
3/16	문화생활비	₩ 20,000	책구입	신용카드	
3/20	저축	₩ 100,000	정기적금	현금	
3/22	식비	₩ 1,500	커피	현금	
3/22	식비	₩ 4,500	떡볶이	현금	
3/22	식비	₩ 10,000	치킨	현금	
3/25	생필품비	₩ 10,000	마트	체크카드	
3/30	꾸밈비	₩ 10,000	미용실	체크카드	

실전예제 3

용돈 사용 내역 표를 이용하여 부분합을 설정하세요.

- '용돈기입장' 워크시트에 부분합 서식을 추가하여 작성하세요.
- 표 내용 작성 후 '분류 별로 금액의 합계' 을 설정하십시오.
- 나머지 서식은 임의로 설정하세요(글꼴, 열너비 등)

결과화면

	A	B	C	D	E	F	G	H
1		3월 용돈 사용 내역						
2								
3		날짜	분류	금액	사용내역	결제방법	기타	
4		3/7	교통비	₩ 30,000	교통카드충전	현금		
5			**교통비 요약**	₩ 30,000				
6		3/16	꾸밈비	₩ 20,000	화장품	체크카드		
7		3/30	꾸밈비	₩ 10,000	미용실	체크카드		
8			**꾸밈비 요약**	₩ 30,000				
9		3/4	문화생활비	₩ 10,000	영화관람	체크카드		
10		3/16	문화생활비	₩ 20,000	책구입	신용카드		
11		3/30	문화생활비	₩ 30,000	뮤지컬관람	신용카드		
12			**문화생활비 요약**	₩ 60,000				
13		3/7	생필품비	₩ 3,000	우산	현금		
14		3/25	생필품비	₩ 10,000	마트	체크카드		
15			**생필품비 요약**	₩ 13,000				
16		3/4	식비	₩ 6,000	햄버거	현금		
17		3/16	식비	₩ 10,000	점심식사	현금		
18		3/22	식비	₩ 1,500	커피	현금		
19		3/22	식비	₩ 4,500	떡볶이	현금		
20		3/22	식비	₩ 10,000	치킨	현금		
21			**식비 요약**	₩ 32,000				
22		3/15	의료비	₩ 4,800	내과	체크카드		
23			**의료비 요약**	₩ 4,800				
24		3/20	저축	₩ 100,000	정기적금	현금		
25			**저축 요약**	₩ 100,000				
26		3/15	통신비	₩ 34,000	핸드폰요금	신용카드		
27			**통신비 요약**	₩ 34,000				
28			**총합계**	₩ 303,800				

Chapter 4

문서 보호 및 설정

01 문서 보호

문서 작성 이후 다른 사용자들과 문서를 공유할 때 암호를 설정하여 시트 보호를 설정하거나 편집범위를 일부만 허용하여 관리할 수 있다.

예제파일 : 4장예제.xlsx

1-1 워크시트 전체 보호하기

따라해 보세요 – 시트 보호하기

*시트명 : 문서보호

'문서보호' 시트를 보호 하세요. 암호는 '1234'로 설정하세요.

1. [홈 탭 – 셀 그룹 – 서식 – 시트 보호]를 클릭합니다.

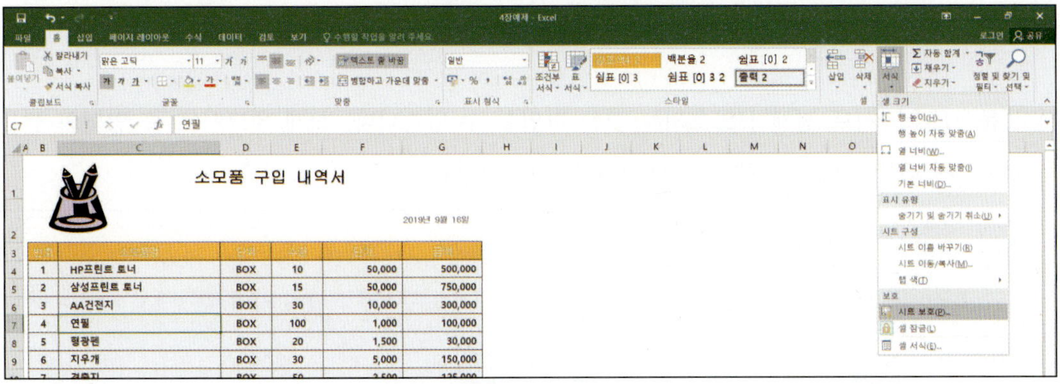

2. 시트 보호 대화상자가 나타나면 [암호 : 1234, 잠긴 셀 선택과 잠기지 않은 셀 선택만 '체크'] 하고 확인 버튼을 클릭합니다.

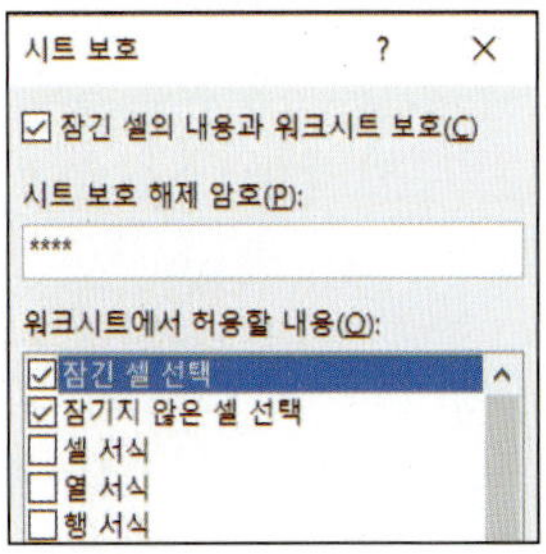

Tip

암호 입력을 원할 경우

시트 보호 해제 암호에 원하는 암호를 입력하고 확인 버튼을 누르면 암호가 설정됩니다. (대소문자 구분)

암호 입력을 원하지 않는 경우

시트 보호 해제 암호를 입력하지 않고 확인 버튼을 누르면 암호 없이 시트 보호가 설정됩니다.

3. 다시 한 번 암호 확인하는 대화상자가 나타나면 방금 입력한 '1234' 를 한 번 더 입력하고 확인버튼을 클릭합니다.

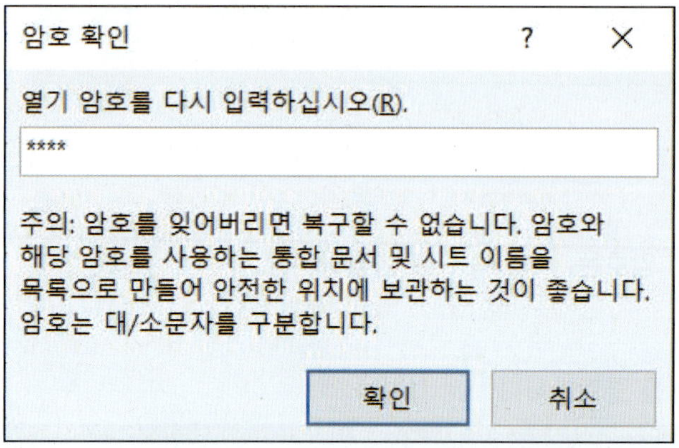

4. '문서보호' 시트 전체가 보호되는 것을 확인할 수 있습니다. 현재 워크시트 중 임의의 셀을 변경하고자 하면 아래와 같은 경고 메시지가 나타납니다.

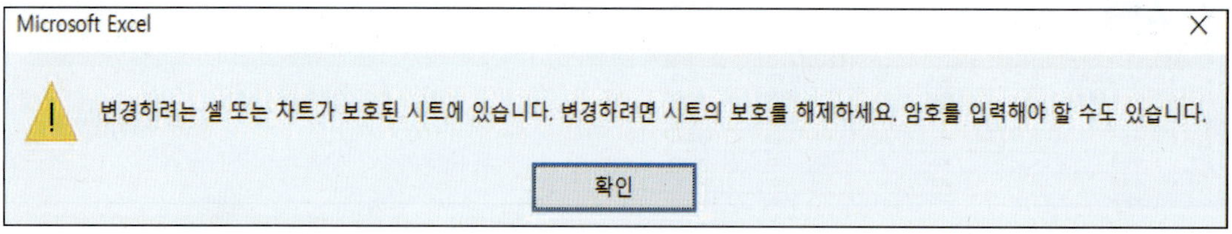

따라해 보세요 – 시트 보호 해제하기

*시트명 : 문서보호

'문서보호' 시트를 보호 해제 하세요.

1. 보호된 시트에서 [홈 탭 – 셀 그룹 – 서식 – 시트 보호 해제]를 클릭합니다.

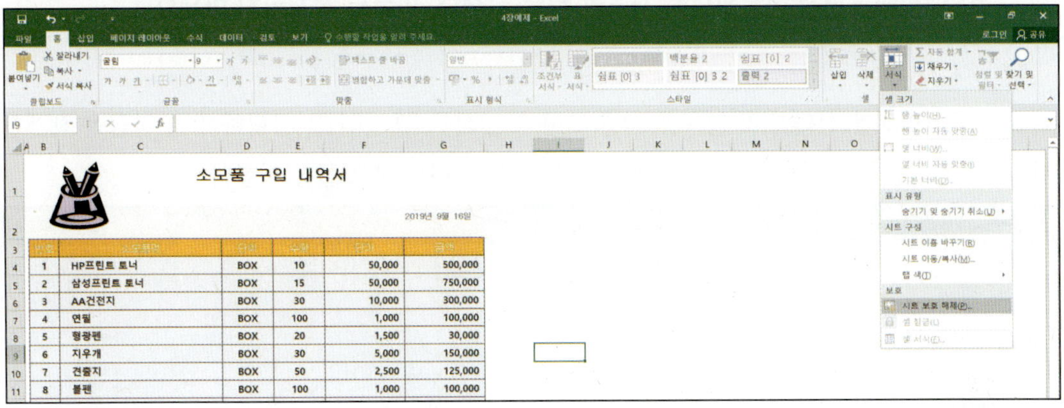

Tip 시트 보호가 설정된 경우 대부분의 리본 메뉴가 비활성화 됩니다.

2. 시트 보호 해제 대화상자가 나타나면 기존에 설정한 암호 '1234' 를 입력합니다.

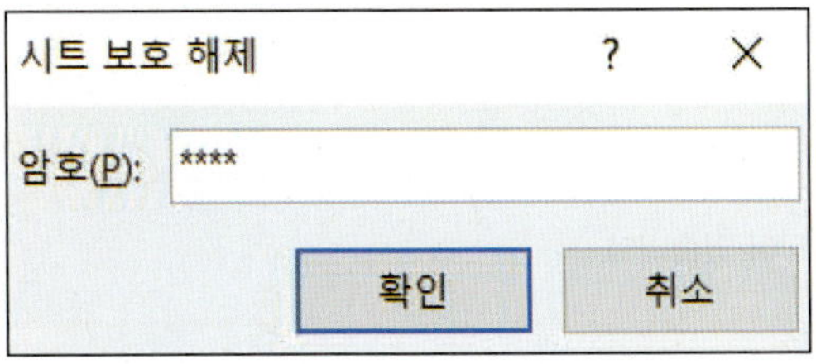

Tip 암호가 설정되어 있지 않은 경우 메시지 없이 바로 시트 보호가 해제됩니다.

3. 시트 보호가 해제되는 것을 확인할 수 있습니다. 이제부터 현재 워크시트의 내용 편집이 가능합니다.

1-2 일부 범위만 허용하여 보호하기

따라해 보세요 – 일부 편집 범위만 허용하여 시트 보호하기

*시트명 : 문서보호

수량 열에만 편집 가능하도록 시트를 보호 하세요. 암호는 설정하지 마세요.

1. E4:E24 범위를 선택한 후 [홈 탭 – 셀 그룹 – 서식 – 셀 잠금]을 클릭하여 셀 잠금을 해제합니다. 셀 잠금을 해제한 후 [홈 탭 – 셀 그룹 – 서식 – 시트 보호]를 클릭합니다.

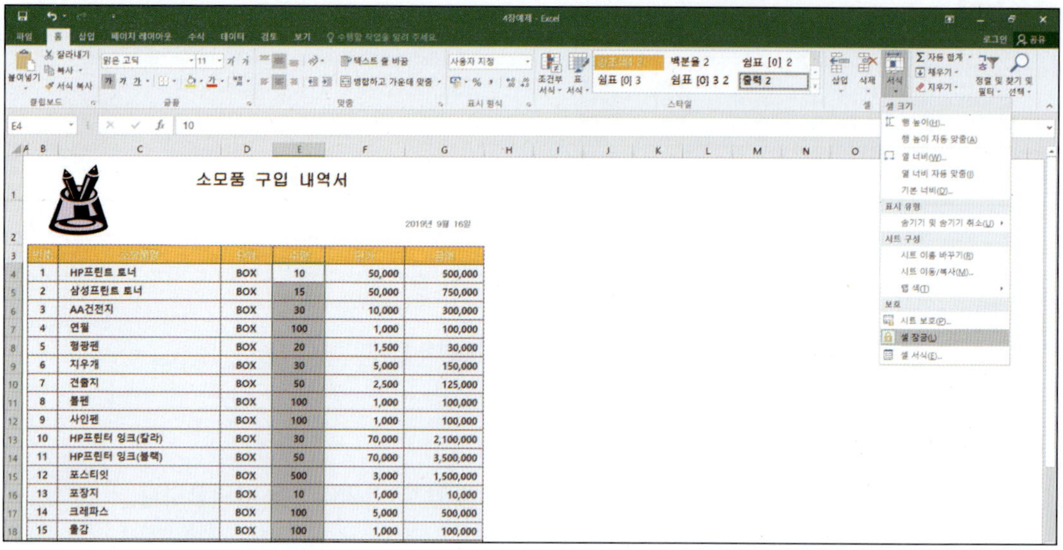

Tip 워크시트가 생성되면 기본적으로 셀 잠금이 설정되어 있습니다.

2. 시트 보호 대화상자가 나타나면 [암호 : 공백(입력하지 않기), 잠기지 않은 셀 선택만 '체크'] 하고 확인 버튼을 클릭합니다.

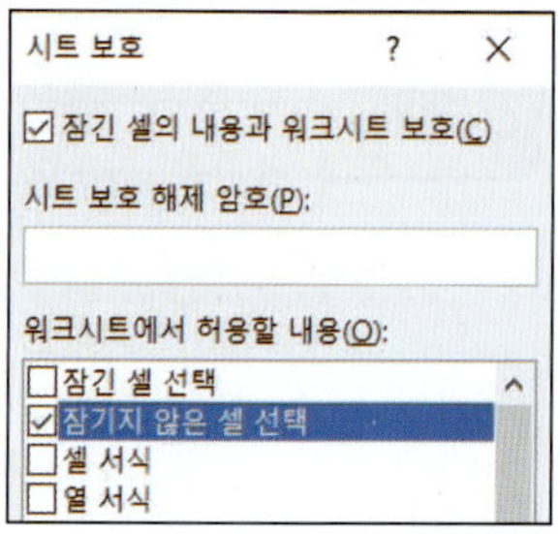

> **Tip**
> 현재 잠기지 않은 셀은 위의 실습에서 셀 잠금을 해제한 'E4:E24' 범위입니다. 'E4:E24' 범위만 허용하여 셀을 편집하기 위해서 '잠기지 않은 셀 선택' 만 체크합니다.

3. E4:E24 범위의 내용만 변경 가능하고 그 이외의 부분은 편집할 수 없도록 선택이 되지 않는 것을 확인할 수 있습니다.

소모품 구입 내역서

2019년 9월 16일

번호	소모품명	단위	수량	단가	금액
1	HP프린트 토너	BOX	10	50,000	500,000
2	삼성프린트 토너	BOX	15	50,000	750,000
3	AA건전지	BOX	30	10,000	300,000
4	연필	BOX	100	1,000	100,000
5	형광펜	BOX	20	1,500	30,000
6	지우개	BOX	30	5,000	150,000
7	견출지	BOX	50	2,500	125,000
8	볼펜	BOX	100	1,000	100,000
9	사인펜	BOX	100	1,000	100,000
10	HP프린터 잉크(칼라)	BOX	30	70,000	2,100,000
11	HP프린터 잉크(블랙)	BOX	50	70,000	3,500,000
12	포스티잇	BOX	500	3,000	1,500,000
13	포장지	BOX	10	1,000	10,000
14	크레파스	BOX	100	5,000	500,000
15	물감	BOX	100	1,000	100,000

1-3 통합문서 보호하기

따라해 보세요 – 통합 문서 보호하기

통합 문서에 암호 'P@ssword'를 설정하세요.

1. [파일 탭 – 정보 – 통합 문서 보호 – 암호 설정]을 클릭합니다.

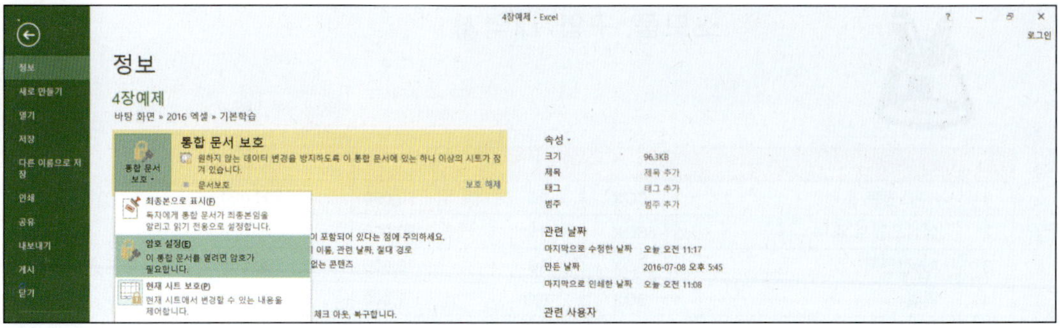

2. 문서 암호화 대화상자가 나타나면 암호 'P@ssword'를 입력하고 확인 버튼을 클릭합니다. 암호 확인 대화상자가 나타나면 암호 'P@ssword'를 다시 한 번 입력하고 확인 버튼을 클릭합니다.

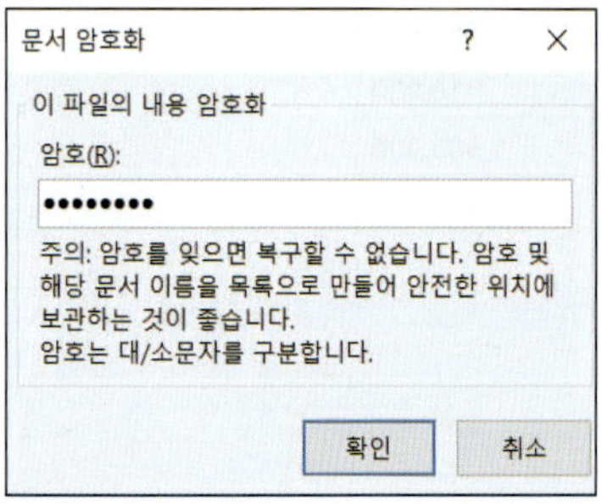

3. 통합 문서 전체에 보호가 설정되고 암호가 지정되었음을 알 수 있습니다.

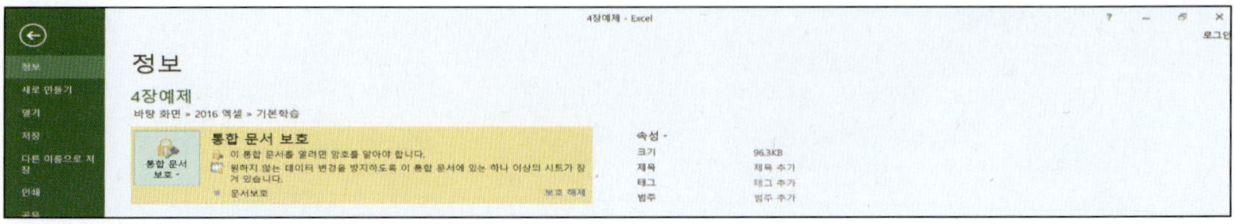

Tip

파일을 닫고 다시 실행할 경우 암호를 입력하라는 메시지 창이 나타나게 됩니다. 암호 'P@ssword'를 입력하면 파일을 열 수 있습니다. 암호는 대소문자를 구분합니다.

4. 설정된 암호를 삭제하려면 [파일 탭 – 정보 – 통합 문서 보호 – 암호 설정]에서 암호를 삭제하고 비어있는 상태에서 확인 버튼을 클릭합니다.

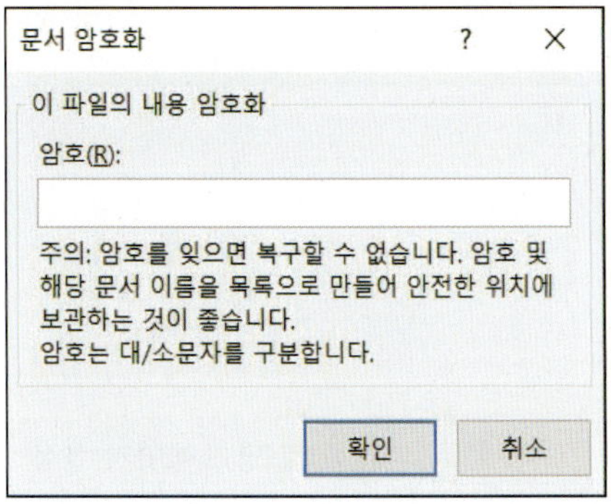

5. 암호 설정이 삭제되는 것을 확인할 수 있습니다.

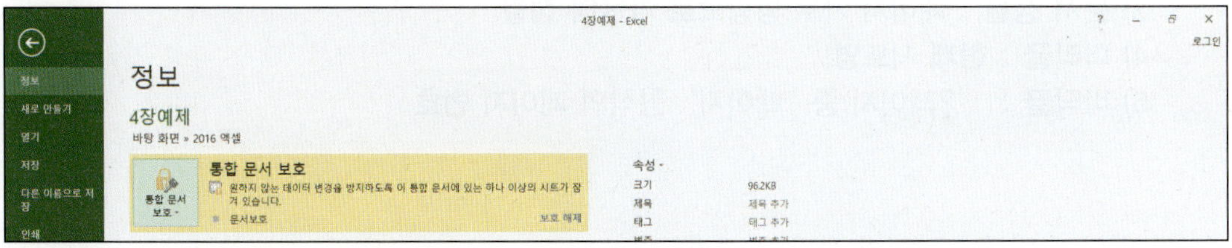

Tip

현재 설정된 보호 설정은 시트 보호입니다. 보호 해제를 클릭하면 수량 열을 제외한 부분에만 설정된 암호설정이 해제됩니다.

02 페이지 설정

용지 방향, 여백, 머리글 및 바닥글을 설정하여 매 페이지마다 반복되는 내용을 추가하여 다양한 방법으로 페이지를 설정할 수 있다.

예제파일 : 4장예제.xlsx

2-1 페이지 설정하기

따라해 보세요 – 페이지 설정하기

*시트명 : 페이지 설정

페이지 설정을 이용하여 다음 문서를 설정하세요.

1) 용지 방향 : 세로

2) 페이지 여백 : 위/아래 3, 좌/우 2

3) 문서 정렬 : 페이지 가로 방향으로 가운데 정렬

4) 머리글 : 현재 시트명

5) 바닥글 : '?페이지 중 1페이지' 형식의 페이지 번호

1. [파일 탭 – 인쇄 – 페이지 설정]을 클릭합니다.

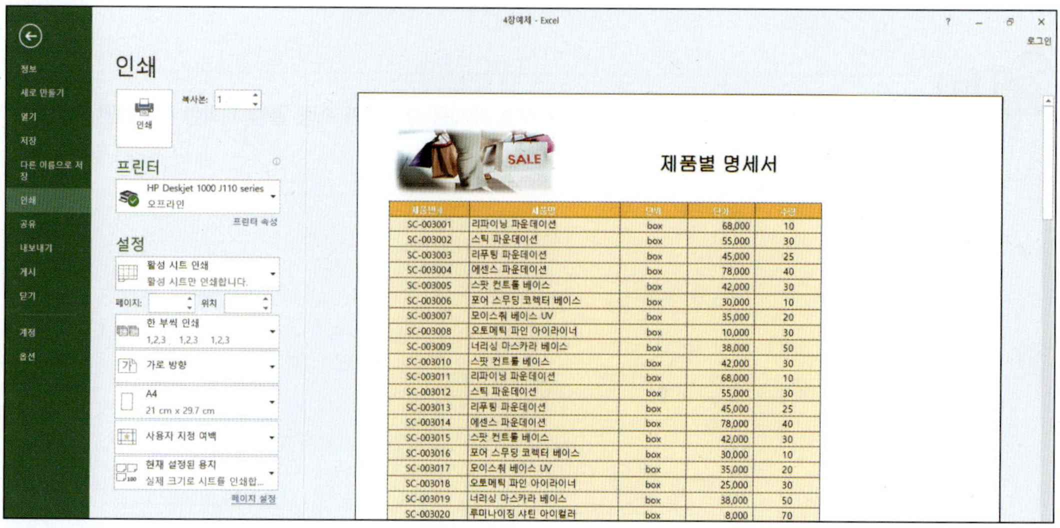

2. 페이지 설정 대화상자가 나타나면 페이지 탭에서 [용지방향 : 세로] 를 선택하고 여백 탭으로 이동합니다.

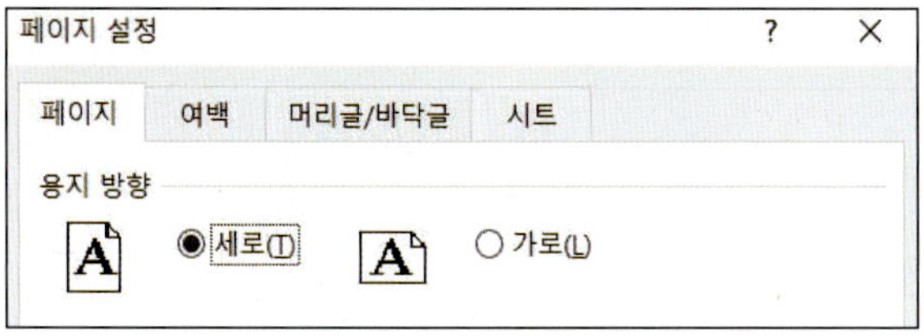

3. 여백 탭에서 [위쪽 / 아래쪽 여백 : 3, 왼쪽 / 오른쪽 여백 : 2.0, 페이지 가운데 맞춤 : 가로] 를 선택하고 머리글 / 바닥글 탭으로 이동합니다.

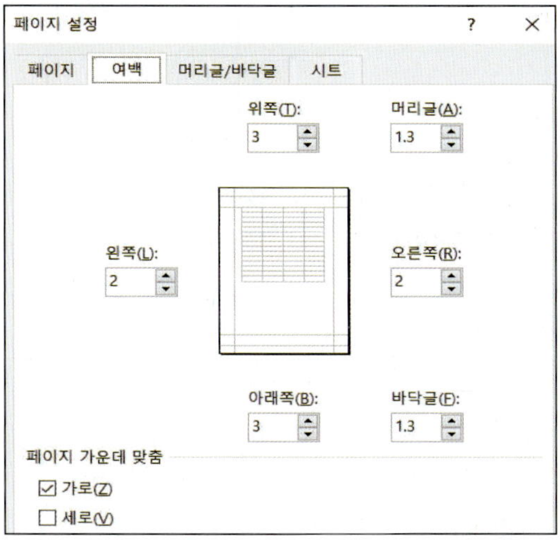

4. 머리글 / 바닥글 탭에서 [바닥글 목록 중 '?페이지 중 1페이지']를 선택하여 페이지 번호를 삽입합니다. 이 설정은 인쇄할 때 모든 페이지의 바닥글 영역에 페이지 번호가 자동으로 추가됩니다. '머리글 편집' 버튼을 클릭합니다.

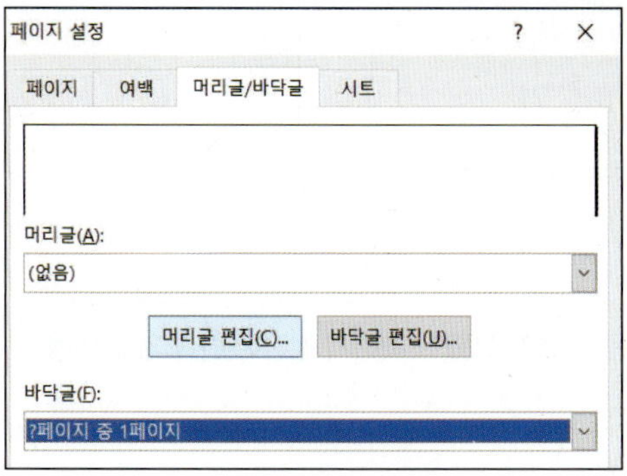

5. 머리글 대화상자가 나타나면 가운데 구역에 커서를 이동합니다. '시트 이름 삽입' 버튼을 클릭하여 '&[탭]'을 삽입하고 확인 버튼을 클릭합니다. 이 설정은 인쇄할 때 모든 페이지의 머리글 영역에 시트명이 자동으로 추가됩니다.

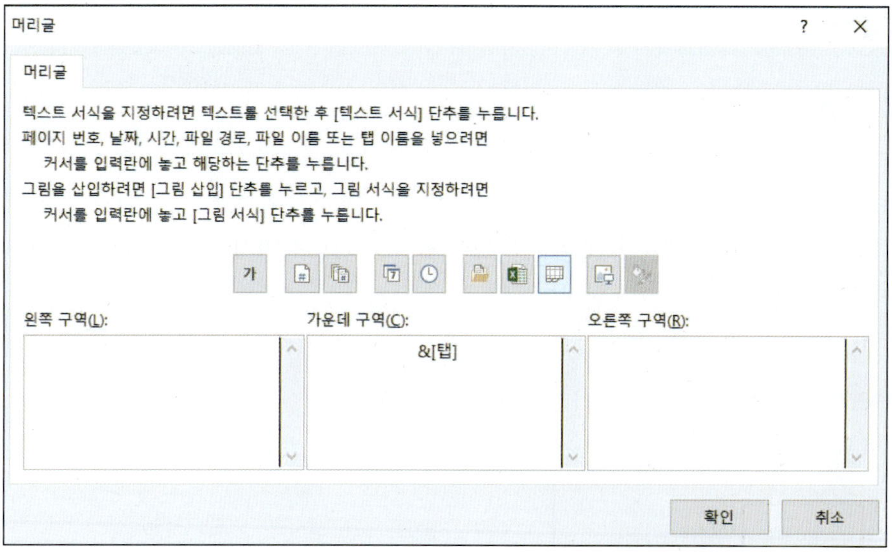

6. 아래와 같이 페이지 설정이 변경되는 것을 확인할 수 있습니다.

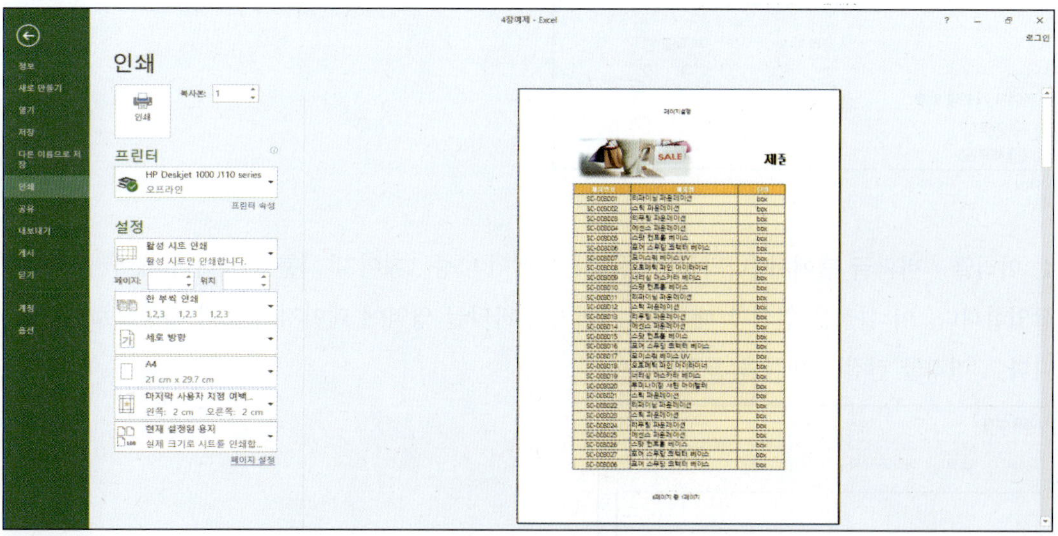

Tip 머리글이나 바닥글을 이용할 경우 [보기 탭 – 통합 문서 보기 그룹 – 페이지 레이아웃] 보기를 이용하면 쉽게 확인할 수 있습니다.

2-2 페이지 보기 / 나누기 설정하기

따라해 보세요 – 페이지 나누기 미리보기

*시트명 : 페이지 설정

페이지 나누기 미리보기를 설정하세요. 그런 다음 1페이지에 수량 열까지 표시되도록 레이아웃을 변경하세요.

1. [보기 탭 – 통합 문서 보기 그룹 – 페이지 나누기 미리 보기]를 클릭합니다.

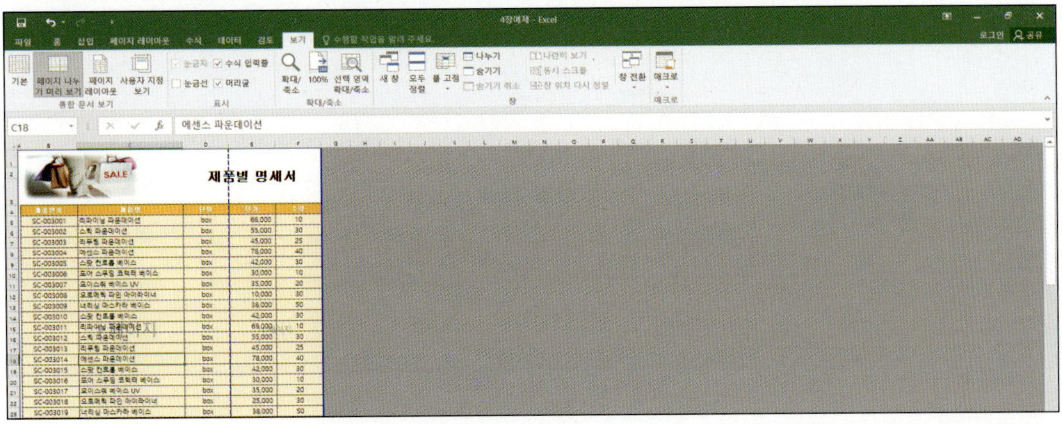

2. 단가 열과 수량 열이 4페이지로 표시되는 것을 확인할 수 있습니다. 점선을 마우스로 드래그하여 수량 열까지 포함되도록 변경합니다.

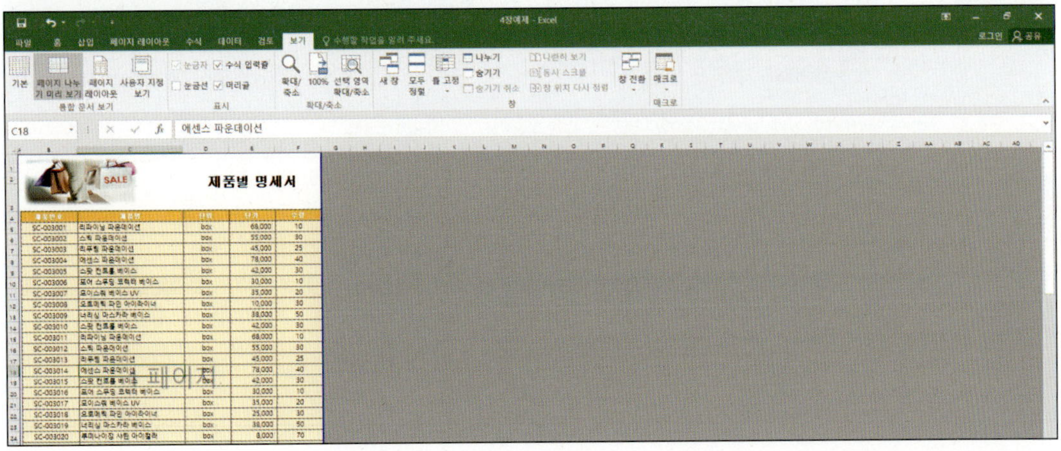

3. 1페이지에 모든 열이 포함되는 것을 확인할 수 있습니다.

따라해 보세요 – 페이지 레이아웃 보기

*시트명 : 페이지 설정

페이지 레이아웃 보기로 표시하세요. 그런 다음 30행 이후부터 2 페이지에 표시되도록 페이지 나누기를 삽입하세요.

1. [보기 탭 – 통합 문서 보기 그룹 – 페이지 레이아웃]을 클릭합니다.

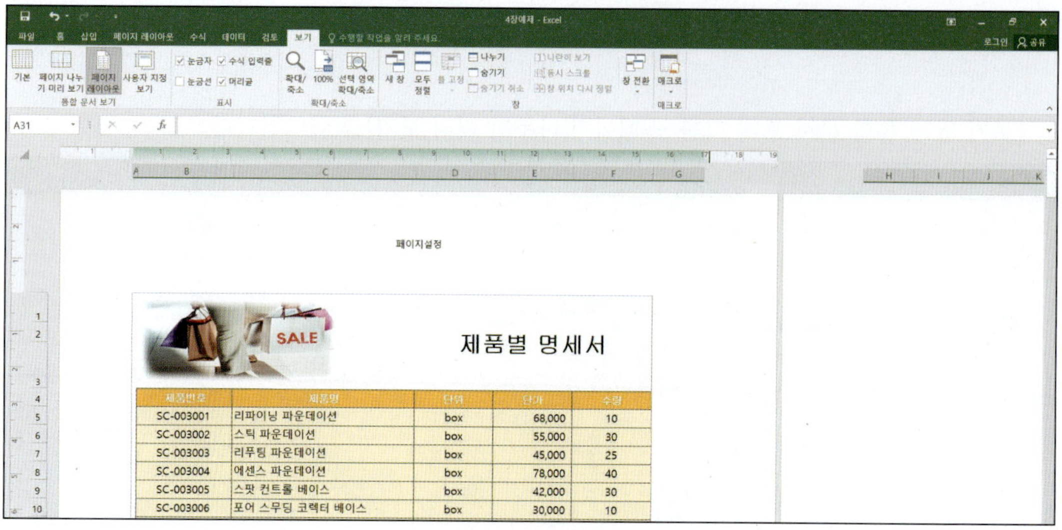

2. 페이지 레이아웃 보기가 설정되면 31행 머리글을 클릭하여 31행 전체를 선택하고 [페이지 레이아웃 탭 – 페이지 설정 그룹 – 나누기 – 페이지 나누기 삽입]을 클릭합니다.

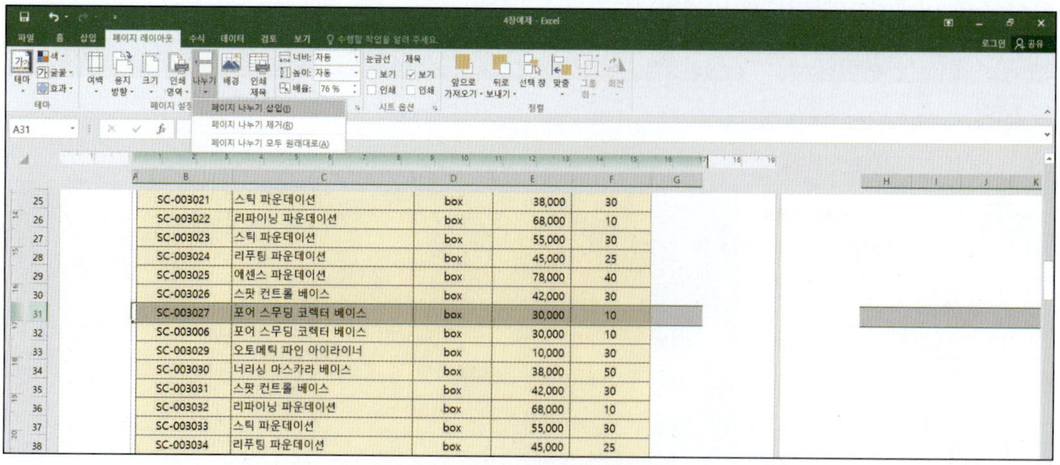

3. 30행까지 1페이지에 표시되는 것을 확인할 수 있습니다.

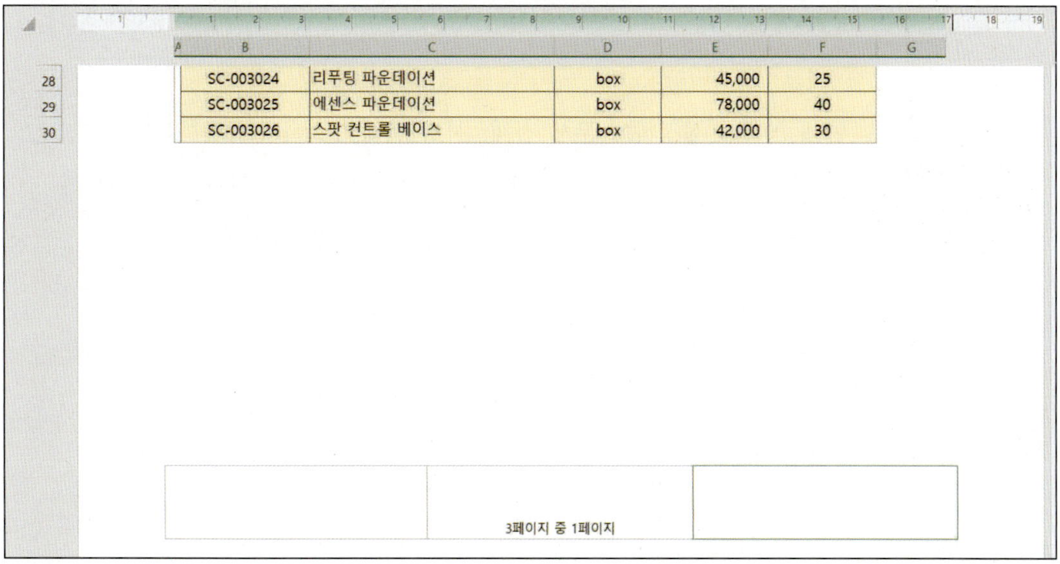

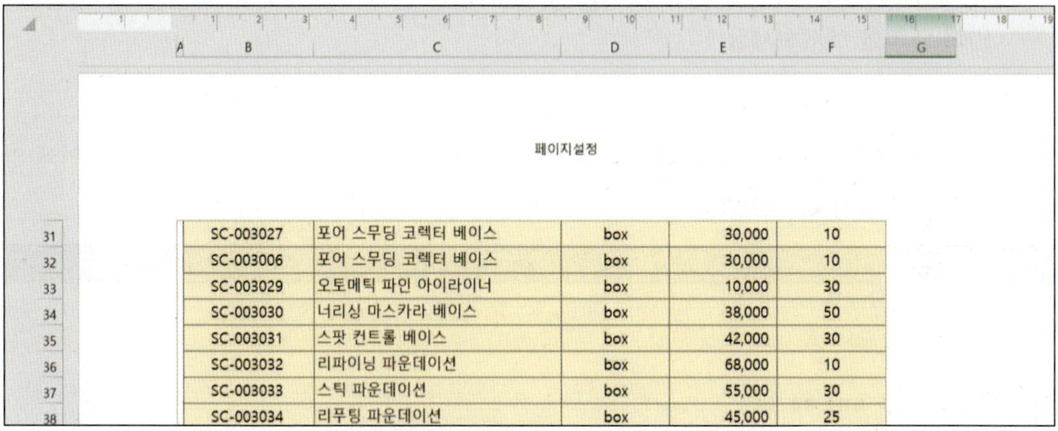

03 인쇄 설정

인쇄 영역을 설정하여 문서 전체, 시트 전체, 또는 시트 중 일부 영역만 인쇄할 수 있다. 또한 인쇄 제목을 설정하여 페이지 마다 인쇄 제목을 표시할 수 있다.

예제파일 : 4장예제.xlsx

3-1 인쇄 영역 설정하기

따라해 보세요 – 일부 영역만 인쇄하기

*시트명 : 인쇄설정

10행까지만 인쇄하도록 인쇄 영역을 설정하세요. 인쇄 미리보기로 확인한 후 설정된 인쇄 영역을 해제하세요.

1. 1행에서 10행까지 행 머리글을 선택한 후 [페이지 레이아웃 탭 – 페이지 설정 그룹 – 인쇄 영역 – 인쇄 영역 설정]을 클릭합니다.

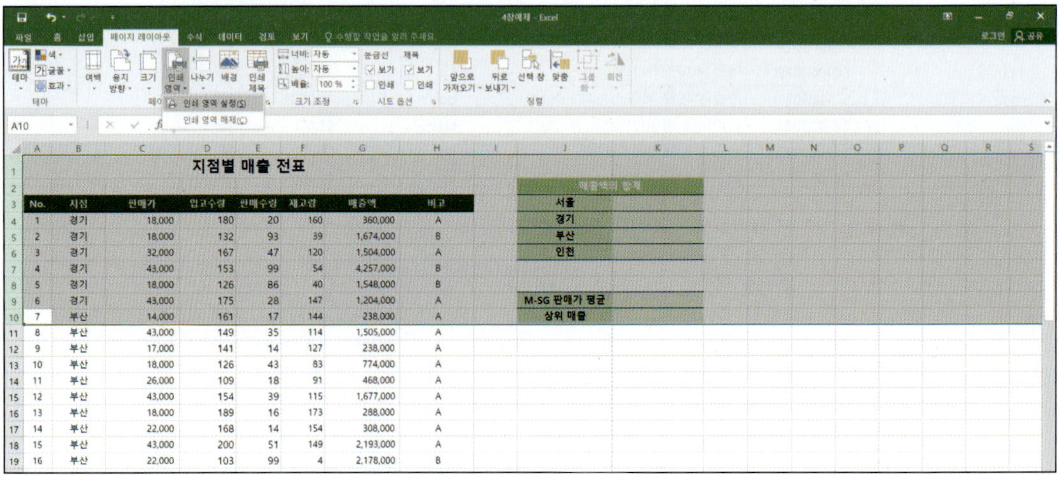

2. [파일 탭 – 인쇄]를 클릭하면 오른쪽 인쇄 미리보기 화면에 방금 현재 설정된 인쇄 영역만 미리보기 되는 것을 확인할 수 있습니다.

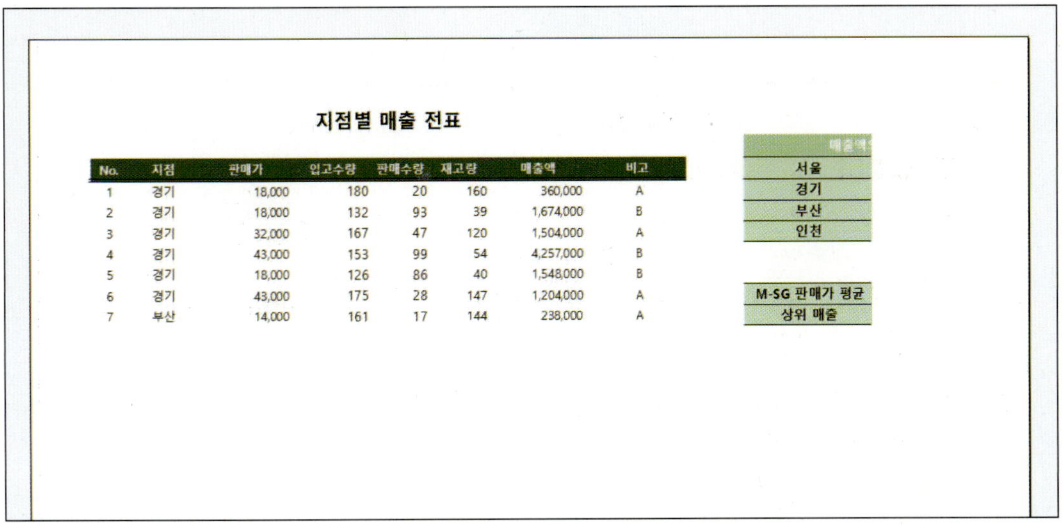

3. 오른쪽 상단의 ' ' 버튼을 클릭하여 편집화면으로 다시 돌아옵니다. [페이지 레이아웃 탭 – 페이지 설정 그룹 – 인쇄 영역 – 인쇄 영역 해제]를 클릭합니다.

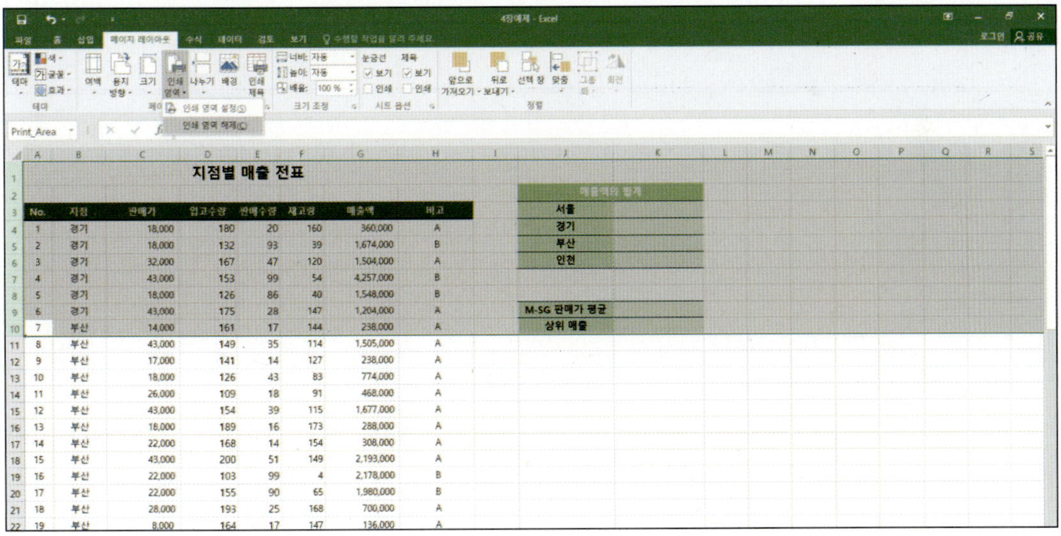

4. [파일 탭 – 인쇄]를 클릭하면 오른쪽 인쇄 미리보기 화면에 인쇄 영역이 전체로 다시 변경되는 것을 확인할 수 있습니다.

지점별 매출 전표

No.	지점	판매가	입고수량	판매수량	재고량	매출액	비고
1	경기	18,000	180	20	160	360,000	A
2	경기	18,000	132	93	39	1,674,000	B
3	경기	32,000	167	47	120	1,504,000	A
4	경기	43,000	153	99	54	4,257,000	B
5	경기	18,000	126	86	40	1,548,000	B
6	경기	43,000	175	28	147	1,204,000	A
7	부산	14,000	161	17	144	238,000	A
8	부산	43,000	149	35	114	1,505,000	A
9	부산	17,000	141	14	127	238,000	A
10	부산	18,000	126	43	83	774,000	A
11	부산	26,000	109	18	91	468,000	A
12	부산	43,000	154	39	115	1,677,000	A
13	부산	18,000	189	16	173	288,000	A
14	부산	22,000	168	14	154	308,000	A
15	부산	43,000	200	51	149	2,193,000	A
16	부산	22,000	103	99	4	2,178,000	B
17	부산	22,000	155	90	65	1,980,000	B
18	부산	28,000	193	25	168	700,000	A
19	부산	8,000	164	17	147	136,000	A
20	부산	22,000	182	75	107	1,650,000	A
21	부산	8,000	151	42	109	336,000	A
22	부산	43,000	200	34	166	1,462,000	A

매출액
서울
경기
부산
인천

M-SG 판매가 평균
상위 매출

3-2 인쇄 제목 설정하기

따라해 보세요 – 페이지마다 인쇄 제목 설정하기

*시트명 : 인쇄설정

J열과 K열을 화면에서 숨기고, 3행까지 인쇄 제목으로 설정하여 매 페이지마다 인쇄제목이 반복될 수 있도록 설정합니다. A4 화면에 세로 방향으로 페이지의 모든 열이 맞춰지도록 인쇄를 설정하세요.

1. J열과 K열 머리글을 선택한 후 마우스 오른 클릭을 하여 숨기기를 클릭합니다.

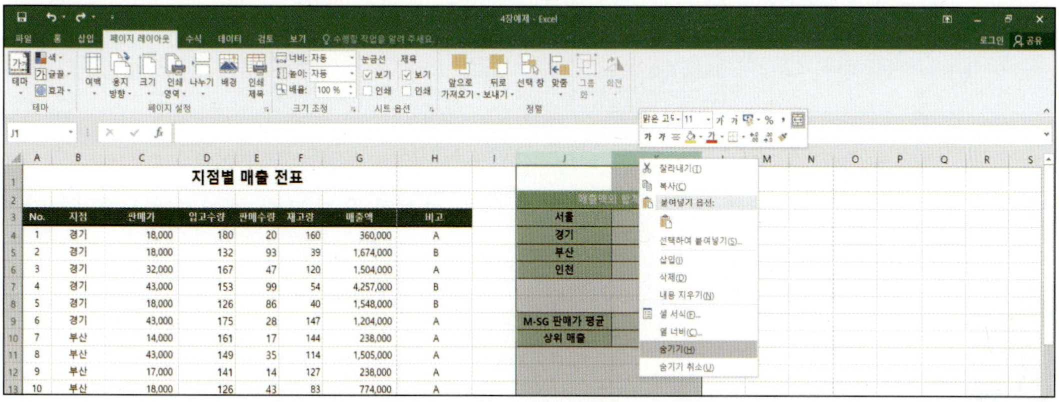

2. 열이 숨겨지게 되고 머리글 사이에 이중선으로 표시되는 것을 확인할 수 있습니다.

3. 인쇄 제목을 설정하기 위하여 [페이지 레이아웃 탭 – 페이지 설정 그룹 – 인쇄 제목]을 클릭합니다.

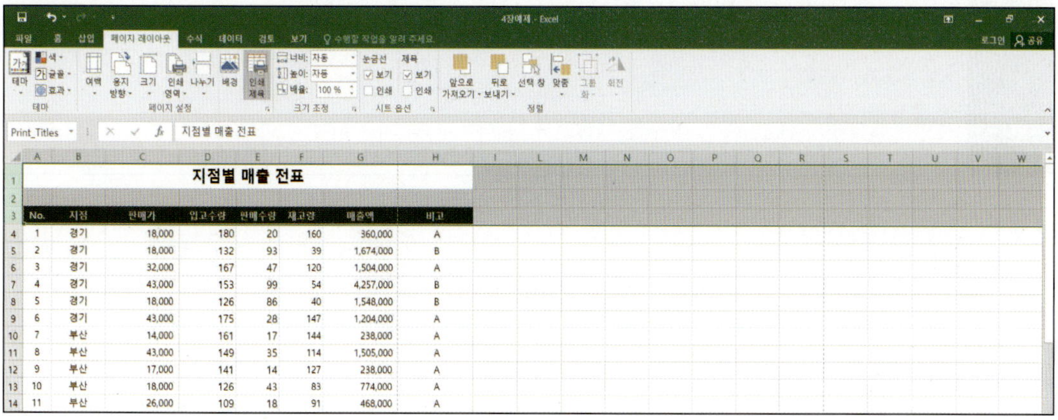

4. 페이지 설정 대화상자가 나타나면 [반복할 행 : $1:$3]을 입력하고 인쇄 버튼을 클릭합니다.

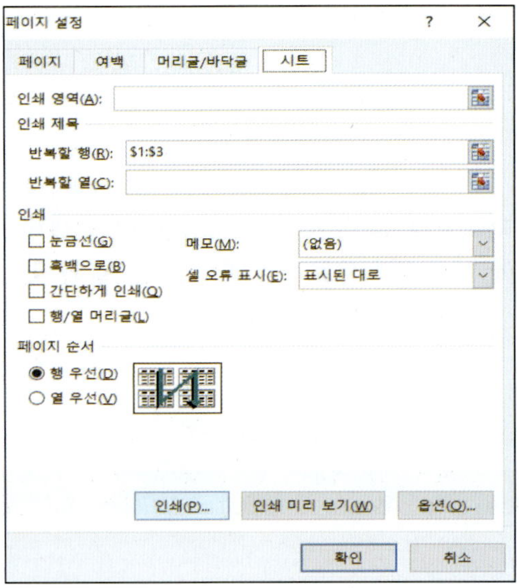

5. 왼쪽 하단의 설정 중 [가로 방향 : 세로 방향, 현재 설정된 용지 : 한 페이지에 모든 열 맞추기]로 설정을 변경합니다.

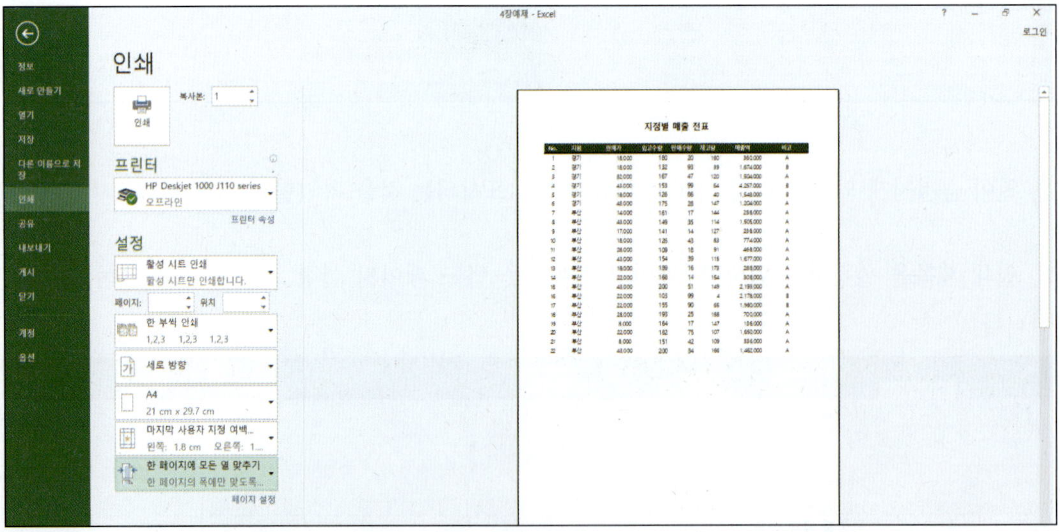

6. 표의 열이 한 페이지에 맞게 설정되는 것을 확인할 수 있습니다.

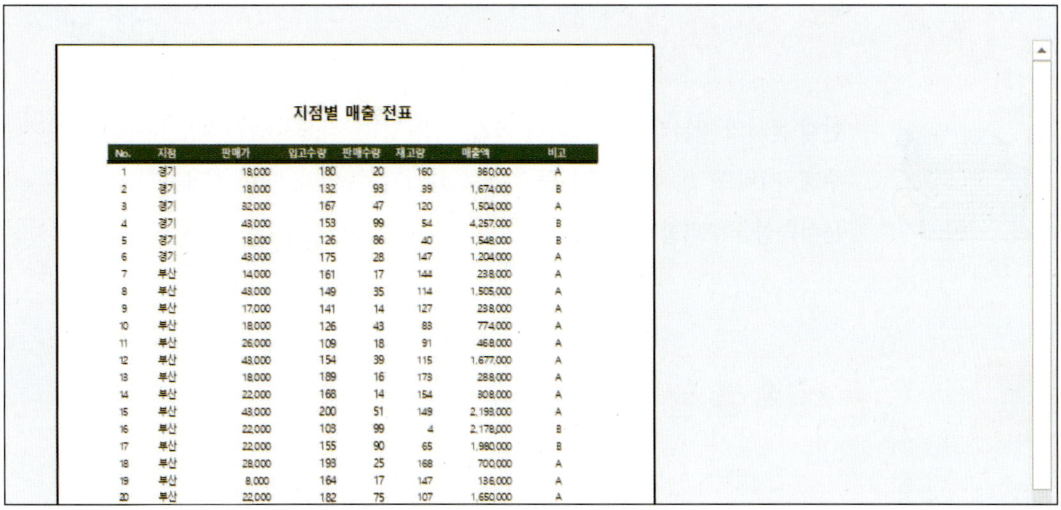

지점별 매출 전표

No.	지점	판매가	입고수량	판매수량	재고량	매출액	비고
1	경기	18,000	180	20	160	360,000	A
2	경기	18,000	132	93	39	1,674,000	B
3	경기	32,000	167	47	120	1,504,000	A
4	경기	43,000	153	99	54	4,257,000	B
5	경기	18,000	126	86	40	1,548,000	B
6	경기	43,000	175	28	147	1,204,000	A
7	부산	14,000	161	17	144	238,000	A
8	부산	43,000	149	35	114	1,505,000	A
9	부산	17,000	141	14	127	238,000	A
10	부산	18,000	126	43	83	774,000	A
11	부산	26,000	109	18	91	468,000	A
12	부산	43,000	154	39	115	1,677,000	A
13	부산	18,000	189	16	173	288,000	A
14	부산	22,000	168	14	154	308,000	A
15	부산	43,000	200	51	149	2,193,000	A
16	부산	22,000	103	99	4	2,178,000	B
17	부산	22,000	155	90	65	1,980,000	B
18	부산	28,000	193	25	168	700,000	A
19	부산	8,000	164	17	147	136,000	A
20	부산	22,000	182	75	107	1,650,000	A

설명

인쇄 설정

① 활성 시트 인쇄 : 활성 시트만 인쇄합니다.
- 전체 통합 문서 인쇄 : 전체 통합 문서를 인쇄합니다.
- 선택 영역 인쇄 : 선택 영역만 인쇄합니다.

② 한 부씩 인쇄 (123, 123, 123..)
- 한 부씩 인쇄 안함 (111, 222, 333...)

③ 가로, 세로 방향을 설정합니다.

④ A4, A5 등 용지 크기를 설정합니다.

⑤ 기본, 넓게, 좁게, 사용자 지정 여백을 설정합니다.

⑥ 현재 설정된 용지 : 실제 크기로 시트를 인쇄합니다.
- 한 페이지에 시트 맞추기 : 한 페이지에 모두 들어가도록 인쇄물을 줄입니다.
- 한 페이지에 모든 열 맞추기 : 한 페이지의 폭에만 맞도록 인쇄물을 줄입니다.
- 한 페이지에 모든 행 맞추기 : 한 페이지의 높이에만 맞도록 인쇄물을 줄입니다.

04 문서 속성

현재 문서의 기본적인 속성(파일 크기, 만든 날짜, 작성자)등을 확인할 수 있고, 주제, 키워드, 회사명, 메모 등 추가로 삽입할 수 있다. 또한 사용자가 새롭게 문서속성을 추가할 수 있다.

예제파일 : 4장예제.xlsx

4-1 문서 속성 설정하기

따라해 보세요 – 문서 속성 설정하기

문서의 제목 속성을 '2016'으로 추가하고, 키워드를 'Excel'로 추가하세요.

1. [파일 탭 – 정보 – 속성 – 고급 속성]을 클릭합니다.

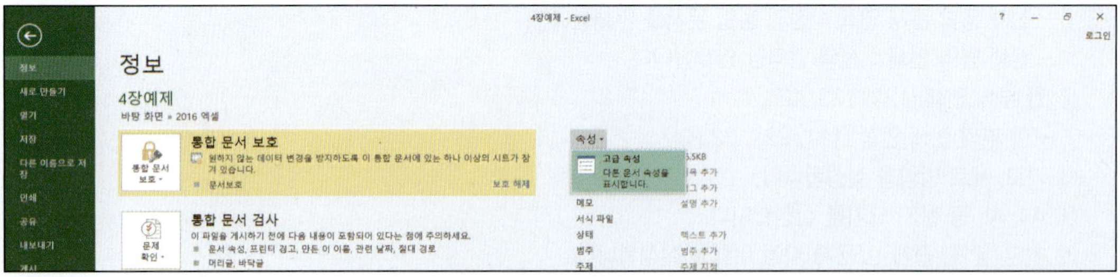

2. 4장예제 속성 대화상자가 나타나면 '제목 : 2016, 키워드(태그) : Excel'을 입력 한 후 확인 버튼을 클릭합니다.

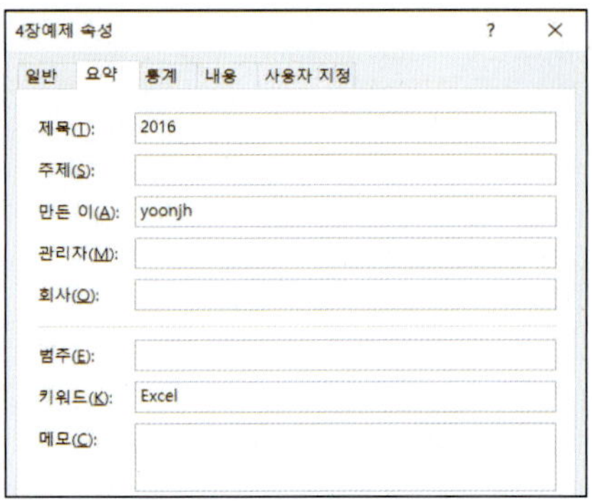

3. 제목과 태그(키워드) 가 변경되는 것을 확인할 수 있습니다. 두 항목과 같이 정보 창에서 바로 보이는 항목인 경우 바로 변경이 가능합니다.

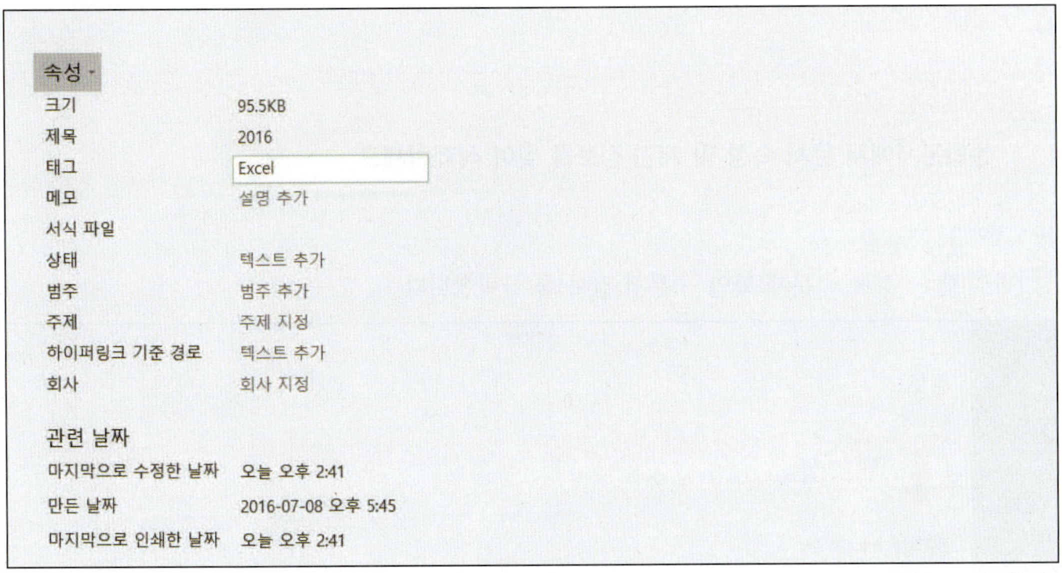

4-2 문서 검사하기

따라해 보세요 – 문서 검사 하기

통합문서에서 문서 속성 및 개인 정보를 찾아 삭제하세요.

1. [파일 탭 – 정보 – 문제 확인 – 문서 검사]를 클릭합니다.

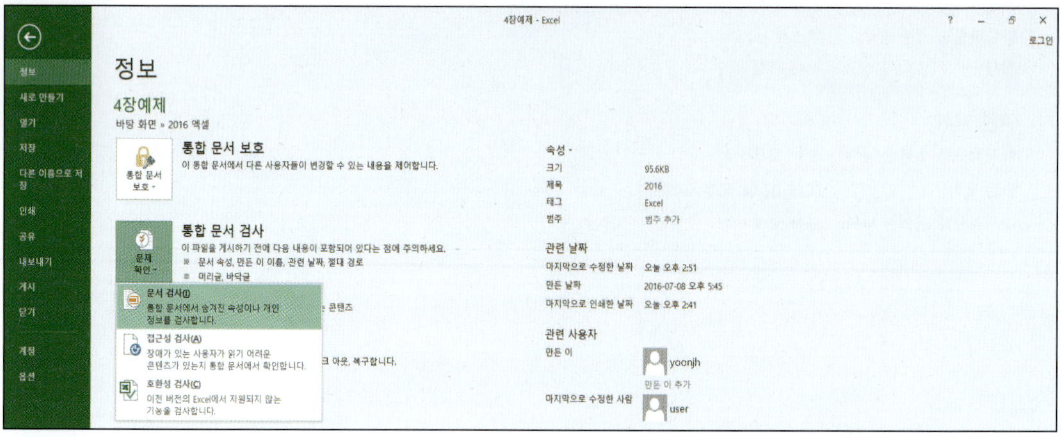

Tip 현재 문서에는 문서보호가 설정되어 있으므로 오류 메시지가 나타납니다. 시트 보호 해제를 하고 문서 보호를 시작합니다.

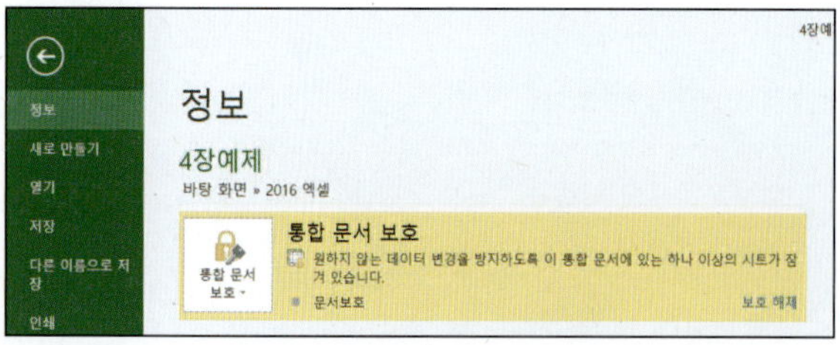

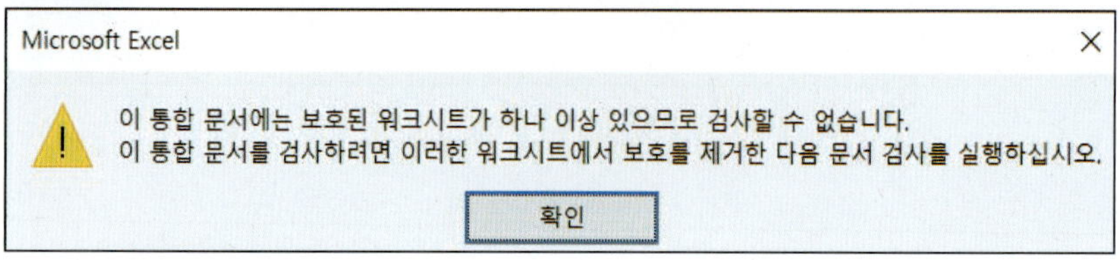

2. 문서 검사 주의 사항 메시지 창이 나타나면 '예' 버튼을 클릭하고 다시 문서 검사를 시작합니다.

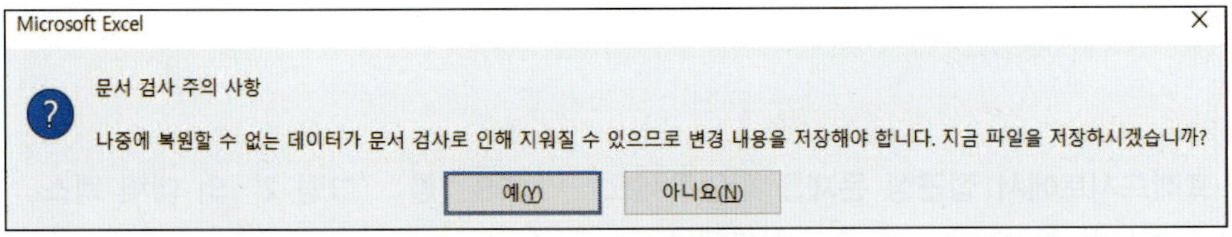

3. 문서 검사 대화상자가 나타나면 검사 버튼을 클릭합니다.

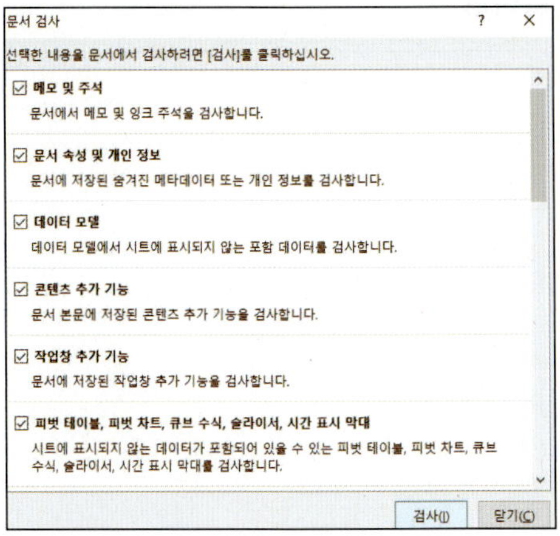

4. 검사 결과가 나타나면 '문서 속성 및 개인 정보' 에 해당하는 항목만 '모두 제거 ' 버튼을 클릭합니다. 아래 항목 중 '머리글/바닥글' 및 '숨겨진 행/열' 항목은 그대로 남겨둡니다. 제거 되었으면 닫기 버튼을 클릭합니다.

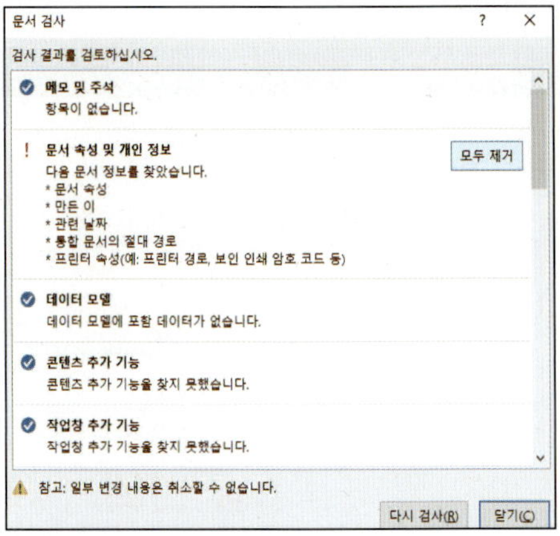

5. 문서 정보 및 개인 정보 내용이 삭제되었음을 확인할 수 있습니다.

4-3 접근성 검사하기

따라해 보세요 – 접근성 문제 확인하기

스프레드시트에서 접근성 문제를 확인하세요. 'MOS' 를 '그림 2' 의 대체 텍스트 제목으로 추가하여 오류를 수정하세요.

1. [파일 탭 – 정보 – 문제 확인 – 접근성 검사]를 클릭합니다.

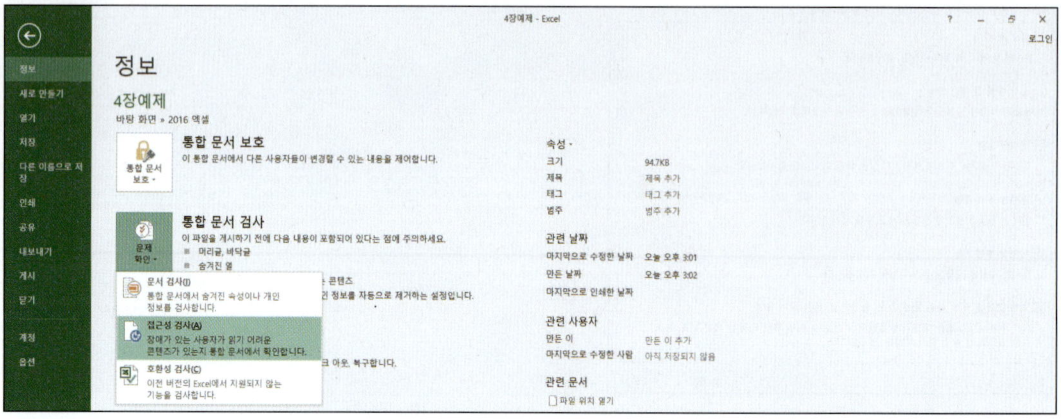

2. 검사 결과 창에 '오류 항목과 경고 항목' 이 나타나는 것을 확인할 수 있습니다. 오류 항목 중 '그림 2' 에 해당하는 항목을 더블 클릭하여 해당 항목으로 이동합니다. 그림이 선택되면 그림 위에서 마우스 오른 클릭하여 크기 및 속성을 클릭합니다.

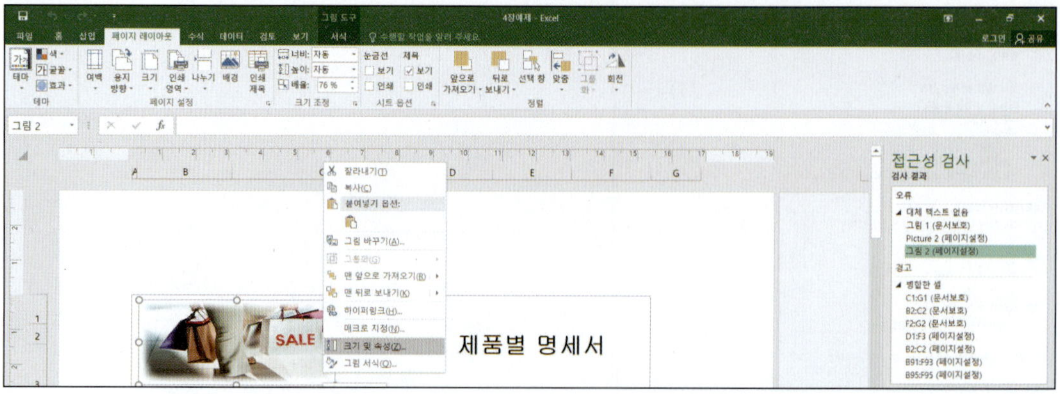

3. 그림 서식 창이 나타나면 대체 텍스트 항목을 선택하여 제목에 'MOS'를 입력하고 그림 서식 창을 닫습니다.

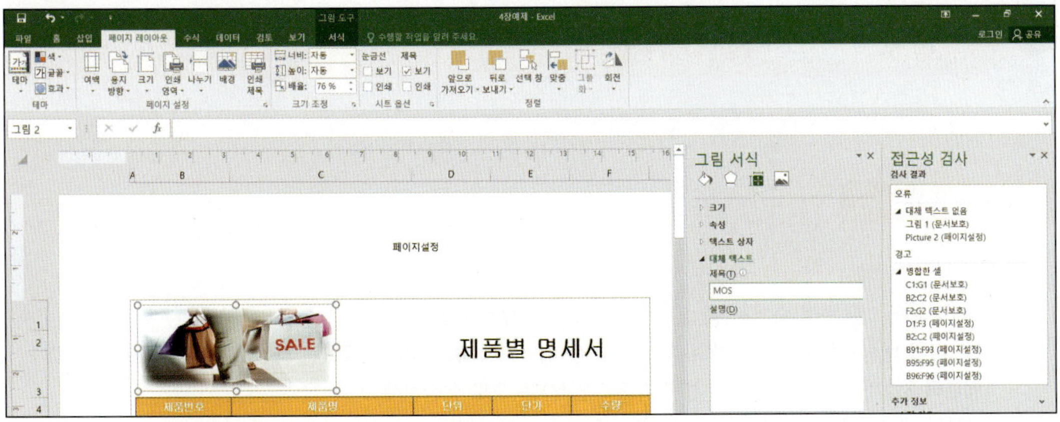

4. 접근성 검사 결과 항목 중 '그림 2' 항목이 수정되어 오류 항목에서 사라지는 것을 확인할 수 있습니다.

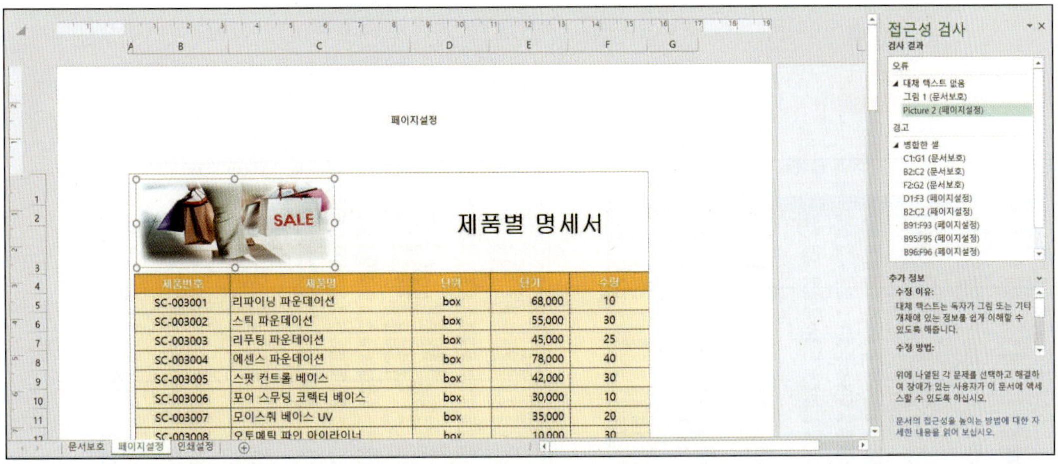

4장 실전예제 만들기

실전예제 1

'4장 실전학습.xlsx' 파일을 이용하여 다음을 설정하세요.

- 문서 검사를 이용하여 숨겨진 행, 열, 시트를 찾아 삭제하세요.
- 구분 열을 내림차순으로 정렬하여 각 항목이 한 페이지에 표시되도록 페이지 나누기를 설정하세요.
- 1행부터 3행까지 매 페이지마다 반복되도록 인쇄제목으로 설정하세요
- J열까지 내용이 한 페이지에 표시되도록 페이지를 설정하세요.
- 결제금액 열만 입력 가능하도록 문서 보호를 설정하세요. (암호 : Excel2019)
- 통합문서보호를 이용하여 문서 보호를 설정하세요.(암호 : abcd!)
- 암호는 대소문자 구분합니다.

결과화면

거래 내역표

	ID	구분	회사	직급	성별	근무지	거래금액	결제금액	미수금
4	E1123V	프리미엄	백두무역	대리	남자	대전	4,534,600	486,000	4,048,600
5	F2994V	프리미엄	은하수유통	과장	여자	부산	1,051,100	1,044,500	6,600
6	M5130Y	프리미엄	한일상사	대표	남자	제주	4,398,100	1,203,100	3,195,000
7	P3554O	프리미엄	왕성교역	과장	여자	대전	7,958,400	4,262,900	3,695,500
8	P3554O	프리미엄	왕성교역	과장	여자	대전	7,958,400	4,262,900	3,695,500
9	A1020J	일반	나라백화점	사원	남자	천안	4,938,500	4,152,200	786,300
10	C9794J	일반	언더우드무역	사원	남자	서울	7,497,700	2,061,400	5,436,300
11	D4546D	일반	삼진상사	사원	여자	제주	2,246,500	1,945,900	300,600
12	G9531E	일반	몽블랑상사	부장	여자	천안	5,621,200	859,600	4,761,600
13	H9007N	일반	글로벌통상	과장	여자	부산	3,592,400	1,989,700	1,602,700
14	I2950M	일반	상도무역	과장	남자	수원	2,088,700	1,497,800	590,900
15	K7558F	일반	신세기상사	대표	여자	부산	9,077,000	3,926,600	5,150,400
16	P2961R	일반	한라상사	대표	남자	서울	8,489,300	242,700	8,246,600
17	P5861X	일반	해바라기백화점	사원	남자	서울	7,949,200	3,851,500	4,097,700
18	S2802F	일반	한라상사	사원	여자	서울	7,929,200	1,518,800	6,410,400
19	U3336A	일반	우주상사	사원	남자	대전	3,504,200	2,054,700	1,449,500
20	V292S	일반	한라교역	사원	남자	서울	5,901,300	2,312,600	3,588,700
21	W294S	일반	동남상사	사원	남자	인천	1,790,400	1,018,200	772,200
22	W8559P	일반	서진상사	사원	여자	제주	1,951,700	1,567,700	384,000
23	P2961R	일반	한라상사	대표	남자	서울	8,489,300	242,700	8,246,600
24	P5861X	일반	해바라기백화점	사원	남자	서울	7,949,200	3,851,500	4,097,700
25	S2802F	일반	한라상사	사원	여자	서울	7,929,200	1,518,800	6,410,400
26	U3336A	일반	우주상사	사원	남자	대전	3,504,200	2,054,700	1,449,500
27	V292S	일반	한라교역	사원	남자	서울	5,901,300	2,312,600	3,588,700
28	W294S	일반	동남상사	사원	남자	인천	1,790,400	1,018,200	772,200
29	W8559P	일반	서진상사	사원	여자	제주	1,951,700	1,567,700	384,000
30	V292S	일반	한라교역	사원	남자	서울	5,901,300	2,312,600	3,588,700
31	W294S	일반	동남상사	사원	남자	인천	1,790,400	1,018,200	772,200
32	W8559P	일반	서진상사	사원	여자	제주	1,951,700	1,567,700	384,000
33	V292S	일반	한라교역	사원	남자	서울	5,901,300	2,312,600	3,588,700
34	W294S	일반	동남상사	사원	남자	인천	1,790,400	1,018,200	772,200
35	W8559P	일반	서진상사	사원	여자	제주	1,951,700	1,567,700	384,000
36	V292S	일반	한라교역	사원	남자	서울	5,901,300	2,312,600	3,588,700
37	W294S	일반	동남상사	사원	남자	인천	1,790,400	1,018,200	772,200
38	W8559P	일반	서진상사	사원	여자	제주	1,951,700	1,567,700	384,000
39	C7582Z	실버	성준통상	부장	여자	수원	3,834,400	148,800	3,685,600

39	C7582Z	실버	성준통상	부장	여자	수원	3,834,400	148,800	3,685,600
40	E3911M	실버	한일상사	사원	여자	부산	5,562,600	2,018,800	3,543,800
41	E7426K	실버	월창무역	사원	여자	천안	2,116,300	1,814,400	301,900
42	F2589D	실버	정금상사	사원	남자	대전	1,001,900	530,900	471,000
43	G4980K	실버	관악유통	부장	남자	서울	7,455,400	1,094,100	6,361,300
44	K7465O	실버	백진주백화점	사원	여자	천안	7,352,500	1,067,700	6,284,800
45	K9277R	실버	글로벌통상	대표	남자	부산	7,722,500	5,900,300	1,822,200
46	L9801A	실버	왕도교역	사원	남자	수원	7,262,300	1,090,000	6,172,300
47	O431J	실버	대성교역	사원	여자	서울	2,016,400	340,500	1,675,900
48	V3396Y	실버	해바라기백화점	사원	여자	서울	3,605,900	3,085,200	520,700
49	V3396Y	실버	해바라기백화점	사원	여자	서울	3,605,900	3,085,200	520,700
50	V3396Y	실버	해바라기백화점	사원	여자	서울	3,605,900	3,085,200	520,700
51	V3396Y	실버	해바라기백화점	사원	여자	서울	3,605,900	3,085,200	520,700
52	V3396Y	실버	해바라기백화점	사원	여자	서울	3,605,900	3,085,200	520,700
53	C3866S	골드	대진상사	대표	남자	대전	9,026,500	6,715,900	2,310,600
54	D2678Q	골드	신세기상사	사원	남자	서울	2,211,900	1,756,000	455,900
55	E4274H	골드	한빛유통	대리	남자	제주	8,648,200	5,586,700	3,061,500
56	H5774S	골드	삼미상사	대표	여자	서울	8,716,700	1,822,200	6,894,500
57	I7709A	골드	아틀란티스통상	과장	남자	서울	6,947,700	888,500	6,059,200
58	K5102F	골드	나라백화점	사원	남자	부산	8,106,600	1,786,100	6,320,500
59	L4286E	골드	서해무역	대리	여자	인천	2,661,800	1,630,500	1,031,300
60	P8093Z	골드	남해유통	대리	여자	수원	3,803,200	2,289,000	1,514,200
61	U387H	골드	상도무역	대리	여자	인천	6,225,700	4,000,500	2,225,200
62	V1265R	골드	태평유통	대리	남자	부산	4,870,500	86,100	4,784,400
63	V3281W	골드	백두무역	사원	남자	부산	4,659,300	559,600	4,099,700
64	V3455C	골드	관악유통	대표	남자	서울	2,047,000	1,277,900	769,100
65	P8093Z	골드	남해유통	대리	여자	수원	3,803,200	2,289,000	1,514,200
66	U387H	골드	상도무역	대리	여자	인천	6,225,700	4,000,500	2,225,200
67	V1265R	골드	태평유통	대리	남자	부산	4,870,500	86,100	4,784,400
68	V3281W	골드	백두무역	사원	남자	부산	4,659,300	559,600	4,099,700
69	V3455C	골드	관악유통	대표	남자	서울	2,047,000	1,277,900	769,100
70	V1265R	골드	태평유통	대리	남자	부산	4,870,500	86,100	4,784,400
71	V3281W	골드	백두무역	사원	남자	부산	4,659,300	559,600	4,099,700
72	V3455C	골드	관악유통	대표	남자	서울	2,047,000	1,277,900	769,100
73	V1265R	골드	태평유통	대리	남자	부산	4,870,500	86,100	4,784,400
74	V3281W	골드	백두무역	사원	남자	부산	4,659,300	559,600	4,099,700
75	V3455C	골드	관악유통	대표	남자	서울	2,047,000	1,277,900	769,100
76	V1265R	골드	태평유통	대리	남자	부산	4,870,500	86,100	4,784,400
77	V3281W	골드	백두무역	사원	남자	부산	4,659,300	559,600	4,099,700

Chapter 5

수식 계산

01 이름 정의
- 1-1 이름 정의하기
- 1-2 이름 관리자
- 1-3 수식 표시하기

02 수식 작성
- 2-1 상대 참조 방식으로 수식 입력하기
- 2-2 절대 참조 방식으로 수식 입력하기
- 2-3 자동 합계를 이용하여 수식 입력하기

03 함수 기초
- 3-1 날짜 및 시간 함수 활용하기
- 3-2 텍스트 함수 활용하기
- 3-3 논리 함수 활용하기

01 이름 정의

자주 사용하는 범위를 이름으로 지정하면 수식을 작성하거나 해당 범위를 검색할 때 쉽게 찾아낼 수 있다.

예제파일 : 5장예제.xlsx

1-1 이름 정의하기

따라해 보세요 – 표이름 찾기

*시트명 : 이름정의

'명단' 이름의 표를 찾아 표 기능을 제거하세요.

1. 이름상자 목록 화살표를 클릭하여 목록 중 명단을 클릭합니다.

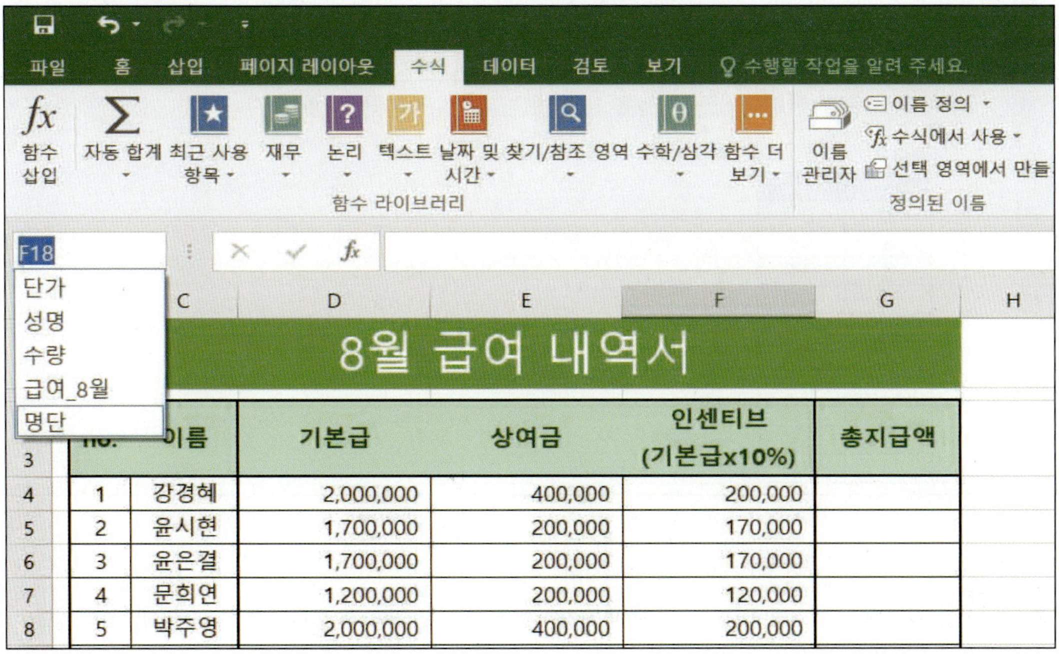

2. 명단 워크시트로 워크시트가 이동되고 명단 표가 선택되는 것을 확인할 수 있습니다. 표 기능을 제거하기 위하여 [표 도구 중 디자인 탭 – 도구 그룹 – 범위로 변환]을 클릭합니다.

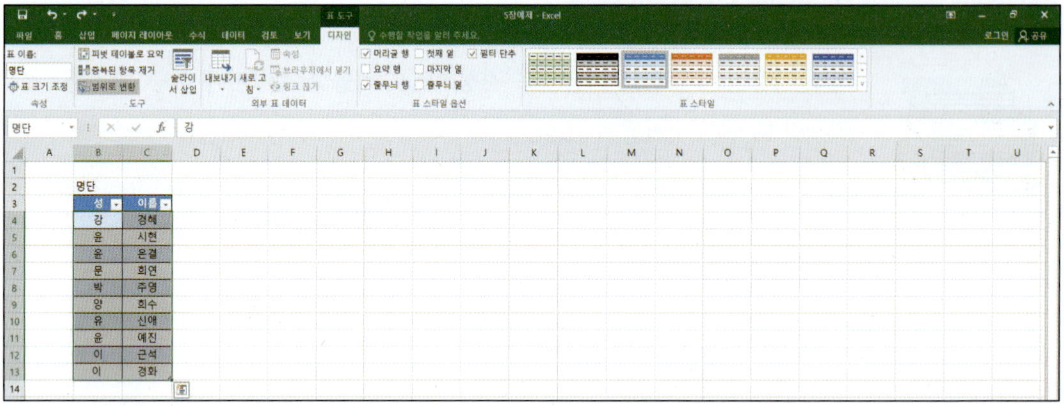

3. '표를 정상 범위로 변환하시겠습니까?' 메시지 창이 나타나면 예 버튼을 클릭합니다.

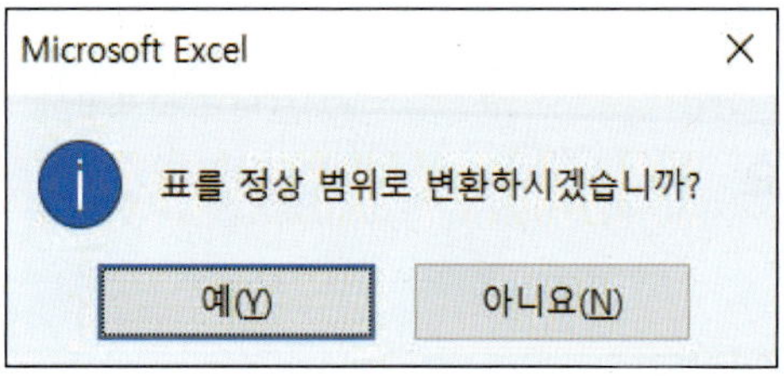

4. 표 기능이 제거되고 일반 데이터 표로 변환되는 것을 확인할 수 있습니다.

Tip

표 기능이 제거되면 [표 도구] 탭이 사라지게 됩니다. 표 기능 중 줄무늬 행 서식은 지워지지 않고 남아있게 됩니다.

따라해 보세요 – 이름 범위 설정하기

*시트명 : 이름정의

기본급, 상여금, 인센티브 이름으로 각 데이터 값의 범위를 이름 설정하세요.

1. D4:D13 셀 범위를 선택한 후 이름상자에 '기본급' 을 입력하고 Enter 키를 누릅니다.

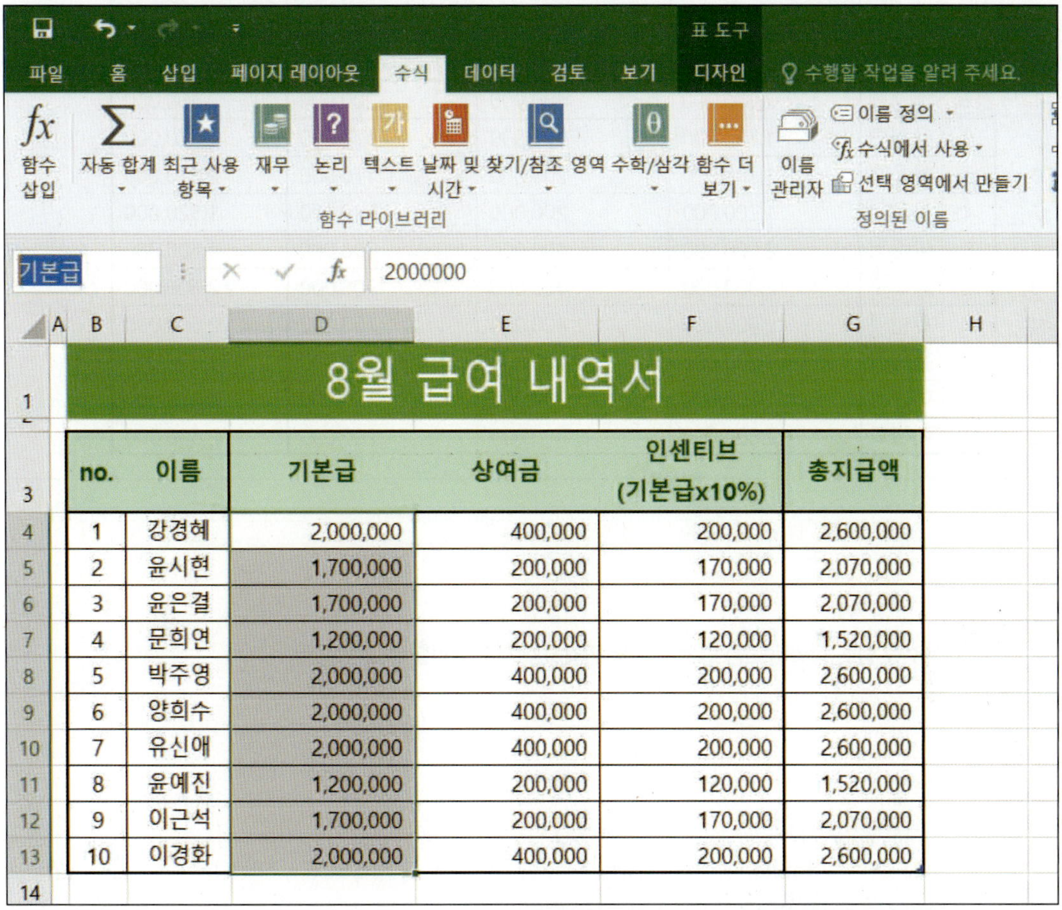

no.	이름	기본급	상여금	인센티브 (기본급x10%)	총지급액
1	강경혜	2,000,000	400,000	200,000	2,600,000
2	윤시현	1,700,000	200,000	170,000	2,070,000
3	윤은결	1,700,000	200,000	170,000	2,070,000
4	문희연	1,200,000	200,000	120,000	1,520,000
5	박주영	2,000,000	400,000	200,000	2,600,000
6	양희수	2,000,000	400,000	200,000	2,600,000
7	유신애	2,000,000	400,000	200,000	2,600,000
8	윤예진	1,200,000	200,000	120,000	1,520,000
9	이근석	1,700,000	200,000	170,000	2,070,000
10	이경화	2,000,000	400,000	200,000	2,600,000

2. 동일한 방법으로 E4:E13과 F4:F13 범위를 선택한 후 '상여금' 과 '인센티브' 를 입력하고 Enter 키를 누릅니다.

3. 이름 상자 화살표를 클릭하여 추가된 이름 목록을 확인할 수 있습니다.

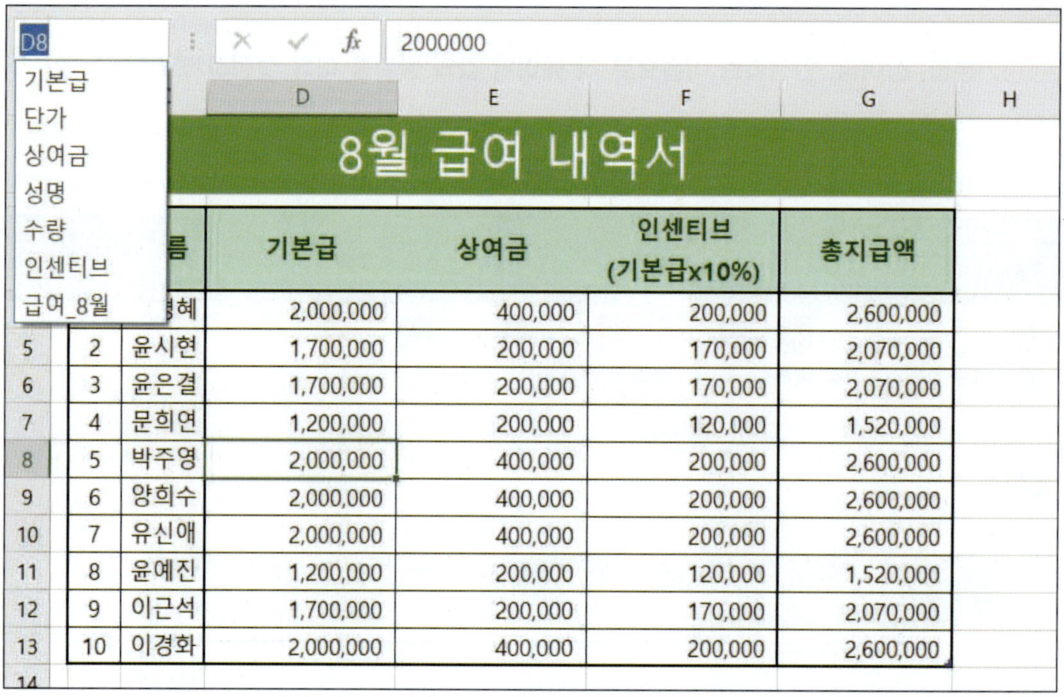

Tip

[수식 탭 – 정의된 이름 그룹 – 이름 관리자]에서도 확인할 수 있습니다.

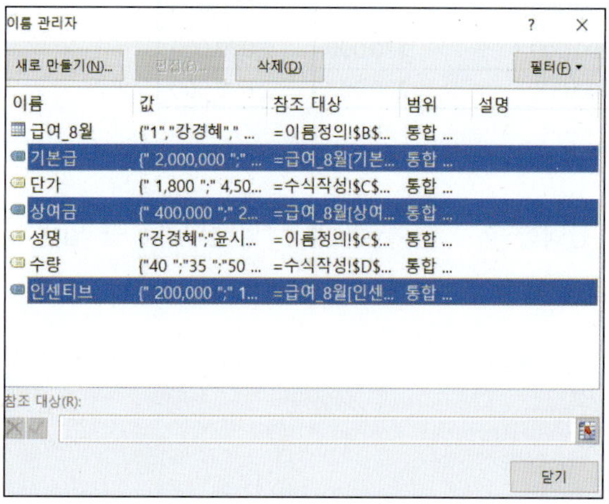

1-2 이름 관리자

따라해 보세요 – 이름 범위 수정하기

※시트명 : 이름정의

'성명' 으로 정의된 이름 범위를 편집하여 이름 범위가 알맞게 포함되도록 수정하세요

1. [수식 탭 – 정의된 이름 그룹 – 이름 관리자]를 클릭합니다.

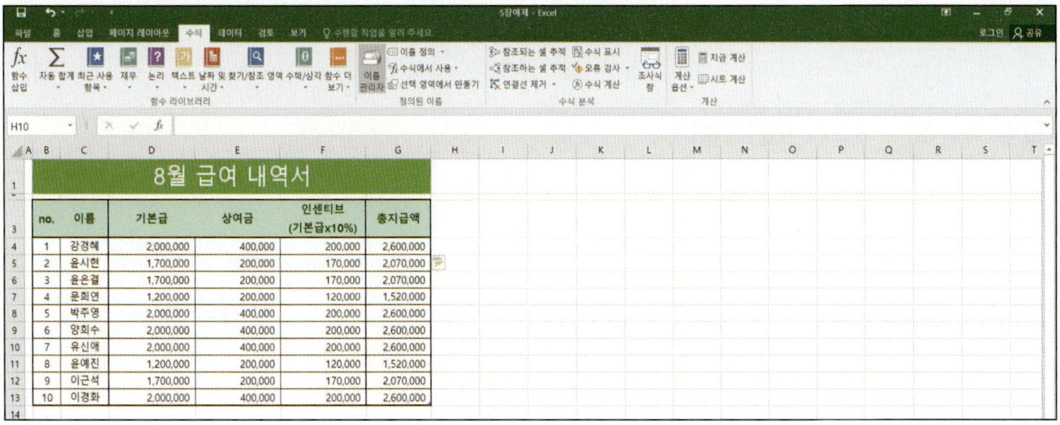

2. 이름 관리자 대화상자가 나타나면 '성명' 을 선택합니다. 참조 대상이 C4:C8까지인 것을 확인할 수 있습니다. 내용을 수정하기 위해 편집 버튼을 클릭합니다.

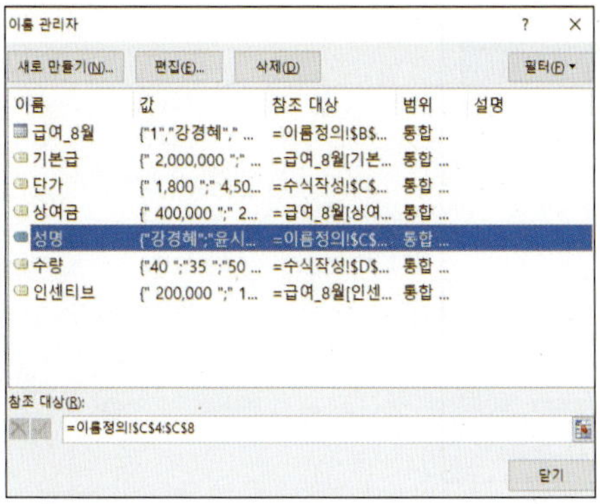

Tip

대화상자에서 참조 대상 범위를 바로 수정할 수도 있습니다.

3. 이름 편집 대화상자가 나타나면 참조 대상 내용을 삭제한 후 데이터 범위를 C4:C13까지 다시 입력하고 확인 버튼을 클릭합니다. 범위가 이름으로 설정되어 자동으로 변경되는 것을 확인할 수 있습니다.

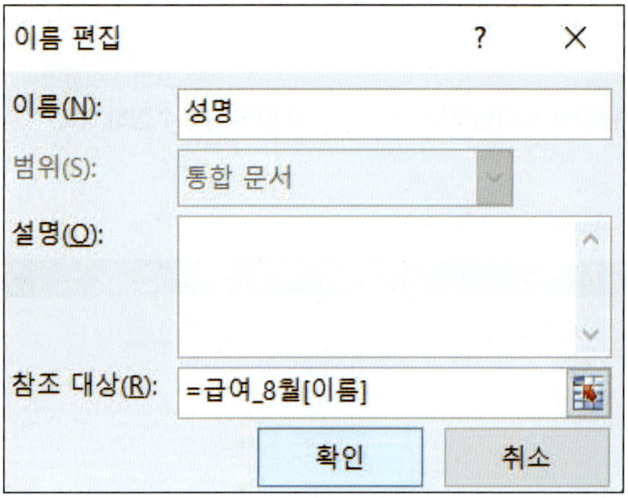

4. 이름 범위가 수정된 것을 확인할 수 있습니다.

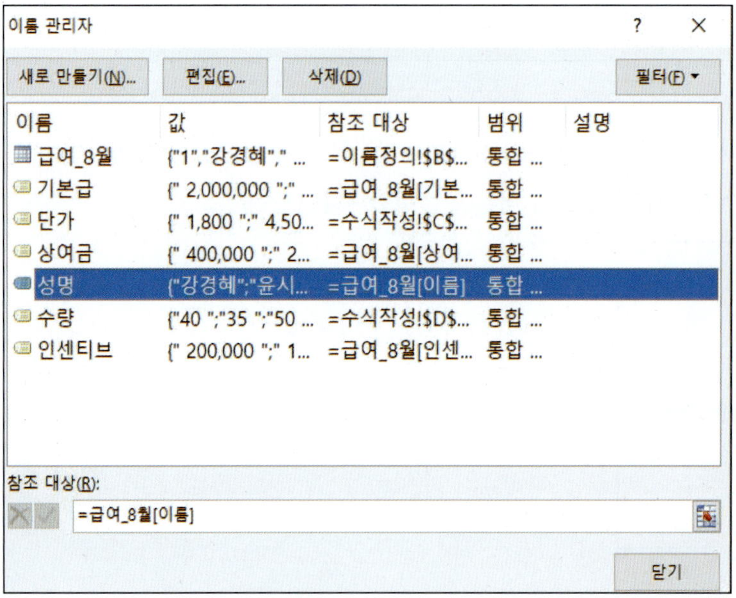

1-3 수식 표시하기

따라해 보세요 – 이름 범위 설정하기

*시트명 : 이름정의

이름 정의 워크시트의 모든 셀에 수식이 표시되도록 설정하세요.

1. [수식 탭 – 수식 분석 그룹 – 수식 표시]를 클릭합니다.

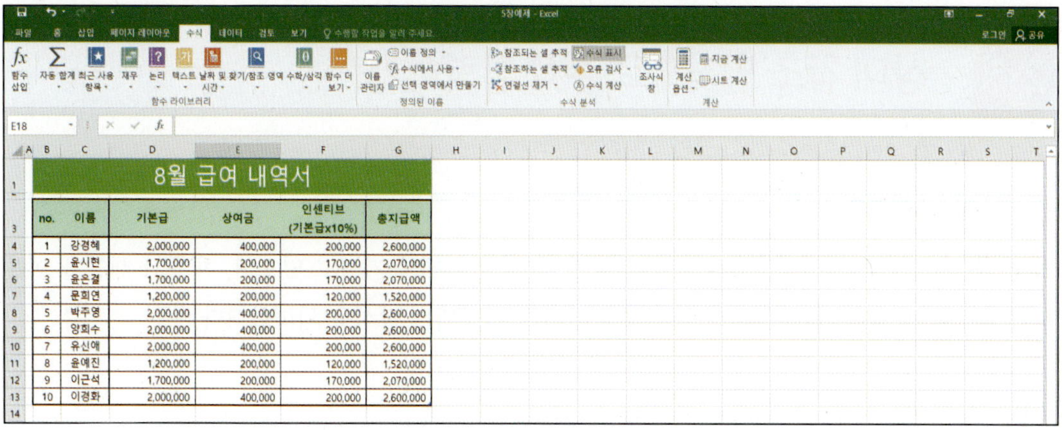

2. 현재 시트에 적용된 수식이 나타나는 것을 확인할 수 있습니다.

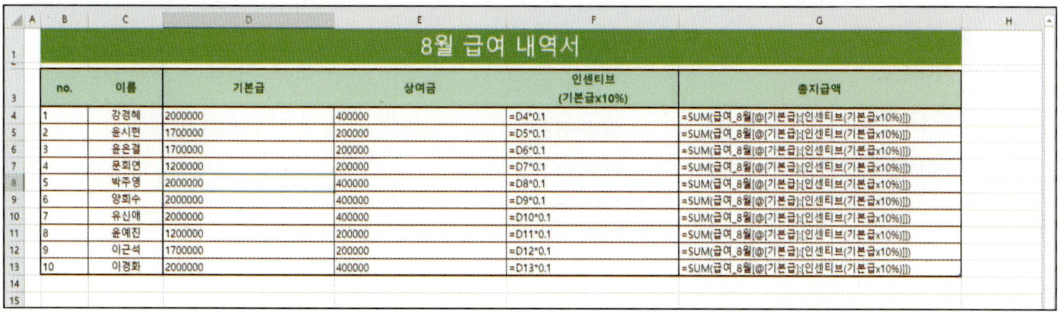

02 수식 작성

수식을 작성하기 전에 참조방식에 대한 차이를 정확히 이해해야 수식에 적극 활용할 수 있다. 또한 수식을 직접 작성하기 위해서 다양한 연산자를 활용할 수 있다.

예제파일 : 5장예제.xlsx

2-1 상대 참조 방식으로 수식 입력하기

상대 참조란?

가장 일반적인 셀 주소 방식입니다. 'A(열)1(행)' 의 형태를 가지고 있으며, 채우기 핸들을 이용하여 수식을 복사할 경우 상대적으로 셀의 위치가 변경되는 방식을 의미합니다.

(예) 수식 '=A1+B1' 을 복사 한 결과

수식 =A1+B1	아래로 수식을 복사하는 경우	오른쪽으로 수식을 복사하는 경우
셀 복사 결과 (상대참조)	문자 그대로 → 열 그대로 숫자 증가 → 행 증가	문자 증가 → 열 증가 숫자 그대로 → 행 그대로
수식 결과	=A2+B2 =A3+B3 =A4+B4	=B1+C1 =C1+D1 =D1+E1

따라해 보세요 – 상대 참조를 이용하여 직접 수식 작성하기

*시트명 : 수식작성

'판매금액' 열에 '단가' 열과 '판매수량' 열을 곱한 결과를 계산하세요.

1. E5 셀에 커서를 이동한 후 '=C5*D5'를 입력하고 'Enter' 키를 누릅니다.

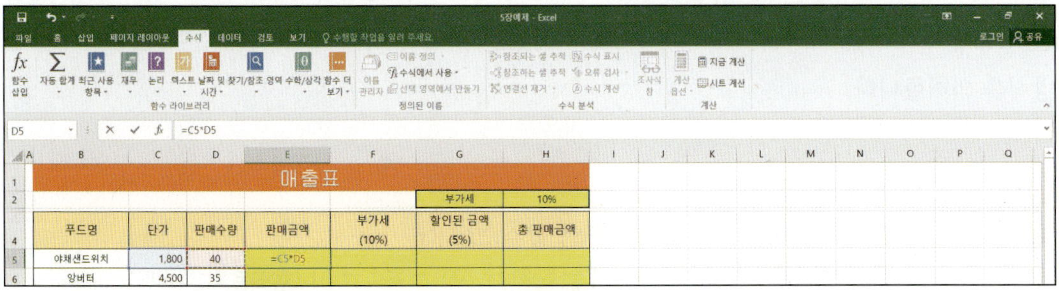

Tip

직접 수식 입력 시 유의사항

- 수식 입력 전에 반드시 연산 기호 '=, +, –'로 시작해야 합니다.
- 셀 주소를 입력할 때에는 직접 입력하거나 해당 셀을 클릭하여 입력해야 합니다.
- 수식을 입력한 후에는 반드시 'Enter' 키로 입력을 마무리해야 합니다.

2. '단가(1,800) * 판매수량(40) = 72,000'이 E5 셀에 계산되는 것을 확인할 수 있습니다. 채우기 핸들(+)을 이용하여 14 행까지 수식을 복사합니다. E6 셀에서부터 E14 셀까지 각 행에 맞게 '단가 * 판매수량' 금액이 계산되는 것을 확인할 수 있습니다.

	A	B	C	D	E	F	G	H
1		매출표						
2							부가세	10%
4		푸드명	단가	판매수량	판매금액	부가세 (10%)	할인된 금액 (5%)	총 판매금액
5		야채샌드위치	1,800	40	72,000			
6		앙버터	4,500	35	157,500			
7		슈크림빵	1,200	50	60,000			
8		단팥빵	1,500	25	37,500			
9		베이비슈	900	46	41,400			
10		단호박찰빵	1,500	30	45,000			
11		식빵	2,000	40	80,000			
12		시나몬 프레첼	2,000	50	100,000			
13		초코머핀	4,000	80	320,000			
14		브라우니	3,800	30	114,000			

2-2 절대 참조 방식으로 수식 입력하기

절대 참조란?

셀의 열과 행 앞에 '$' 기호가 삽입되는 '$A(열)$1(행)' 의 형태를 가지고 있으며, 채우기 핸들을 이용하여 수식을 복사할 경우 '$' 기호가 삽입된 열이나 행의 셀 위치는 절대 변경되지 않는 방식을 의미합니다.

Tip

- 'F4' 키를 이용하여 '$' 기호를 삽입할 수 있습니다.
- 'F4' 키를 한번 누를 때 마다 (A1 → $A$1 → A$1 → $A1 → A1) 순서로 변경됩니다.

(예) 수식 '=A1+$B$1' 을 복사 한 결과

수식 =A1+$B$1	아래로 수식을 복사하는 경우	오른쪽으로 수식을 복사하는 경우
A1셀 복사 결과 (상대참조)	문자 그대로 → 열 그대로 숫자 증가 → 행 증가	문자 증가 → 열 증가 숫자 그대로 → 행 그대로
$B$1셀 복사 결과 (절대참조)	문자 그대로 → 열 그대로 숫자 그대로 → 행 그대로	문자 그대로 → 열 그대로 숫자 그대로 → 행 그대로
수식 결과	=A2+$B$1 =A3+$B$1 =A4+$B$1	=B1+$B$1 =C1+$B$1 =D1+$B$1

※ 기본 연산 기호

연산 기호	의미	계산식	계산결과
+	더하기	=6+3	9
–	빼기	=6–3	3
*	곱하기	=6*3	18
/	나누기	=6/3	2
%	백분율	=30%	0.3
^	거듭제곱	=6^3	216

따라해 보세요 – 절대 참조를 이용하여 직접 수식 작성하기

※시트명 : 수식작성

'부가세' 열에 '판매금액' 열과 '부가세' 셀의 곱한 결과를 계산하세요.

1. F5 셀에 커서를 이동한 후 '=E5*H2' 를 입력합니다. H2 셀을 절대 참조로 변경합니다(F4). 'H2' 값이 '$H$2' 로 변경되는 것을 확인할 수 있습니다. 수식 입력을 마무리하기 위하여 'Enter' 키를 누릅니다.

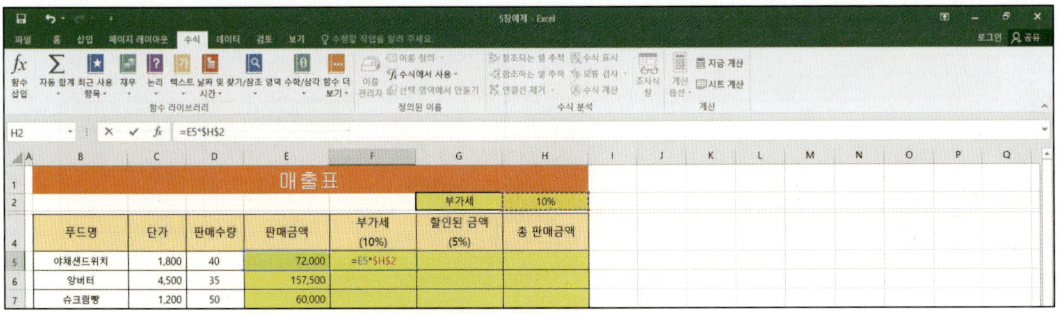

2. F5 셀에 '7,200' 이 계산되는 것을 확인할 수 있습니다. 채우기 핸들을 이용하여 14 행까지 수식을 복사합니다. F6 셀부터 F14 셀까지 각 행에 맞게 '판매금액 * 부가세(10%)' 금액이 계산되는 것을 확인할 수 있습니다.

매출표						
					부가세	10%
푸드명	단가	판매수량	판매금액	부가세 (10%)	할인된 금액 (5%)	총 판매금액
야채샌드위치	1,800	40	72,000	7,200		
앙버터	4,500	35	157,500	15,750		
슈크림빵	1,200	50	60,000	6,000		
단팥빵	1,500	25	37,500	3,750		
베이비슈	900	46	41,400	4,140		
단호박찰빵	1,500	30	45,000	4,500		
식빵	2,000	40	80,000	8,000		
시나몬 프레첼	2,000	50	100,000	10,000		
초코머핀	4,000	80	320,000	32,000		
브라우니	3,800	30	114,000	11,400		

경고

오류 메시지

수식이나 함수를 잘못 입력하였을 경우 오류 메시지가 표시됩니다. 만약, 아래 화면과 같이 오류가 나타나는 경우는 절대 참조를 적용하지 않았기 때문입니다. 수식 입력줄에서 '절대 참조 기호($)'를 삽입한 후 다시 채우기 핸들을 이용하여 수식을 복사하게 되면 부가세가 바르게 계산되는 것을 확인할 수 있습니다.

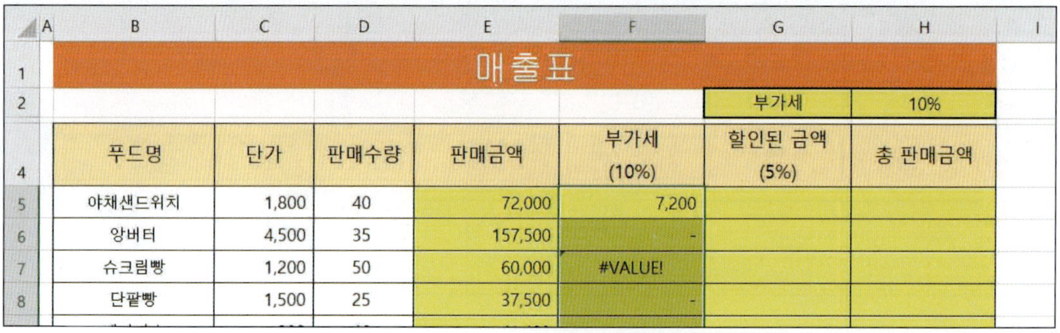

※ 수식 결과

수식 = F5 * I2	바르게 계산된 수식 (절대 참조 적용)	오류 수식 (상대 참조 적용)
G5 셀 수식 결과	= F5 * $I$2 = 72,000 * 0.1	= F5 * I2 = 72,000 * **0.1**
G6 셀 수식 결과	= F6 * $I$2 = 157,500 * 0.1	= F6 * I3 = 157,500 * **빈 셀**
G7 셀 수식 결과	= F7 * $I$2 = 60,000 * 0.1	= F7 * I4 = 60,000 * **텍스트(총 판매금액)**

※ 수식 오류 메시지 종류

① ##### :	열 너비가 좁아 내용이 다 표시되지 못하거나 날짜와 시간이 음수일 때 발생하는 오류입니다. 열 너비 영역 선을 더블 클릭 하거나 열 너비를 드래그하여 해결할 수 있습니다.
② #DIV/O! :	값을 0으로 나누는 수식일 때 발생합니다.
③ #N/A :	참조 위치에 데이터가 없거나 함수 인수에 부적절한 값이 지정된 경우에 발생합니다.
④ #NAME? :	정의된 이름이 없는 이름을 사용하거나, 이름 및 함수 철자가 틀리거나, 텍스트 인수에 큰 따옴표(" ")를 묶지 않거나, 범위 참조 시 콜론(:)이 생략된 경우에 발생합니다.
⑤ #NULL! :	두 개 이상의 셀 범위에 값을 참조한 수식에서 잘못된 범위 연산자가 사용된 경우에 발생합니다.
⑥ #NUM! :	숫자 인수가 잘못된 경우나, EXCEL의 숫자 범위를 초과하거나 미만인 경우에 발생합니다.
⑦ #REF! :	다른 수식에 참조하는 셀을 삭제한 경우에 발생합니다.
⑧ #VALUE! :	잘못된 인수나 피연산자를 사용한 경우에 발생합니다.

따라해 보세요 – 괄호를 이용하여 직접 수식 작성하기

*시트명 : 수식작성

'할인된 금액' 열에 판매금액과 부가세의 합에 대한 할인된 금액(5%)을 계산하세요.

1. G5 셀에 커서를 이동한 후 '=(E5+F5)*0.05' 를 입력하고 'Enter' 키를 누릅니다.

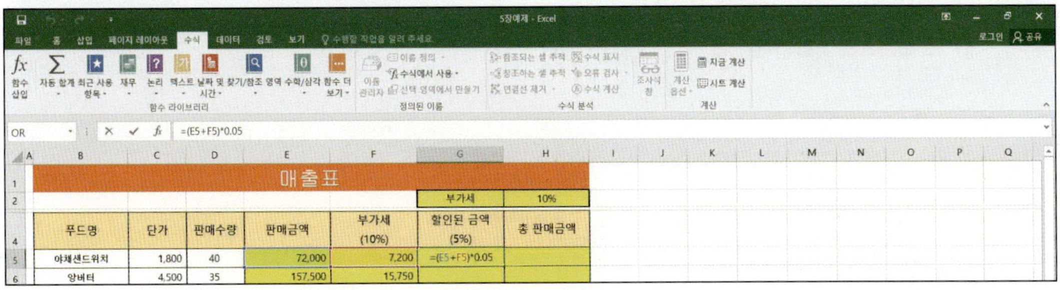

2. G5 셀에 '3,960' 이 계산되는 것을 확인할 수 있습니다. 채우기 핸들을 이용하여 14 행까지 수식을 복사합니다. G6 셀부터 G14 셀까지 각 행에 맞게 '(판매금액 * 부가세)의 5% ' 금액이 계산되는 것을 확인할 수 있습니다.

매출표

					부가세	10%
푸드명	단가	판매수량	판매금액	부가세 (10%)	할인된 금액 (5%)	총 판매금액
야채샌드위치	1,800	40	72,000	7,200	3,960	
앙버터	4,500	35	157,500	15,750	8,663	
슈크림빵	1,200	50	60,000	6,000	3,300	
단팥빵	1,500	25	37,500	3,750	2,063	
베이비슈	900	46	41,400	4,140	2,277	
단호박찰빵	1,500	30	45,000	4,500	2,475	
식빵	2,000	40	80,000	8,000	4,400	
시나몬 프레첼	2,000	50	100,000	10,000	5,500	
초코머핀	4,000	80	320,000	32,000	17,600	
브라우니	3,800	30	114,000	11,400	6,270	

따라해 보세요 – 직접 수식 작성하기

*시트명 : 수식작성

'총 판매금액' 열에 판매금액, 부가세 그리고 할인된 금액의 값을 이용하여 총 판매된 금액의 결과를 계산하세요.

1. H5 셀에 커서를 이동한 후 '=E5+F5-G5' 를 입력한 후 'Enter' 키를 누릅니다.

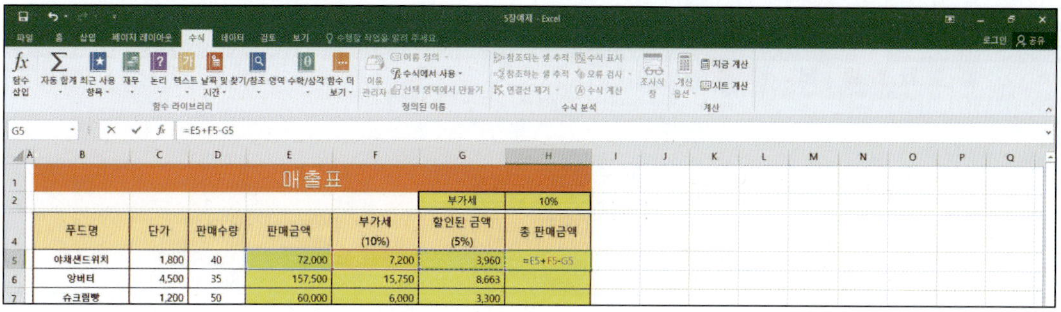

2. 채우기 핸들을 이용하여 14 행까지 수식을 복사합니다. H6 셀부터 H14 셀까지 각 행에 맞게 '판매금액 + 부가세 - 할인된 금액' 의 금액이 계산되는 것이 확인할 수 있습니다.

	A	B	C	D	E	F	G	H
1		매출표						
2							부가세	10%
4		푸드명	단가	판매수량	판매금액	부가세 (10%)	할인된 금액 (5%)	총 판매금액
5		야채샌드위치	1,800	40	72,000	7,200	3,960	75,240
6		앙버터	4,500	35	157,500	15,750	8,663	164,588
7		슈크림빵	1,200	50	60,000	6,000	3,300	62,700
8		단팥빵	1,500	25	37,500	3,750	2,063	39,188
9		베이비슈	900	46	41,400	4,140	2,277	43,263
10		단호박찰빵	1,500	30	45,000	4,500	2,475	47,025
11		식빵	2,000	40	80,000	8,000	4,400	83,600
12		시나몬 프레첼	2,000	50	100,000	10,000	5,500	104,500
13		초코머핀	4,000	80	320,000	32,000	17,600	334,400
14		브라우니	3,800	30	114,000	11,400	6,270	119,130

2-3 자동 합계를 이용하여 수식 입력하기

▶ [수식 탭 – 함수 라이브러리 그룹 – 자동합계 목록 버튼]을 클릭하면 '자동 합계' 목록이 나타납니다.

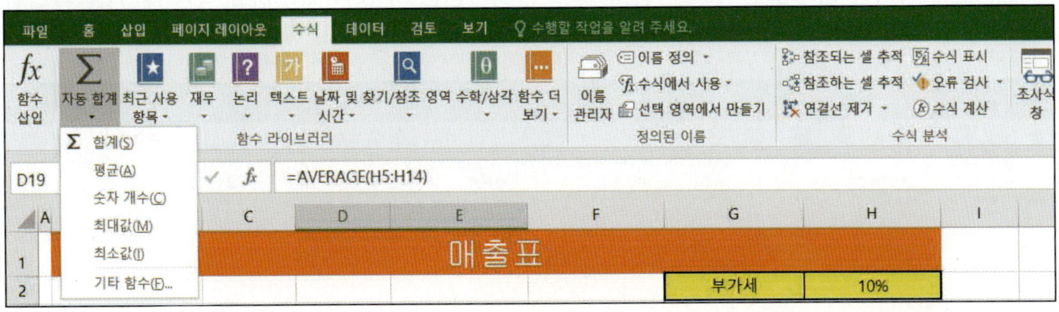

설명

자동합계

- 합계(SUM) : 셀 값을 자동으로 합산하며 합계는 선택한 셀 뒤에 표시됩니다.
- 평균(AVERAGE) : 셀 값을 자동으로 평균을 계산하며 평균은 선택한 셀 뒤에 표시됩니다.
- 숫자 개수(COUNT) : 숫자만 포함된 셀 개수를 계산하며 셀의 개수는 선택한 셀 뒤에 표시됩니다.
- 최대값(MAX) : 셀 값 중 최대값을 찾아내며 최대값은 선택한 셀 뒤에 표시됩니다.
- 최소값(MIN) : 셀 값 중 최소값을 찾아내며 최소값은 선택한 셀 뒤에 표시됩니다.

Tip

자동 합계를 이용하여 수식을 작성하기 되면 데이터 범위는 자동으로 설정됩니다. 만약 데이터 범위가 옳지 않은 경우에는 반드시 데이터 범위를 다시 설정해야 합니다.

따라해 보세요 – 자동 합계 활용하기

*시트명 : 수식작성

자동 합계를 이용하여 판매금액의 '최대값', 할인된 금액의 '최소값', 판매된 '제품 수', 총 판매 금액의 '평균'을 계산하세요.

1. D4 셀에 커서를 이동하고 [수식 탭 – 함수 라이브러리 그룹 – 자동합계 – 최대값]을 클릭합니다.

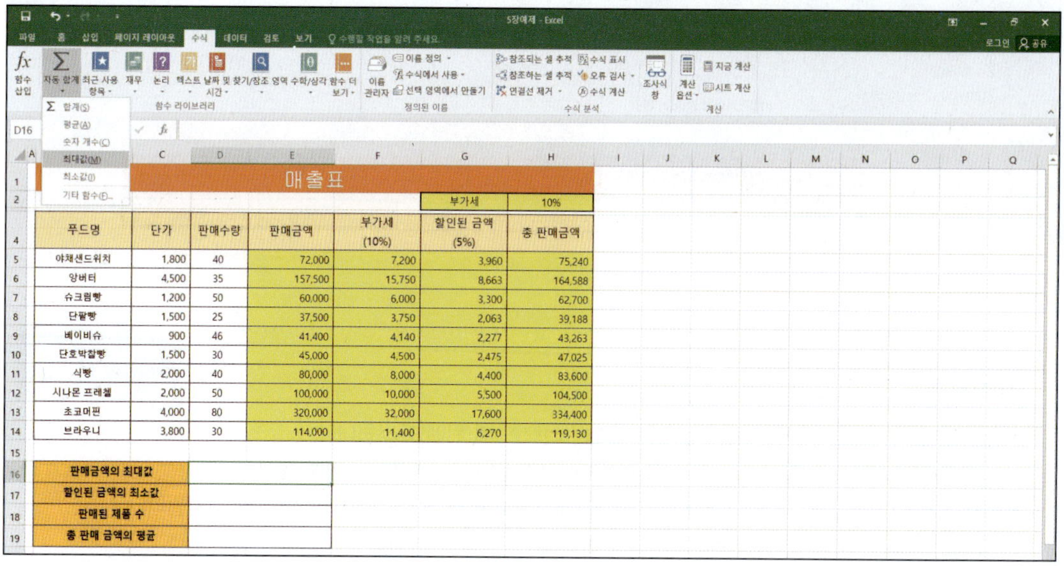

2. '=MAX(D5:D15)'가 자동으로 입력되는 것을 확인할 수 있습니다. 참조 범위가 틀리므로 범위를 지우고 'E5:E14'를 다시 입력하고 'Enter' 키를 누릅니다.

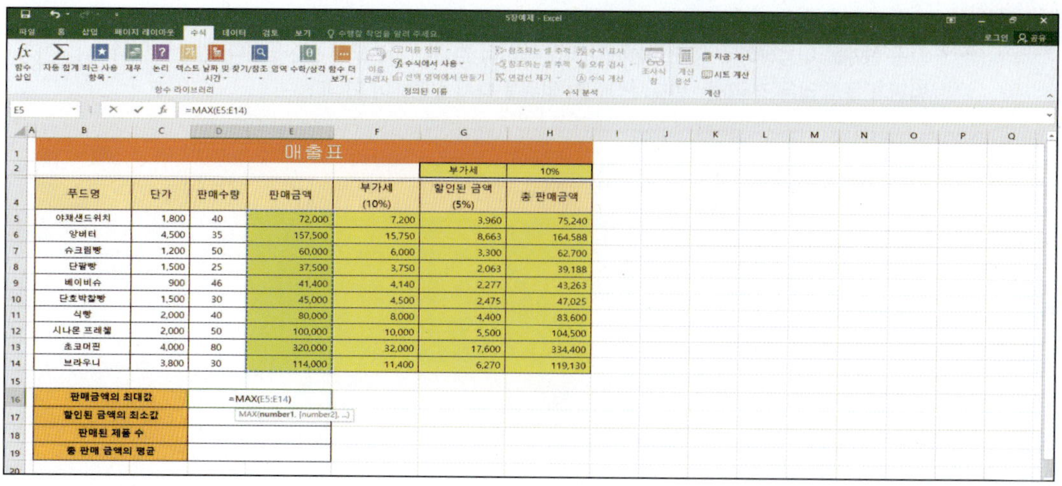

3. '320,000' 이 계산되는 것을 확인할 수 있습니다. 동일한 방법으로 할인된 금액의 최소값, 판매된 제품수, 총 판매 금액의 평균을 계산합니다.

15		
16	판매금액의 최대값	320,000
17	할인된 금액의 최소값	2,063
18	판매된 제품 수	10
19	총 판매 금액의 평균	107,363

Tip

판매된 제품 수를 구할 경우 반드시 '푸드명'을 제외한 열 범위를 선택해야 합니다. count 함수는 숫자만 포함된 셀의 개수를 세는 함수입니다.

03 함수 기초

텍스트 함수를 이용하여 조건에 맞는 문자나 숫자를 반환할 수 있습니다.
또한 논리 함수를 이용하여 참과 거짓을 구분할 수 있습니다.

예제파일 : 5장예제.xlsx

3-1 날짜 및 시간 함수 활용하기

NOW 함수

현재 날짜와 시간을 구합니다. 인수는 따로 필요하지 않습니다. 문서가 수정되면 자동으로 날짜와 시간이 변경됩니다.

WEEKDAY 함수

선택된 날짜의 요일을 나타냅니다. 요일은 Return_type에 따라 일요일 ~ 월요일, 또는 월요일 ~ 일요일까지 숫자로 표현됩니다.

설명

인수 설정

- Serial_number : 날짜를 나타내는 수입니다.
- Return_type : 결과값 유형을 결정하는 수입니다. 일요일(1)~토요일(7)까지의 유형은 1을, 월요일(1)에서 일요일(7)까지의 유형은 2를, 월요일(0)에서 일요일(6)까지의 유형은 3을 나타냅니다.

따라해 보세요 – NOW 함수 활용하기

*시트명 : 함수기초

C18 셀에 현재 날짜와 시간을 나타내세요.

1. C18 셀에 커서를 이동한 후 [수식 탭 – 함수 라이브러리 그룹 – 날짜 및 시간 – NOW]를 클릭합니다.

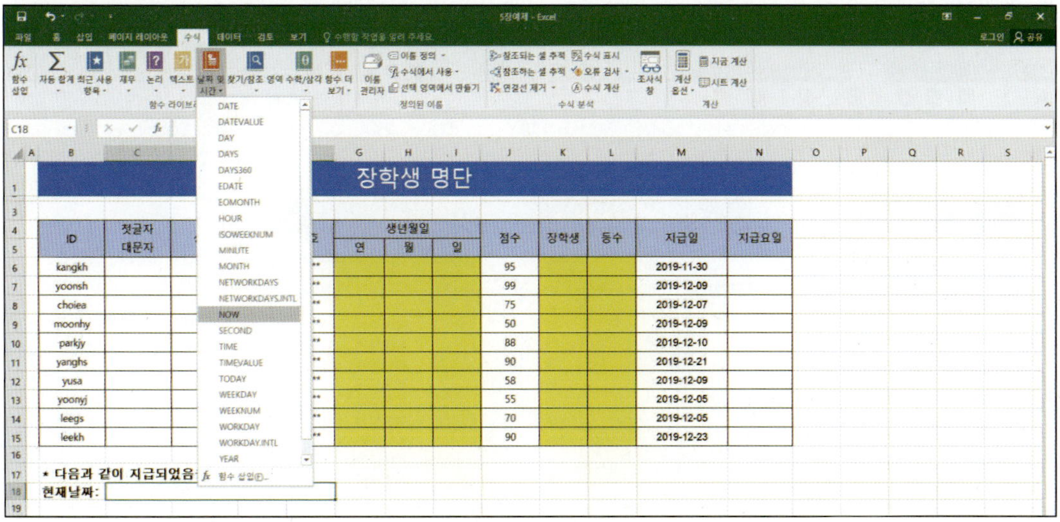

2. NOW 함수는 인수 값이 필요 없으므로 확인 버튼을 클릭합니다. 현재 시스템 날짜와 시간이 나타나는 것을 확인할 수 있습니다.

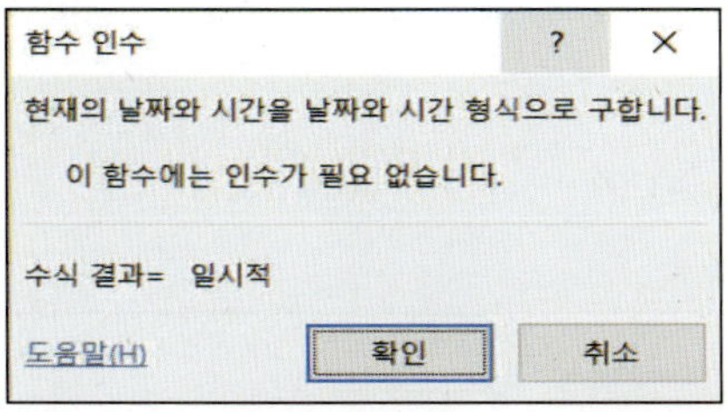

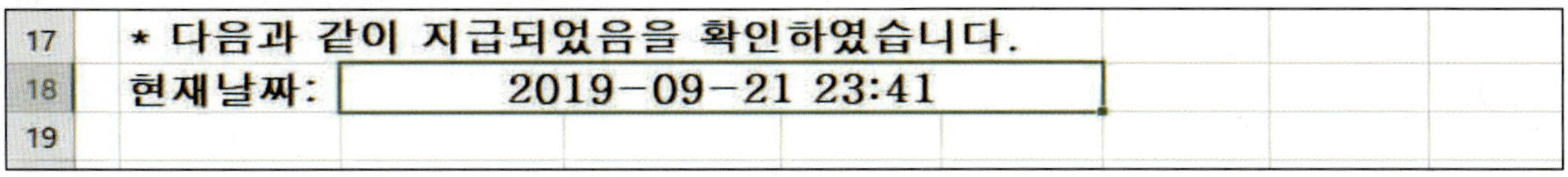

Tip 문서가 수정될 때마다 현재 시간이 수정되는 것을 확인할 수 있습니다.

따라해 보세요 – WEEKDAY 함수 활용하기

*시트명 : 함수기초

지급일 열을 이용하여 지급 요일을 나타내세요. 요일은 월요일(1) ~ 일요일(7)까지 숫자로 표현해 주세요.

1. N6 셀에 커서를 이동한 후 [수식 탭 – 함수 라이브러리 그룹 – 날짜 및 시간 – WEEKDAY]를 클릭합니다.

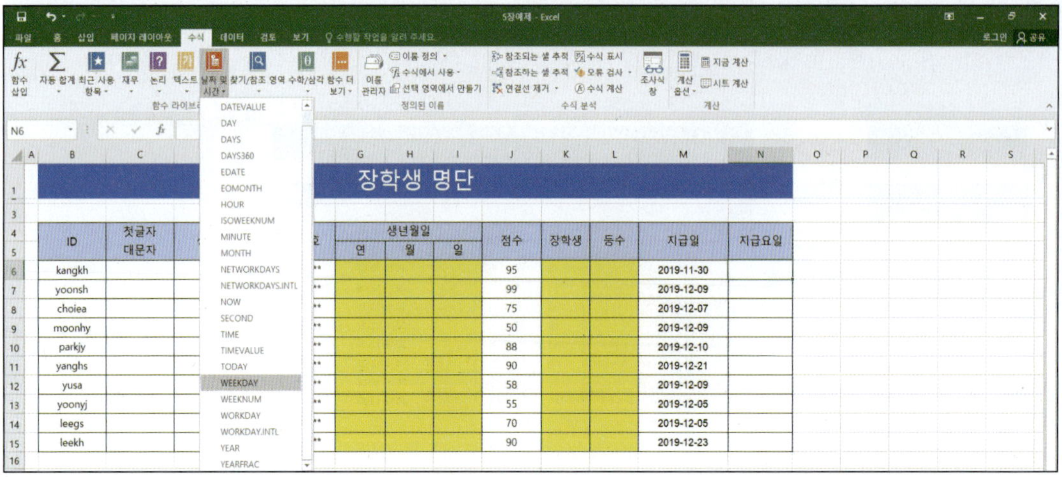

2. 함수 인수 대화상자가 나타나면 [Serial_number : M6, Return_type : 2] 를 입력하고 확인 버튼을 클릭합니다.

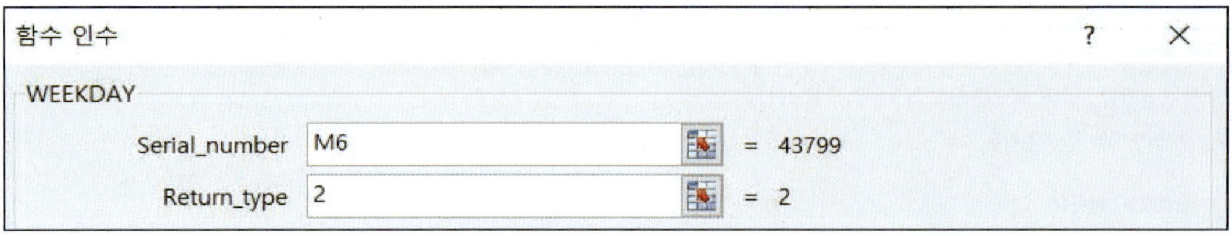

3. 채우기 핸들을 이용하여 15 행까지 수식을 복사합니다. 지급 요일이 숫자로 표시되는 것을 확인할 수 있습니다.(월요일(1)~일요일(7))

장학생 명단

ID	첫글자 대문자	성명	주민등록번호	생년월일			점수	장학생	등수	지급일	지급요일
				연	월	일					
kangkh			990125-2******				95			2019-11-30	6
yoonsh			950427-1******				99			2019-12-09	1
choiea			960111-1******				75			2019-12-07	6
moonhy			971209-2******				50			2019-12-09	1
parkjy			960323-2******				88			2019-12-10	2
yanghs			940416-1******				90			2019-12-21	6
yusa			970111-1******				58			2019-12-09	1
yoonyj			990529-2******				55			2019-12-05	4
leegs			900102-2******				70			2019-12-05	4
leekh			971219-1******				90			2019-12-23	1

3-2 텍스트 함수 활용하기

LEFT 함수

텍스트 문자열의 시작 지점부터 지정한 개수의 문자를 반환합니다.

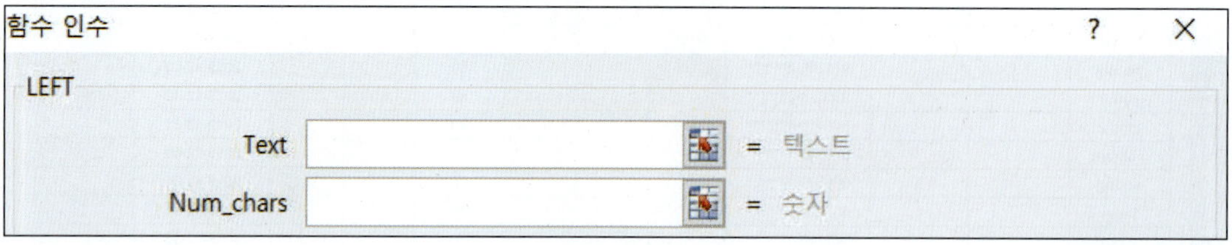

인수 설정

설명

- Text : 추출하려는 문자가 들어있는 텍스트 문자열입니다.
- Num_chars : 왼쪽에서부터 추출할 문자 수를 지정합니다. 생략하면 '1'이 됩니다.

MID 함수

문자열의 지정 위치에서 문자를 지정한 개수의 문자를 반환합니다.

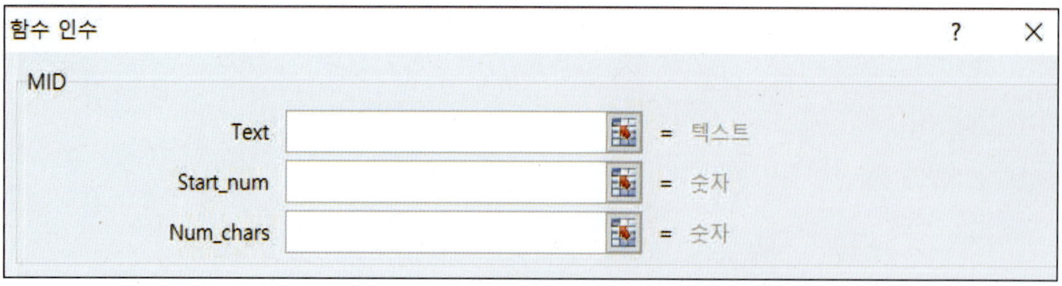

설명

인수 설정

- Text : 추출하려는 문자가 들어있는 텍스트 문자열입니다.
- Start_num : 추출할 문자열에서 첫째 문자의 위치입니다. Text에서 첫 문자는 '1'이 됩니다.
- Num_chars : Text에서부터 추출할 문자 수를 지정합니다.

RIGHT 함수

텍스트 문자열의 끝 지점부터 지정한 개수의 문자를 반환합니다.

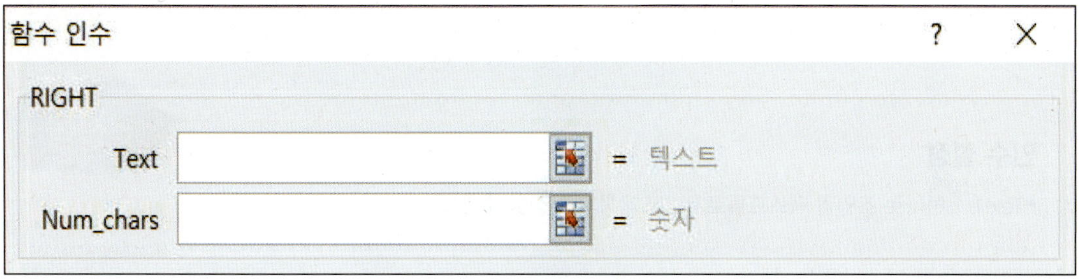

설명

인수 설정

- Text : 추출하려는 문자가 들어있는 텍스트 문자열입니다.
- Num_chars : 오른쪽에서부터 추출할 문자 수를 지정합니다. 생략하면 '1'이 됩니다.

PROPER 함수

각 단어의 첫번째 문자를 대문자로 변환하고 나머지 문자는 소문자로 변환합니다.

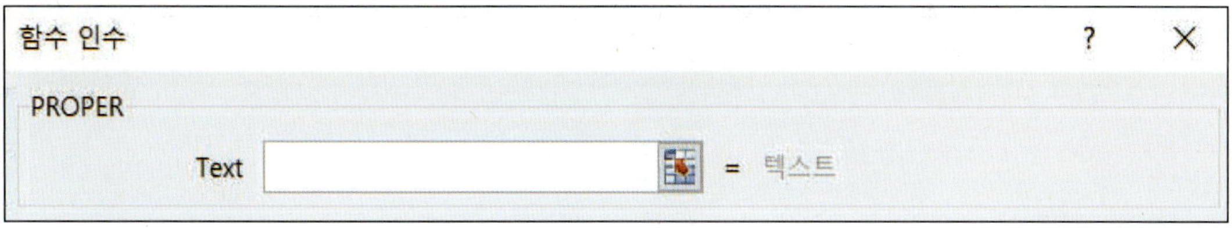

설명

인수 설정

- Text : 인용 부호로 둘러싸인 텍스트, 텍스트를 출력하는 수식 또는 텍스트가 있는 셀의 주소입니다.

CONCATENATE 함수

여러 텍스트를 한 텍스트로 조인시킵니다.

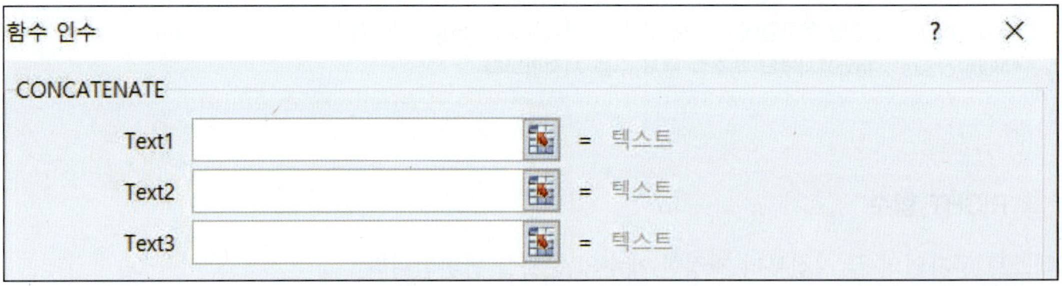

설명

인수 설정

- Text1 : 하나로 조인할 텍스트들로서 255개까지 지정할 수 있습니다.

따라해 보세요 – LEFT 함수 활용하기

*시트명 : 함수기초

주민등록번호 열을 이용하여 주민등록번호 앞 1–2 자리 숫자를 G열에 반환하세요.

1. G6 셀에 커서를 이동한 후 [수식 탭 – 함수 라이브러리 그룹 – 텍스트 – LEFT]를 클릭합니다.

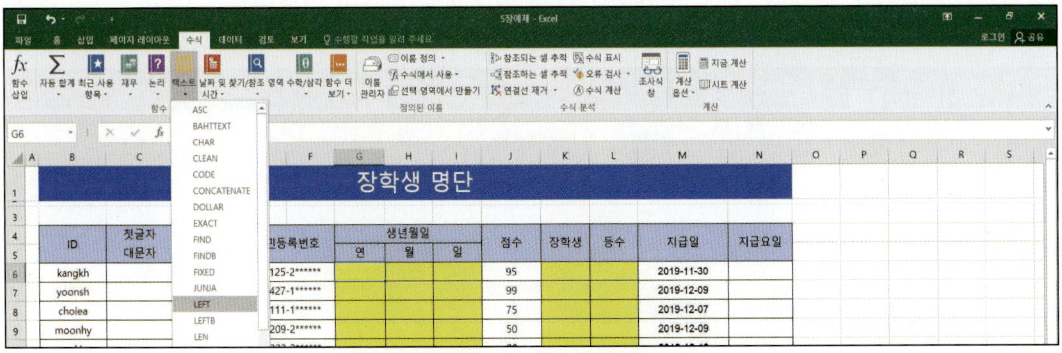

2. 함수 인수 대화상자가 나타나면 [Text : E6, Num_chars : 2] 를 입력한 후 확인 버튼을 클릭합니다.

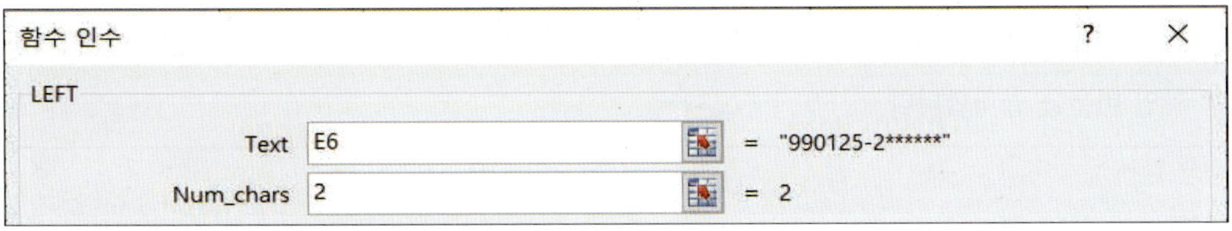

3. 주민등록번호 중 앞 2글자만 나타나는 것을 확인할 수 있습니다. 채우기 핸들을 이용하여 15행까지 수식을 복사합니다.

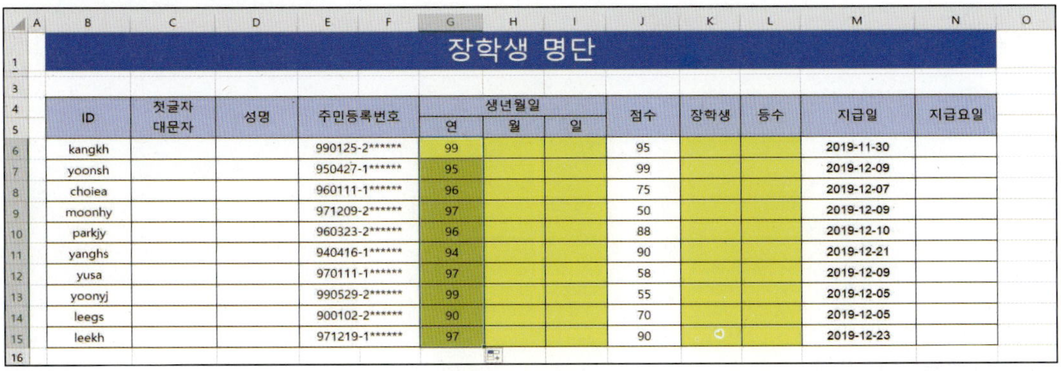

따라해 보세요 – MID 함수 활용하기

*시트명 : 함수기초

주민등록번호 열을 이용하여 주민등록번호 앞 3–4 자리 숫자를 H열에 반환하세요. 또한 주민등록번호 앞 5–6 자리 숫자를 I열에 반환하세요.

1. H6 셀에 커서를 이동한 후 [수식 탭 – 함수 라이브러리 그룹 – 텍스트 – MID]를 클릭합니다.

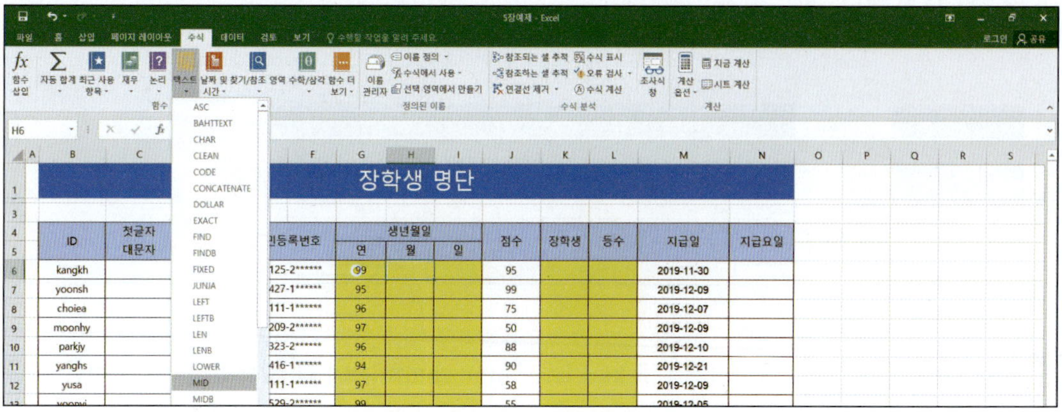

2. 함수 인수 대화상자가 나타나면 [Text : E6, Start_num : 3, Num_chars : 2] 를 입력한 후 확인 버튼을 클릭합니다.

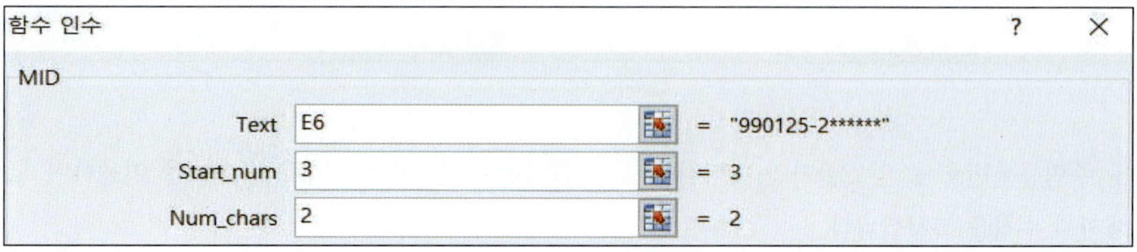

3. 주민등록번호 중 3-4번째 글자만 나타나는 것을 확인할 수 있습니다. I6셀로 커서를 이동하여 동일한 방법으로 MID 함수를 클릭합니다. 함수 인수 대화상자가 나타나면 [Text : E6, Start_num : 5, Num_chars : 2] 를 입력한 후 확인 버튼을 클릭합니다.

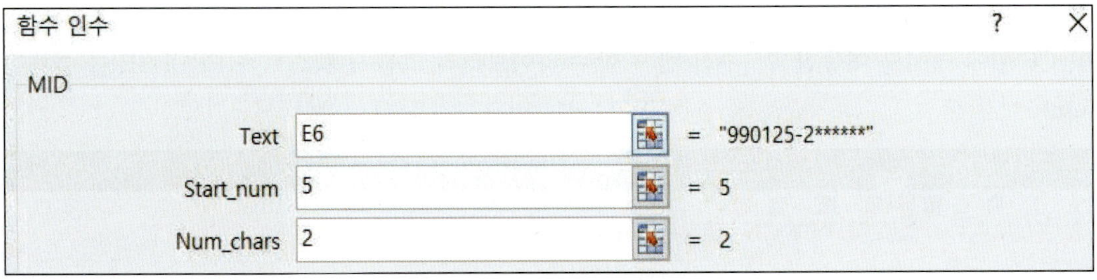

4. 주민등록번호 중 5-6번째 글자만 나타나는 것을 확인할 수 있습니다. 채우기 핸들을 이용하여 15행까지 수식을 복사합니다.

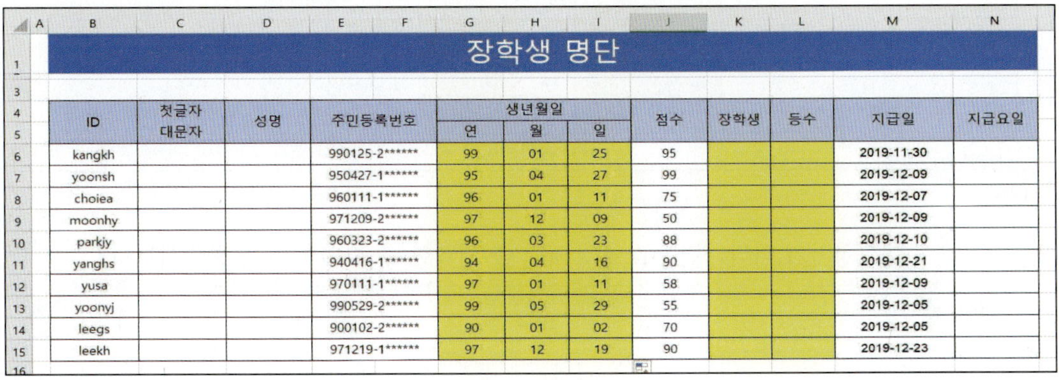

장학생 명단

ID	첫글자 대문자	성명	주민등록번호	생년월일			점수	장학생	등수	지급일	지급요일
				연	월	일					
kangkh			990125-2******	99	01	25	95			2019-11-30	
yoonsh			950427-1******	95	04	27	99			2019-12-09	
choiea			960111-1******	96	01	11	75			2019-12-07	
moonhy			971209-2******	97	12	09	50			2019-12-09	
parkjy			960323-2******	96	03	23	88			2019-12-10	
yanghs			940416-1******	94	04	16	90			2019-12-21	
yusa			970111-1******	97	01	11	58			2019-12-09	
yoonyj			990529-2******	99	05	29	55			2019-12-05	
leegs			900102-2******	90	01	02	70			2019-12-05	
leekh			971219-1******	97	12	19	90			2019-12-23	

따라해 보세요 – PROPER 함수 활용하기

*시트명 : 함수기초

B열의 첫 글자만 대문자로 표시되도록 C열에 함수를 작성하세요.

1. C6 셀에 커서를 이동한 후 [수식 탭 – 함수 라이브러리 그룹 – 텍스트 – PROPER]를 클릭합니다.

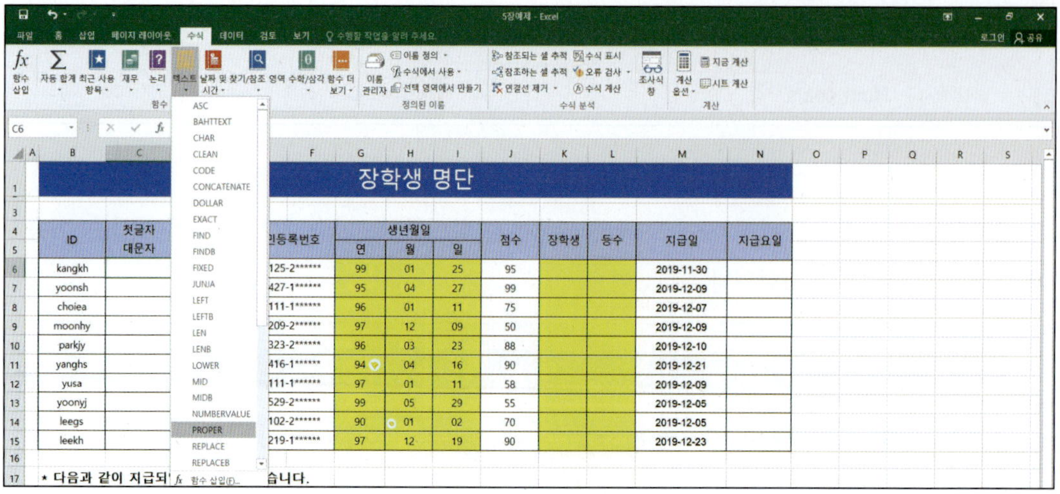

2. 함수 인수 대화상자가 나타나면 [Text : B6] 을 입력한 후 확인 버튼을 클릭합니다.

3. 앞글자만 대문자로 변경되는 것을 확인할 수 있습니다. 채우기 핸들을 이용하여 15행까지 수식을 복사합니다.

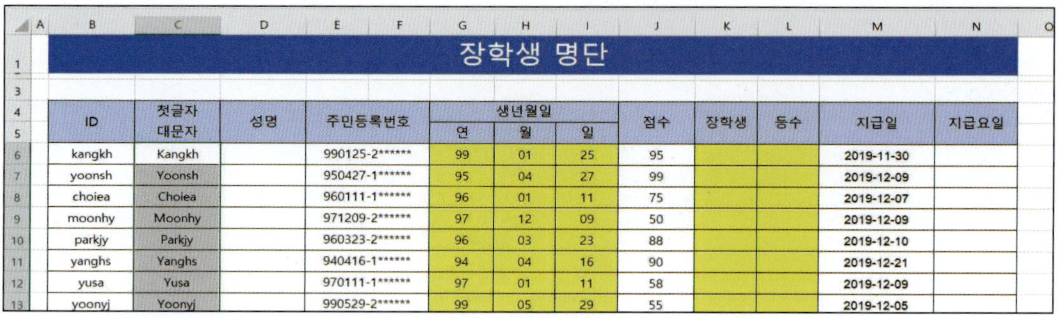

따라해 보세요 – CONCATENATE

＊시트명 : 함수기초

D열에 명단 시트의 '성'과 '이름'을 이용하여 '홍 길동'으로 표시되도록 함수를 입력하세요.

1. D6 셀에 커서를 이동한 후 [수식 탭 – 함수 라이브러리 그룹 – 텍스트 – CONCATENATE]를 클릭합니다.

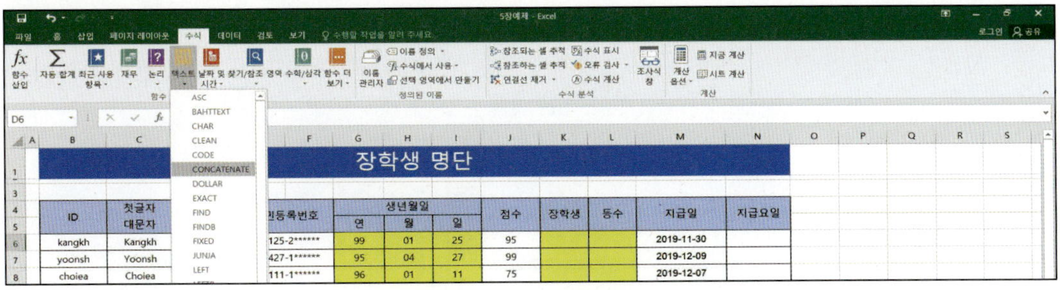

2. 함수 인수 대화상자가 나타나면 [Text1 : 명단!B4, Text2 : " ", Text3 : 명단!C4]를 입력한 후 확인 버튼을 클릭합니다.

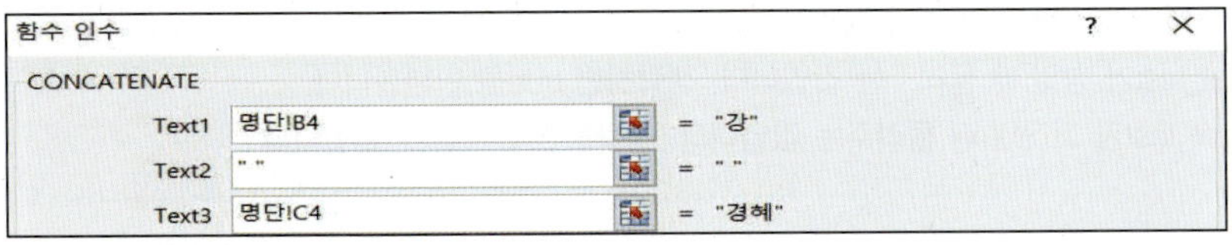

> **Tip**
> 인수창에 다른 시트의 셀 주소를 입력하면 " 시트명!셀주소 " 형식으로 입력됩니다.
> (예) 명단!B4 → '명단' 시트의 B4셀

3. '강 경혜' 형식으로 이름이 삽입되는 것을 확인할 수 있습니다. 채우기 핸들을 이용하여 15행까지 수식을 복사합니다.

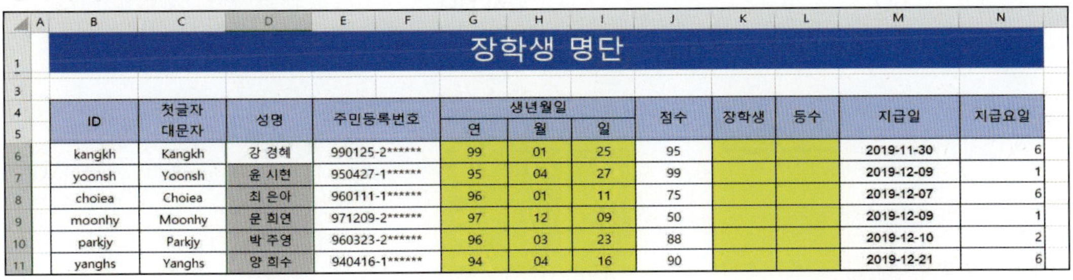

3-3 논리 함수 활용하기

IF 함수

주어진 조건식 또는 값에 대한 논리 검사를 수행하여 'TRUE' 나 'FALSE' 에 해당하는 값을 반환합니다. IF 함수는 7번까지 중첩이 가능 합니다.

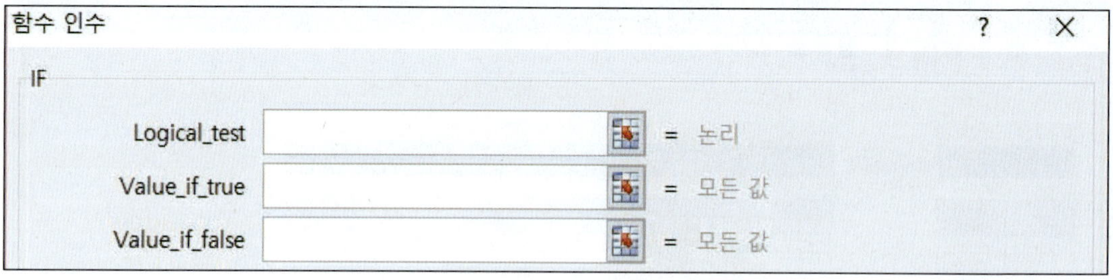

설명

인수 설정

- Logical_test : 참이나 거짓으로 판정될 값이나 식입니다.
- Value_if_true : Logical_test가 참일 때 돌려주는 값입니다. 생략하면 true를 반환합니다.
- Value_if_false : Logical_test가 거짓일 때 돌려주는 값입니다. 생략하면 false를 반환합니다.

※ 비교 연산자

연산기호	의미
>	크다, 초과
>=	크거나 같다, 이상
<	작다, 미만
<=	작거나 같다, 이하
<>	같지 않다

AND 함수

두 개 이상의 조건이 모두 만족하는 경우 TRUE, 하나라도 만족하지 않은 경우 FALSE 값을 반환합니다.

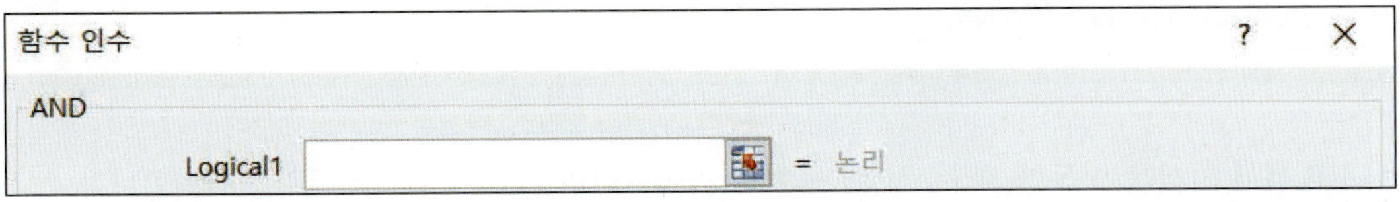

설명

인수 설정

- Logical1 : TRUE 또는 FALSE 값을 가지는 조건으로 1개에서 255개까지 지정할 수 있다.

OR 함수

두 개 이상의 조건 중 하나라도 만족하는 경우 TRUE, 모두 만족하지 않는 경우 FALSE 값을 반환합니다.

설명

인수 설정

- Logical1 : TRUE 또는 FALSE 값을 가지는 조건으로 1개에서 255개까지 지정할 수 있다.

※ AND 함수 vs OR 함수

<table>
<tr><th>조건 A</th><th>조건 B</th><th>AND 함수</th><th>OR 함수</th></tr>
<tr><td>참</td><td>참</td><td>TRUE</td><td rowspan="3">TRUE</td></tr>
<tr><td>참</td><td>거짓</td><td rowspan="3">FALSE</td></tr>
<tr><td>거짓</td><td>참</td></tr>
<tr><td>거짓</td><td>거짓</td><td>FALSE</td></tr>
</table>

따라해 보세요 – IF 함수 활용하기

*시트명 : 함수기초

K 열에 점수가 90점 이상인 학생에게만 '장학생' 이라고 입력하고 그렇지 않은 경우에는 공백을 입력하세요.

1. K6 셀에 커서를 이동한 후 [수식 탭 – 함수 라이브러리 그룹 – 논리 – IF]를 클릭합니다.

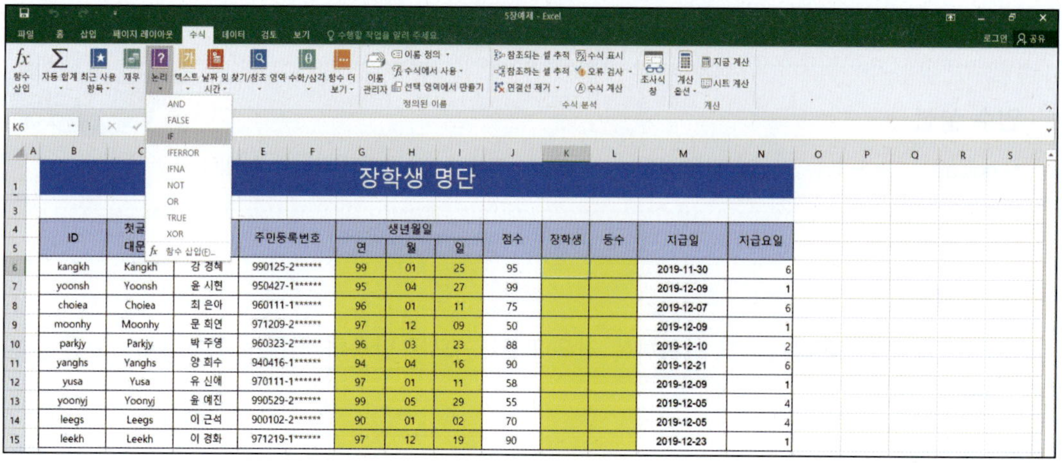

2. 함수 인수 대화상자가 나타나면 [Logical_test : J6>=90, Value_if_true : "장학생" , Value_if_false : " "]을 입력하고 확인 버튼을 클릭합니다.

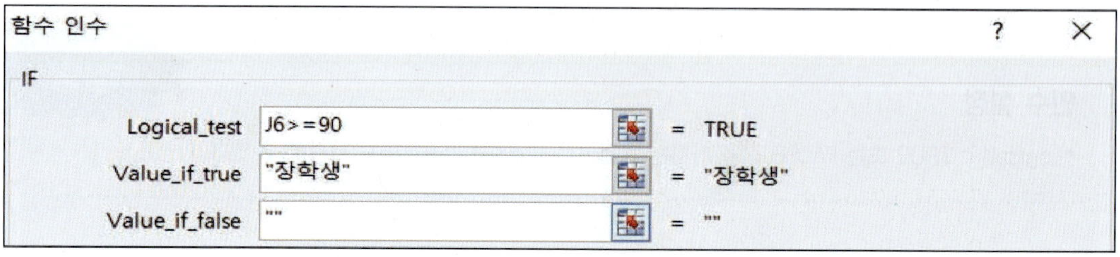

3. K6 셀에 '장학생' 이 입력되는 것을 확인할 수 있습니다. 채우기 핸들을 이용하여 15행까지 수식을 복사합니다. 점수가 90 이상인 학생 4명에게만 '장학생' 이라고 입력되는 것을 확인할 수 있습니다.

장학생 명단

ID	첫글자 대문자	성명	주민등록번호	생년월일 연	월	일	점수	장학생	등수	지급일	지급요일
kangkh	Kangkh	강 경혜	990125-2******	99	01	25	95	장학생		2019-11-30	6
yoonsh	Yoonsh	윤 시현	950427-1******	95	04	27	99	장학생		2019-12-09	1
choiea	Choiea	최 은아	960111-1******	96	01	11	75			2019-12-07	6
moonhy	Moonhy	문 희연	971209-2******	97	12	09	50			2019-12-09	1
parkjy	Parkjy	박 주영	960323-2******	96	03	23	88			2019-12-10	2
yanghs	Yanghs	양 희수	940416-1******	94	04	16	90	장학생		2019-12-21	6
yusa	Yusa	유 신애	970111-1******	97	01	11	58			2019-12-09	1
yoonyj	Yoonyj	윤 예진	990529-2******	99	05	29	55			2019-12-05	4
leegs	Leegs	이 근석	900102-2******	90	01	02	70			2019-12-05	4
leekh	Leekh	이 경화	971219-1******	97	12	19	90	장학생		2019-12-23	1

Tip

공백을 입력할 경우 반드시 [" "]로 입력해야 합니다. 인수 값에 아무것도 입력하지 않는 경우 아래와 같이 계산 결과 값이 'FALSE' 값으로 반환되게 되므로 주의하시기 바랍니다.

장학생 명단

ID	첫글자 대문자	성명	주민등록번호	생년월일 연	월	일	점수	장학생	등수	지급일	지급요일
kangkh	Kangkh	강 경혜	990125-2******	99	01	25	95	장학생		2019-11-30	6
yoonsh	Yoonsh	윤 시현	950427-1******	95	04	27	99	장학생		2019-12-09	1
choiea	Choiea	최 은아	960111-1******	96	01	11	75	FALSE		2019-12-07	6
moonhy	Moonhy	문 희연	971209-2******	97	12	09	50	FALSE		2019-12-09	1
parkjy	Parkjy	박 주영	960323-2******	96	03	23	88	FALSE		2019-12-10	2
yanghs	Yanghs	양 희수	940416-1******	94	04	16	90	장학생		2019-12-21	6
yusa	Yusa	유 신애	970111-1******	97	01	11	58	FALSE		2019-12-09	1
yoonyj	Yoonyj	윤 예진	990529-2******	99	05	29	55	FALSE		2019-12-05	4
leegs	Leegs	이 근석	900102-2******	90	01	02	70	FALSE		2019-12-05	4
leekh	Leekh	이 경화	971219-1******	97	12	19	90	장학생		2019-12-23	1

5장 실전예제만들기

실전예제 1

'5장 실전학습1.xlsx' 파일을 이용하여 각 시트의 결과를 계산하세요.

Q1 D11셀에는 이번달 청구 요금 합계를 계산하시오.

* 시트명 : Q1

1. D11 셀로 커서를 이동합니다. 이번달 청구 요금 합계를 계산하기 위하여 수식 '=(D5+D6+D7)*(1+D8)+D9−D10' 을 입력하고 Enter 키를 누릅니다.

2. 결과 값으로 '81900' 이 입력되는 것을 확인할 수 있습니다.

D11 =(D5+D6+D7)*(1+D8)+D9-D10

no.	청구내역	금액	비고
1	통화료	34,000	
2	부가서비스	12,000	
3	외부 컨텐츠 이용료	3,000	
4	부가세	10%	(부가세에 기기 할부금은 포함되지 않습니다.)
5	기기 할부금	35,000	
6	약정할인	7,000	
이번달 청구 요금 합계		₩ 81,900	

Q2

F열에는 직접 수식을 이용하여 금액을 구하시오. G열에는 부가세를 포함한 총 금액을 구하시오.

＊ 시트명 : Q2

1. F5 셀로 커서를 이동합니다. 금액을 계산하기 위하여 수식 '=D5*E5' 를 입력하고 Enter 키를 누릅니다.

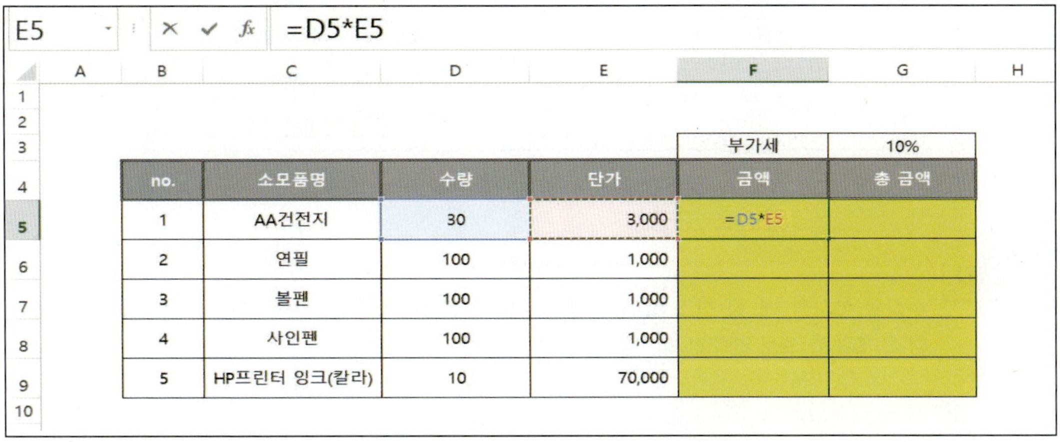
E5 =D5*E5

no.	소모품명	수량	단가	부가세 금액	10% 총 금액
1	AA건전지	30	3,000	=D5*E5	
2	연필	100	1,000		
3	볼펜	100	1,000		
4	사인펜	100	1,000		
5	HP프린터 잉크(칼라)	10	70,000		

2. 결과 값으로 '90,000' 이 입력되는 것을 확인할 수 있습니다. 채우기 핸들을 이용하여 F9 셀까지 수식을 복사합니다.

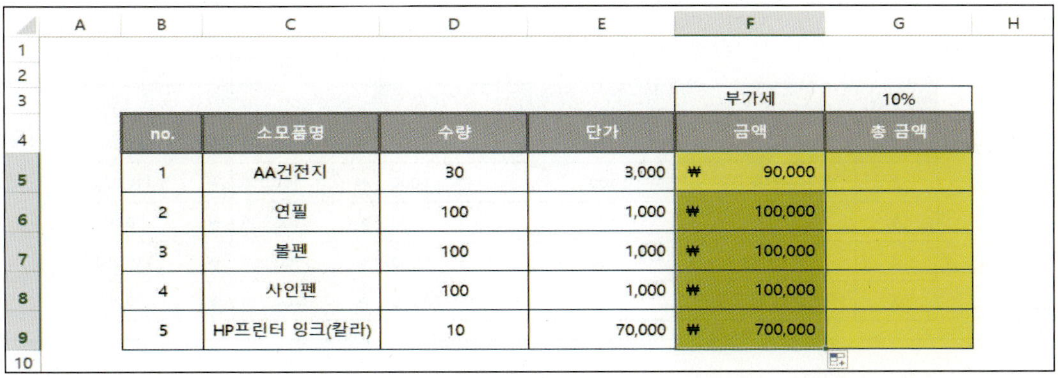

no.	소모품명	수량	단가	부가세 금액	10% 총 금액
1	AA건전지	30	3,000	₩ 90,000	
2	연필	100	1,000	₩ 100,000	
3	볼펜	100	1,000	₩ 100,000	
4	사인펜	100	1,000	₩ 100,000	
5	HP프린터 잉크(칼라)	10	70,000	₩ 700,000	

3. G5 셀로 커서를 이동합니다. 총 금액을 계산하기 위하여 수식 '=F5+F5*$G$3' 을 입력하고 Enter 키를 누릅니다.

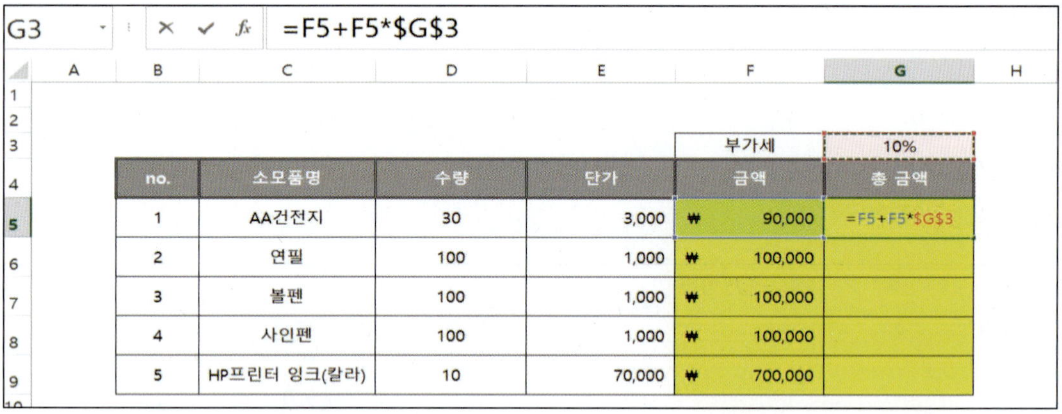

G3 =F5+F5*$G$3

no.	소모품명	수량	단가	금액	총 금액
				부가세	10%
1	AA건전지	30	3,000	₩ 90,000	=F5+F5*$G$3
2	연필	100	1,000	₩ 100,000	
3	볼펜	100	1,000	₩ 100,000	
4	사인펜	100	1,000	₩ 100,000	
5	HP프린터 잉크(칼라)	10	70,000	₩ 700,000	

Tip

수식을 복사할 때 셀 참조 값이 변경되지 않기 위하여 'F4' 키를 이용하여 G3 셀은 절대 참조 '$G$3' 으로 입력합니다.

4. 결과 값으로 '99,000' 이 입력되는 것을 확인할 수 있습니다. 채우기 핸들을 이용하여 G9 셀까지 수식을 복사합니다.

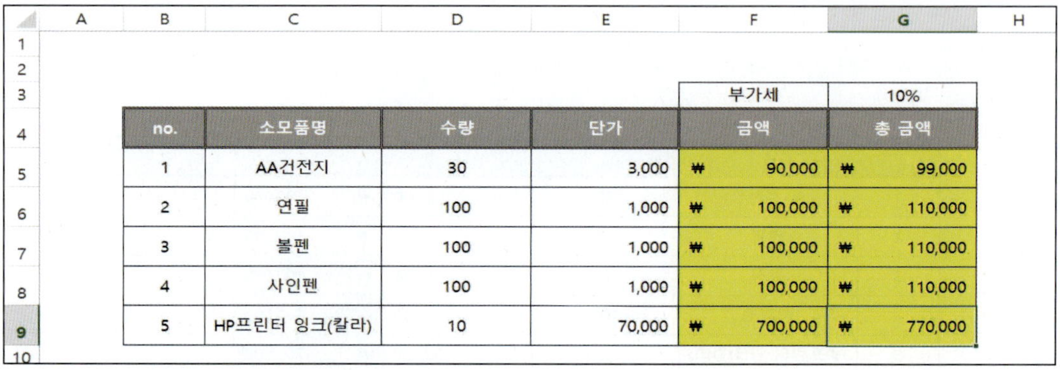

no.	소모품명	수량	단가	금액	총 금액
				부가세	10%
1	AA건전지	30	3,000	₩ 90,000	₩ 99,000
2	연필	100	1,000	₩ 100,000	₩ 110,000
3	볼펜	100	1,000	₩ 100,000	₩ 110,000
4	사인펜	100	1,000	₩ 100,000	₩ 110,000
5	HP프린터 잉크(칼라)	10	70,000	₩ 700,000	₩ 770,000

Q3 D열에는 텍스트 함수를 이용하여 성명의 두 번째 글자를 "*" 로 표시하시오.

* 시트명 : Q3

1. D4 셀로 커서를 이동합니다. '구*영' 의 형식으로 텍스트를 표시하기 위하여 [수식 탭 – 함수 라이브러리 그룹 – 텍스트 – CONCATENATE]를 클릭합니다.

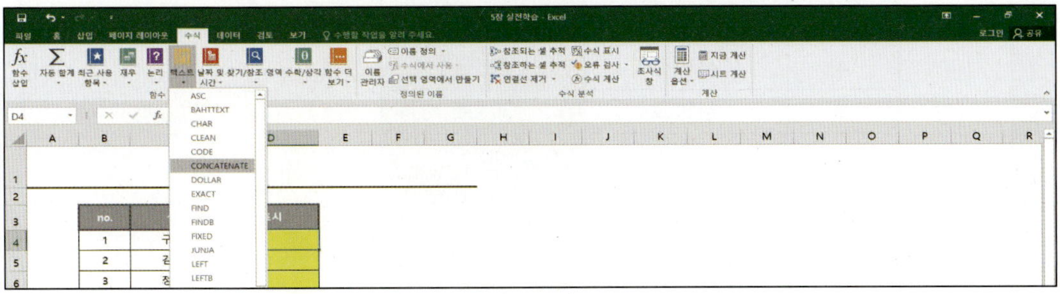

2. 함수 인수 대화상자가 나타나면 [Text1 : LEFT(C4), Text2 : "*" , Text3 : RIGHT(C4)]를 입력한 후 확인 버튼을 클릭합니다.

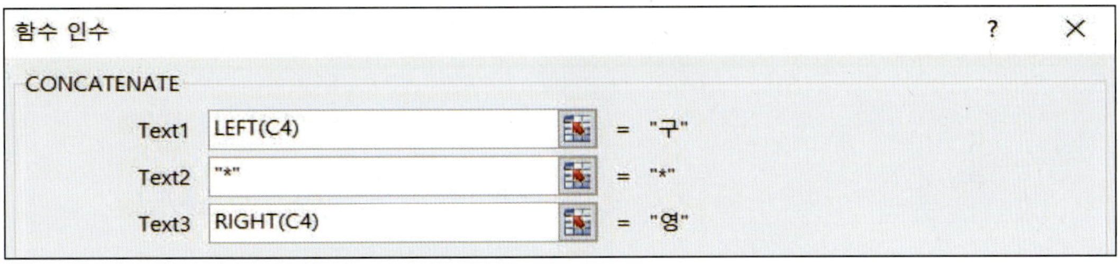

3. 결과 값으로 '구*영' 이 입력되는 것을 확인할 수 있습니다.

4. 채우기 핸들을 이용하여 D13 셀까지 수식을 복사합니다. 이름 중 두 번째 글자만 '*' 표시되어 추출되는 것을 확인할 수 있습니다.

no.	성명	표시
1	구소영	구*영
2	김선미	김*미
3	정해민	정*민
4	강민정	강*정
5	김명교	김*교
6	김재곤	김*곤
7	박소연	박*연
8	김지혜	김*혜
9	김미광	김*광
10	김승은	김*은

Q4

F열에는 자동 합계(평균)을 이용하여 평균을 구하시오. G열에는 IF 함수를 이용하여 평균이 80점 이상인 경우 "합격" 으로 표시하시오. 그렇지 않은 경우는 공백으로 표시하시오.

* 시트명 : Q4

1. F4 셀로 커서를 이동합니다. 평균을 계산하기 위하여 [수식 탭 - 함수 라이브러리 그룹 - 자동 합계 - 평균]을 클릭합니다.

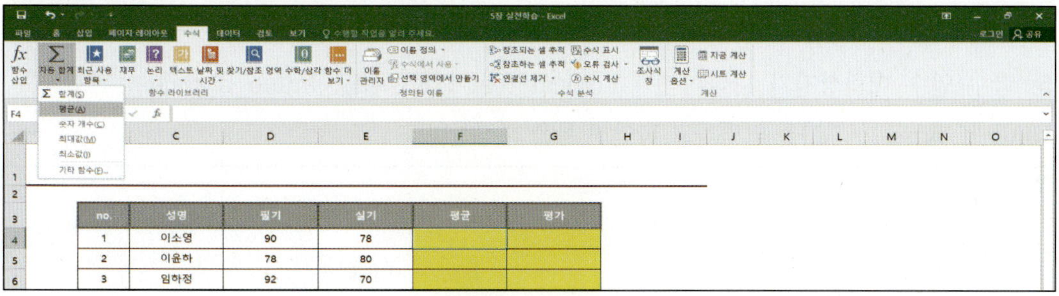

2. 수식으로 '=AVERAGE(D4:E4)' 가 자동으로 입력됩니다. 범위가 맞는지 확인한 후 Enter 키를 누릅니다.

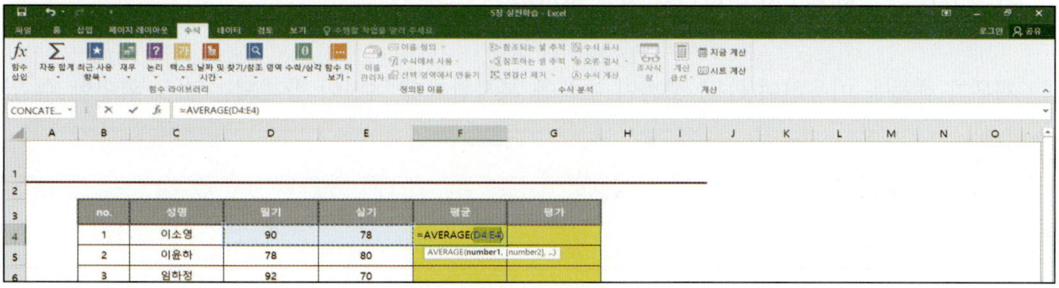

3. 결과 값으로 '84' 가 입력되는 것을 확인할 수 있습니다. 채우기 핸들을 이용하여 F13 셀까지 수식을 복사합니다.

4. G4 셀로 커서를 이동합니다. 평가를 나타내기 위하여 [수식 탭 – 함수 라이브러리 그룹 – 논리 – IF]를 클릭합니다.

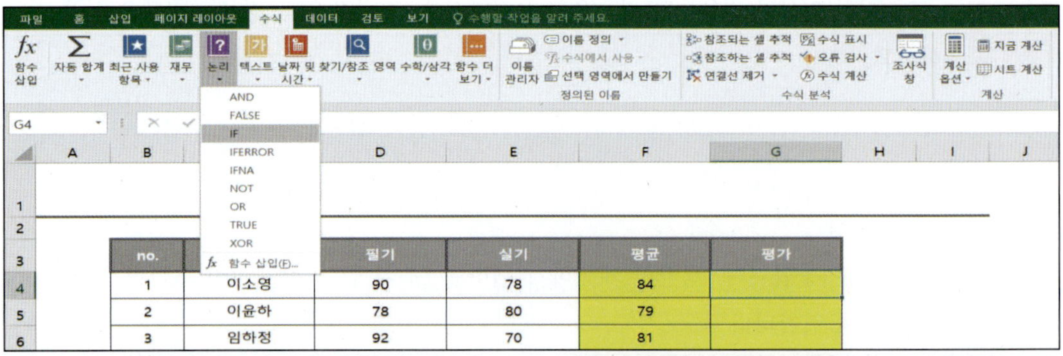

5. 함수 인수 대화상자가 나타나면 [Logical_test : F4>=80, Value_if_true : "합격", Value_if_false : ""]을 입력하고 확인 버튼을 클릭합니다.

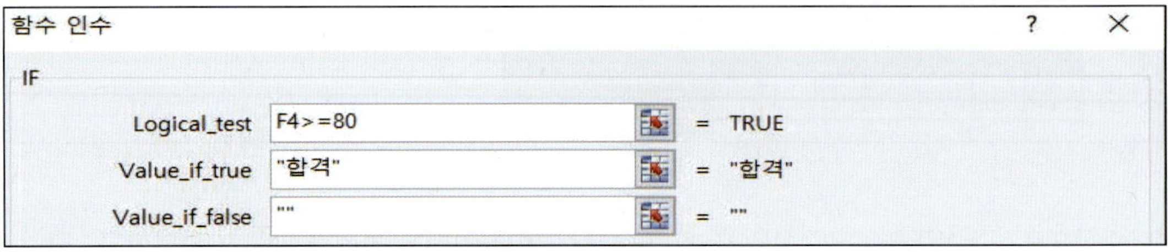

6. 결과 값으로 '합격'이 입력되는 것을 확인할 수 있습니다.

7. 채우기 핸들을 이용하여 G13 셀까지 수식을 복사합니다. 4명이 합격되는 것을 확인할 수 있습니다.

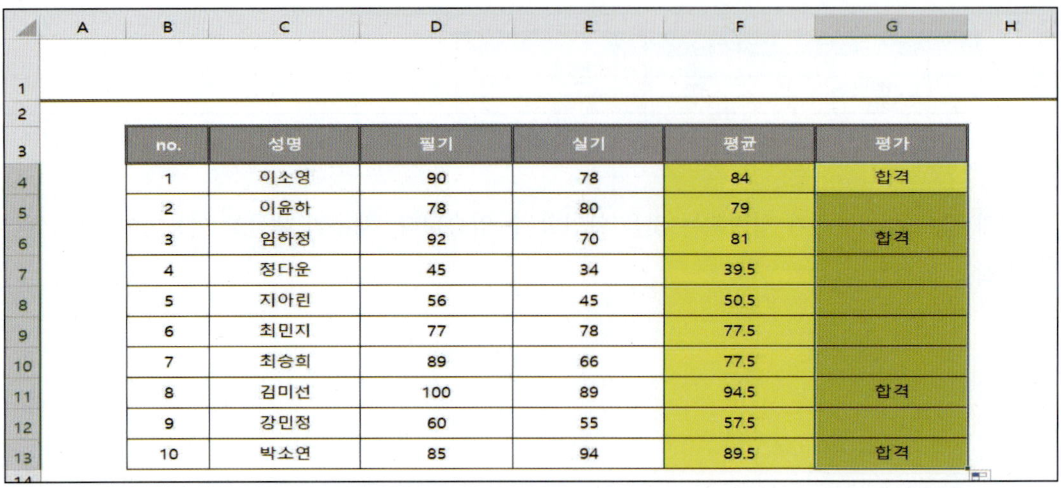

no.	성명	필기	실기	평균	평가
1	이소영	90	78	84	합격
2	이윤하	78	80	79	
3	임하정	92	70	81	합격
4	정다운	45	34	39.5	
5	지아린	56	45	50.5	
6	최민지	77	78	77.5	
7	최승희	89	66	77.5	
8	김미선	100	89	94.5	합격
9	강민정	60	55	57.5	
10	박소연	85	94	89.5	합격

Q5 G열에는 자동 합계(합계)를 이용하여 세과목의 총점을 구하시오. H열에는 총점을 기준으로 등수를 구하시오.

＊ 시트명 : Q5

1. G4 셀로 커서를 이동합니다. 총점을 계산하기 위하여 [수식 탭 – 함수 라이브러리 그룹 – 자동 합계 – 합계]를 클릭합니다.

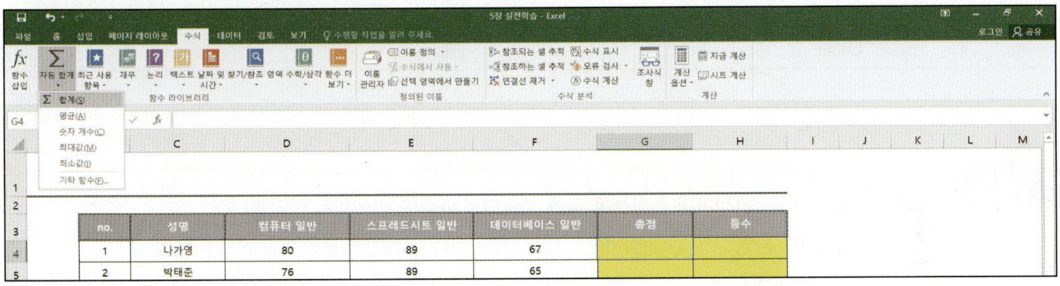

2. 수식으로 '=SUM(D4:F4)' 가 자동으로 입력됩니다. 범위가 맞는지 확인한 후 Enter 키를 누릅니다.

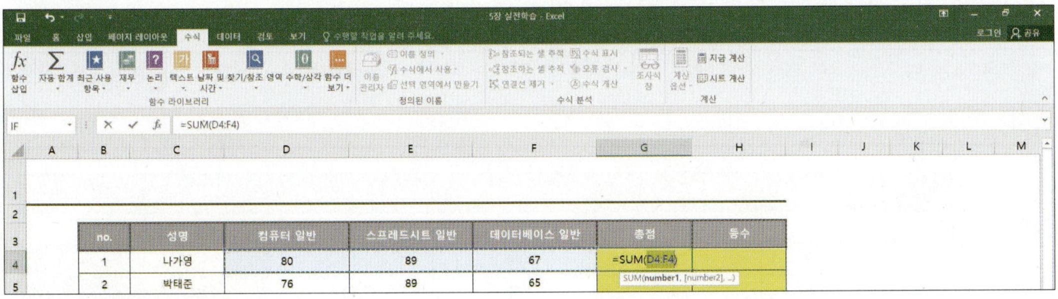

3. 결과 값으로 '236' 이 입력되는 것을 확인할 수 있습니다. 채우기 핸들을 이용하여 G13 셀까지 수식을 복사합니다.

4. H4 셀로 커서를 이동합니다. [수식 탭 – 함수 라이브러리 그룹 – 함수삽입]을 클릭합니다.

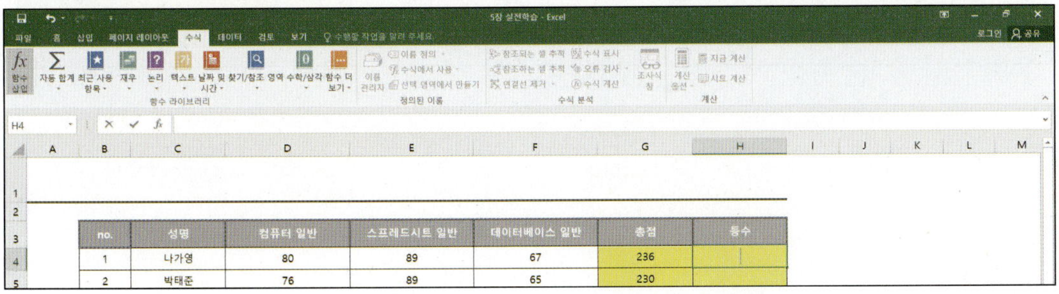

5. 함수 마법사 대화상자가 나타나면 함수 검색 창에 'RANK' 를 입력하고 검색 버튼을 클릭하여 'RANK' 함수를 선택하고 확인 버튼을 클릭합니다. 함수 인수 대화상자가 나타나면 [Number : G4, Ref : $G$4:$G$13, Order : 공백(생략)]하고 확인 버튼을 클릭합니다.

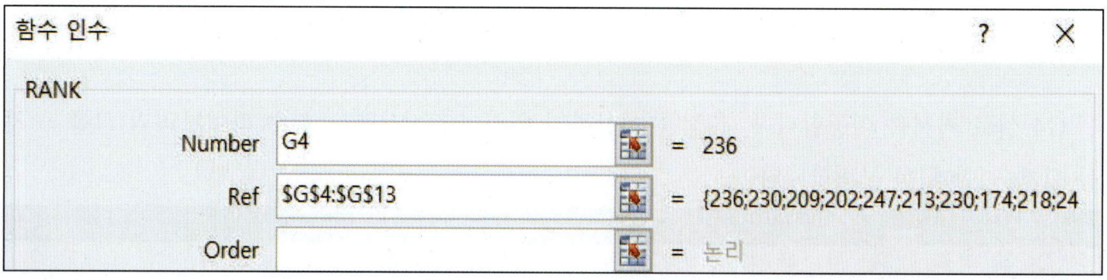

Tip

RANK 함수는 이전 버전과의 호환성을 위해 제공되기 때문에 검색해서 삽입합니다.
Order값은 0이나 공백인 경우 내림차순, 그렇지 않은 경우는 오름차순으로 순위가 지정됩니다.

6. 결과 값으로 '3' 이 입력되는 것을 확인할 수 있습니다. 채우기 핸들을 이용하여 H13 셀까지 수식을 복사합니다. 등수가 표시 되는 것을 확인할 수 있습니다.

no.	성명	컴퓨터 일반	스프레드시트 일반	데이터베이스 일반	총점	등수
1	나가영	80	89	67	236	3
2	박태준	76	89	65	230	4
3	신승현	70	90	49	209	8
4	이은주	78	90	34	202	9
5	임용준	87	70	90	247	1
6	최은조	45	78	90	213	7
7	하소영	70	70	90	230	4
8	하준영	39	45	90	174	10
9	홍영준	98	20	100	218	6
10	김영훈	79	85	77	241	2

Q6

F열에는 BMI 계산법 표를 이용하여 F열에는 BMI 값을 계산하고 G열에는 '저체중, 정상, 과체중'을 구분하시오.

* 시트명 : Q6

1. F5 셀로 커서를 이동합니다. BMI를 계산하기 위하여 수식 '=E5/D5^2'를 입력하고 Enter 키를 누릅니다. ^2는 제곱을 의미합니다.

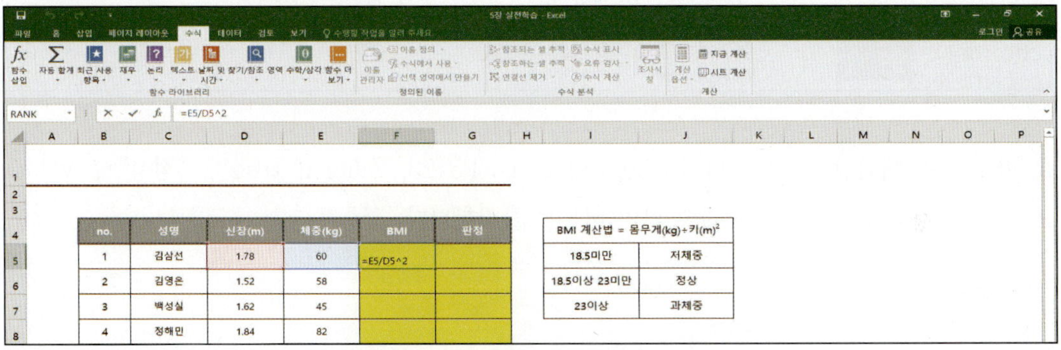

2. 결과 값으로 '18.9'가 입력되는 것을 확인할 수 있습니다. 채우기 핸들을 이용하여 F9 셀까지 수식을 복사합니다.

3. G5 셀로 커서를 이동합니다. 판정을 나타내기 위하여 [수식 탭 – 함수 라이브러리 그룹 – 논리 – IF]를 클릭합니다.

4. 함수 인수 대화상자가 나타나면 [Logical_test : F5<18.5, Value_if_true : "저체중"] Value_if_false 는 커서를 두고 이름 상자를 클릭하여 'IF' 를 선택합니다. IF 함수 안에 이중 함수가 추가 되고, IF 함수 대화상자가 새롭게 나타납니다.

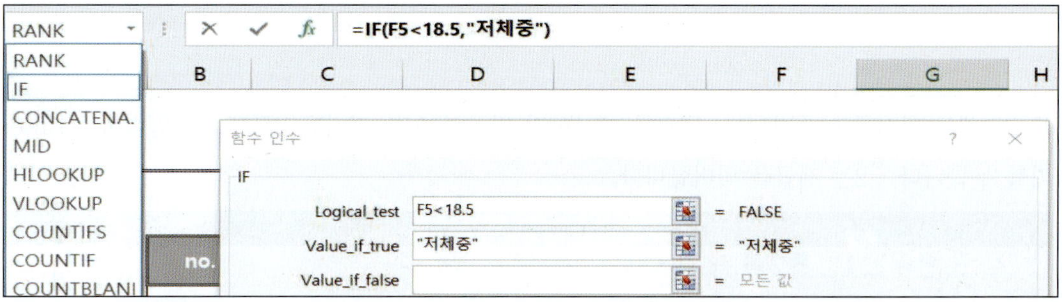

5. 함수 인수 대화상자가 나타나면 [Logical_test : F5<23, Value_if_true : "정상" , Value_if_false : "과체중"]을 입력하고 확인 버튼을 클릭합니다.

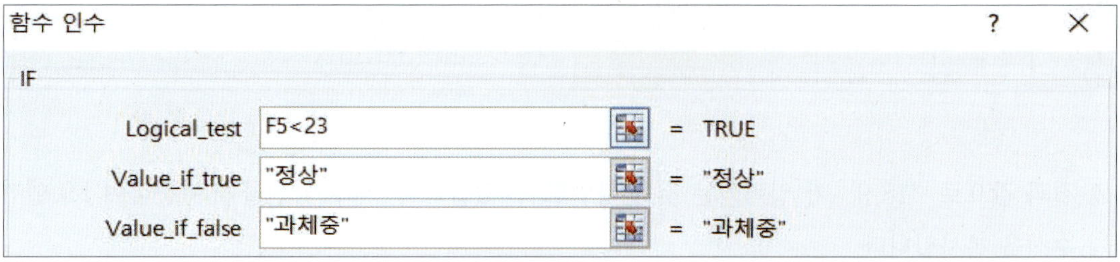

6. 결과 값으로 '정상' 이 입력되는 것을 확인할 수 있습니다.

7. 채우기 핸들을 이용하여 G9 셀까지 수식을 복사합니다. 판정 값이 표시 되는 것을 확인할 수 있습니다.

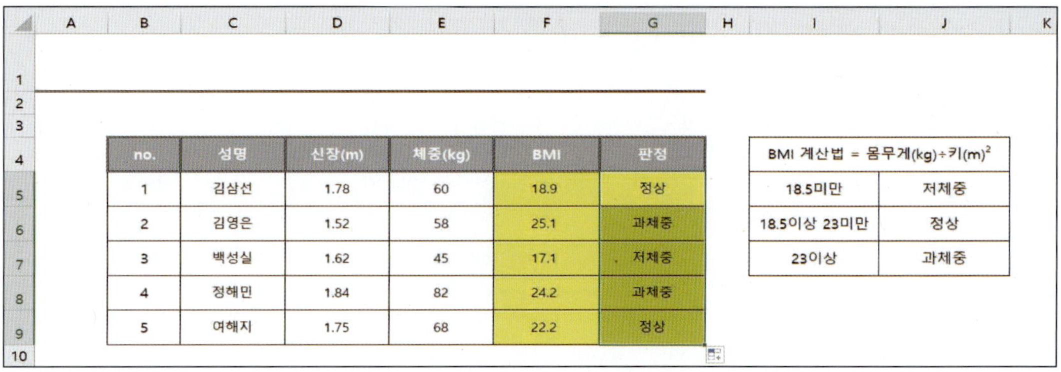

no.	성명	신장(m)	체중(kg)	BMI	판정
1	김삼선	1.78	60	18.9	정상
2	김영은	1.52	58	25.1	과체중
3	백성실	1.62	45	17.1	저체중
4	정해민	1.84	82	24.2	과체중
5	여해지	1.75	68	22.2	정상

BMI 계산법 = 몸무게(kg)÷키(m)^2	
18.5미만	저체중
18.5이상 23미만	정상
23이상	과체중

실전예제 2

'5장 실전학습2.xlsx' 파일을 이용하여 맛나 레스토랑 매출 전표에 알맞은 수식을 사용하여 빈 칸을 완성하세요.

– 메뉴종류 열 : 메뉴코드 앞 글자를 보고 M(메인메뉴), S(사이드메뉴), D(음료)를 입력하세요. (M10:N12범위 참조)
– 재고량 열 : 입고수량 열, 판매수량 열로 계산하세요.
– 매출액 열 : 판매가 열, 판매수량 열로 계산하세요.
– 세금 열 : 매출액 열, 부가세 셀로 계산하세요.

결과화면

맛나 레스토랑 매출 전표

No.	메뉴	메뉴코드	메뉴종류	판매가	입고수량	판매수량	재고량	매출액	세금	비고
1	각종 차	s-T	사이드메뉴	6,500	50	42	8	273,000	27,300	입고요청
2	과일	s-PZ	사이드메뉴	32,000	162	62	100	1,984,000	198,400	
3	리조또	m-RI	메인메뉴	22,000	100	80	20	1,760,000	176,000	입고요청
4	비타민음료	d-SD	음료	24,000	220	22	198	528,000	52,800	
5	생선	m-IC	메인메뉴	22,000	68	24	44	528,000	52,800	
6	스테이크	m-SK	메인메뉴	43,000	90	48	42	2,064,000	206,400	
7	스파게티	m-SG	메인메뉴	22,000	120	50	70	1,100,000	110,000	
8	아이스크림	s-IC	사이드메뉴	7,000	80	66	14	462,000	46,200	입고요청
9	와인	d-W	음료	25,000	80	65	15	1,625,000	162,500	입고요청
10	쥬스	d-JU	음료	8,000	180	122	58	976,000	97,600	
11	치킨샐러드	s-W	사이드메뉴	18,000	180	50	130	900,000	90,000	
12	커피	d-C	음료	6,000	220	192	28	1,152,000	115,200	
13	케익	s-CK	사이드메뉴	8,000	100	82	18	656,000	65,600	입고요청
14	탄산	d-CL	음료	6,000	200	188	12	1,128,000	112,800	입고요청
15	튀김요리	s-W	사이드메뉴	14,000	42	15	27	210,000	21,000	
16	피자	m-JU	메인메뉴	26,000	150	16	134	416,000	41,600	
17	피자소스	s-CK	사이드메뉴	28,000	80	62	18	1,736,000	173,600	입고요청
18	해산물	m-CK	메인메뉴	28,000	130	45	85	1,260,000	126,000	
19	허브티	d-IC	음료	17,000	142	65	77	1,105,000	110,500	
총 계										

부가세	10%

매출액 합계	19,863,000
입고요청 수	7
재고량의 최대값	198
판매수량의 최소값	15

M	메인메뉴
S	사이드메뉴
D	음료

Chapter 6

함수 활용

01 조건부 함수

합계, 평균 등의 함수를 이용하여 데이터를 계산하는 경우 조건에 적합한 결과를 추출하기 위하여 ~IF 또는 ~IFS 함수를 활용하여 단일조건 및 다중조건을 적용할 수 있다.

예제파일 : 6장예제.xlsx

1-1 수학 / 삼각 함수 활용하기

SUM 함수

인수들의 합을 계산합니다.

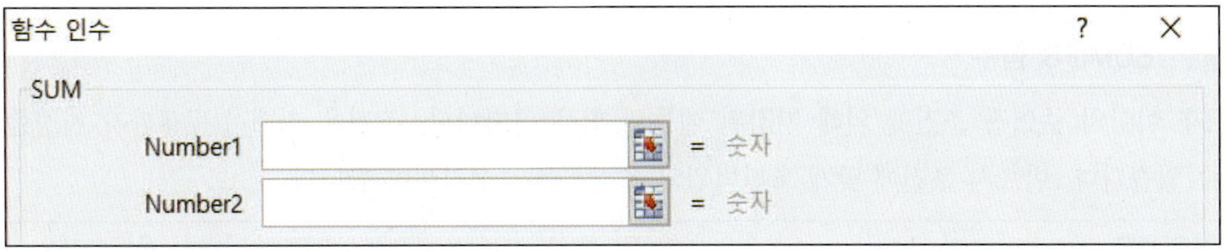

설명

인수 설정

- Number1, number2... : 합계를 구하려는 값들로서 255개까지 지정할 수 있습니다. 논리 값과 텍스트는 제외됩니다.

SUMIF 함수

주어진 단일 조건에 의해 지정된 셀들의 합을 구합니다.

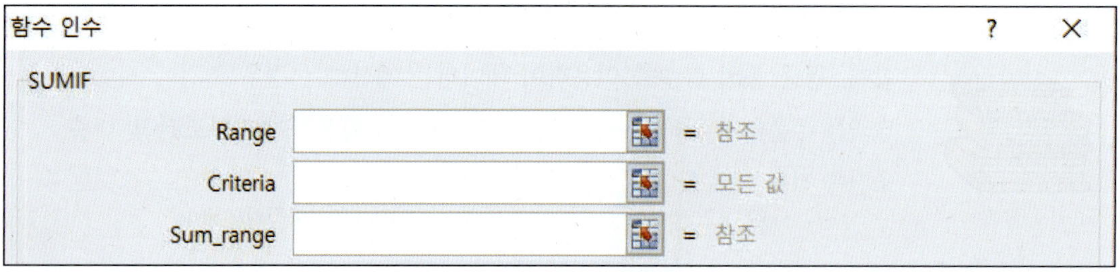

설명

인수 설정

- Range : 조건에 맞는지를 검사할 셀의 범위입니다.
- Criteria : 더할 셀의 조건을 지정하는 수, 식 또는 텍스트입니다.
- Sum_range : 합을 구할 실제 셀의 범위입니다. 생략하면 범위 내의 셀들이 계산됩니다.

SUMIFS 함수

2개 이상의 주어진 조건에 의해 지정된 셀들의 합을 구합니다. 조건은 최대 127개까지 지정할 수 있습니다. 반드시 조건에 맞게 조건범위와 조건식을 작성하여야 합니다.

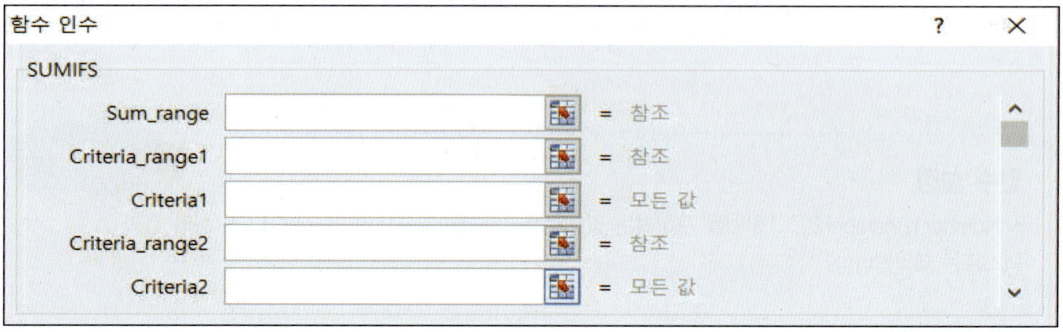

설명

인수 설정

- Sum_range : 합을 구할 실제 셀의 범위입니다.
- Criteria_range1 : 첫 번째 조건에 적용시킬 셀의 범위입니다.
- Criteria1 : 첫 번째 조건을 지정하는 수, 식 또는 텍스트입니다.
- Criteria_range2... : 두 번째... 조건에 적용시킬 셀의 범위입니다.
- Criteria2... : 두 번째... 조건을 지정하는 수, 식 또는 텍스트입니다.

따라해 보세요 – SUM 함수 활용하기

*시트명 : 조건부 함수

H 열에 중간고사와 기말고사의 총점을 구하세요.

1. H3 셀로 커서를 이동한 후 [수식 탭 – 함수 라이브러리 그룹 – 수학 / 삼각 – SUM]을 클릭합니다.

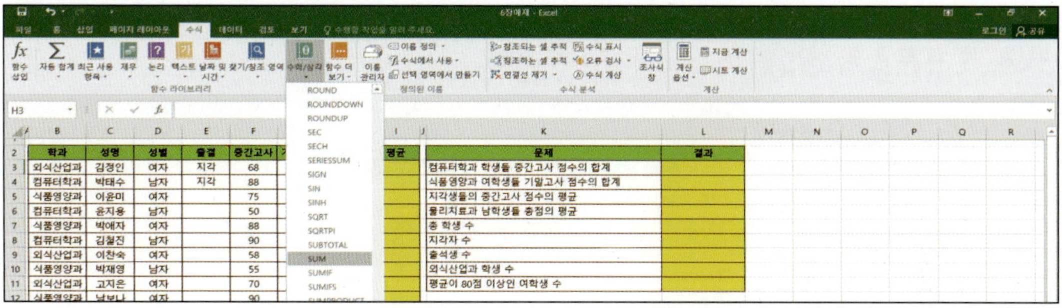

2. 함수 인수 대화상자가 나타나면 [Number1 : F3:G3]을 입력하고 확인 버튼을 클릭합니다.

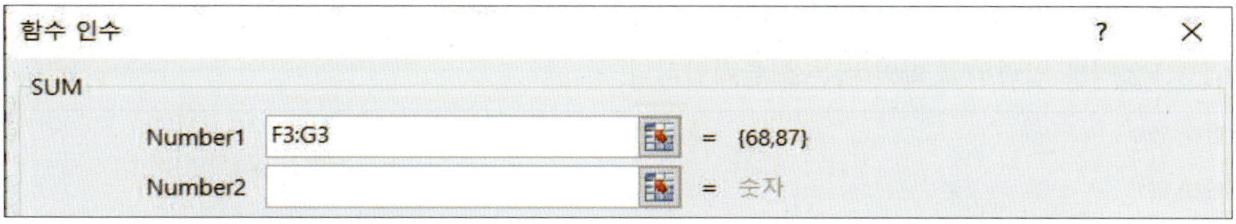

3. 김정인 학생의 중간고사와 기말고사의 합 '155' 가 H3 셀에 계산되는 것을 확인할 수 있습니다. 채우기 핸들을 이용하여 29행까지 수식을 복사합니다. 4행부터 29행까지 각 행에 맞게 '중간고사와 기말고사의 합' 이 계산되는 것을 확인할 수 있습니다.

	B	C	D	E	F	G	H	I
2	학과	성명	성별	출결	중간고사	기말고사	총점	평균
3	외식산업과	김정인	여자	지각	68	87	155	
4	컴퓨터학과	박태수	남자	지각	88	90	178	
5	식품영양과	이윤미	여자		75	92	167	
6	컴퓨터학과	윤지용	남자		50	98	148	
7	식품영양과	박애자	여자		88	60	148	

따라해 보세요 – SUMIF 함수 활용하기

*시트명 : 조건부 함수

L3 셀에 컴퓨터학과 학생들의 중간고사 점수의 합계를 구하세요.

1. L3 셀로 커서를 이동한 후 [수식 탭 – 함수 라이브러리 그룹 – 수학 / 삼각 – SUMIF]를 클릭합니다.

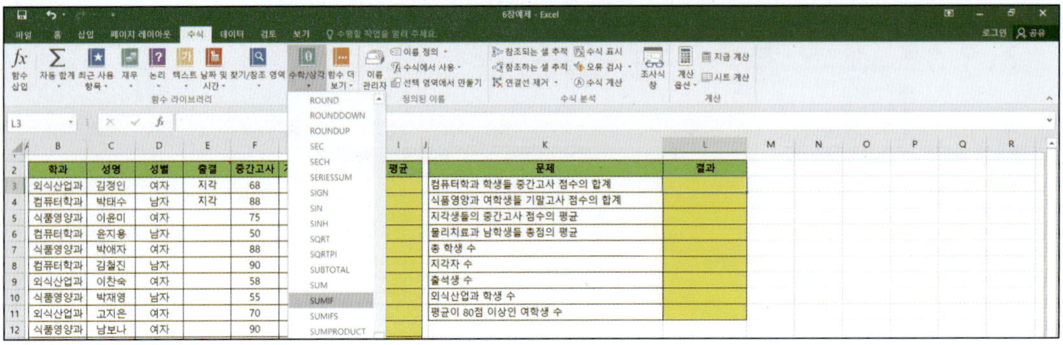

2. 함수 인수 대화상자가 나타나면 [Range : B3:B29, Criteria : "컴퓨터학과", Sum_range : F3:F29]를 입력하고 확인 버튼을 클릭합니다.

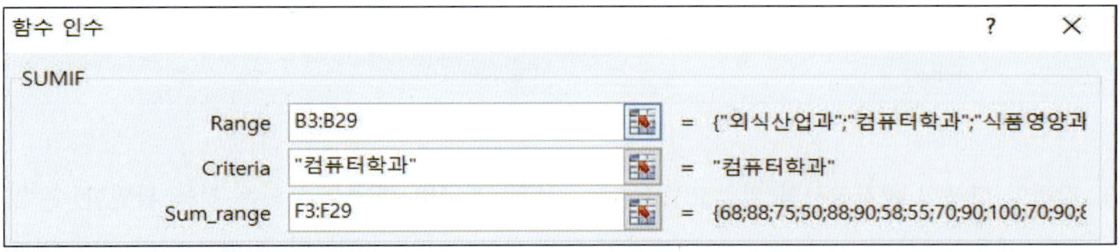

3. 학생들 중 컴퓨터학과 학생들의 중간고사 점수의 합계 '472' 가 L3 셀에 계산되는 것을 확인할 수 있습니다.

따라해 보세요 – SUMIFS 함수 활용하기

*시트명 : 조건부 함수

L4 셀에 식품영양과 여학생들의 기말고사 점수의 합계를 구하세요.

1. L4 셀로 커서를 이동한 후 [수식 탭 – 함수 라이브러리 그룹 – 수학 / 삼각 – SUMIFS]를 클릭합니다.

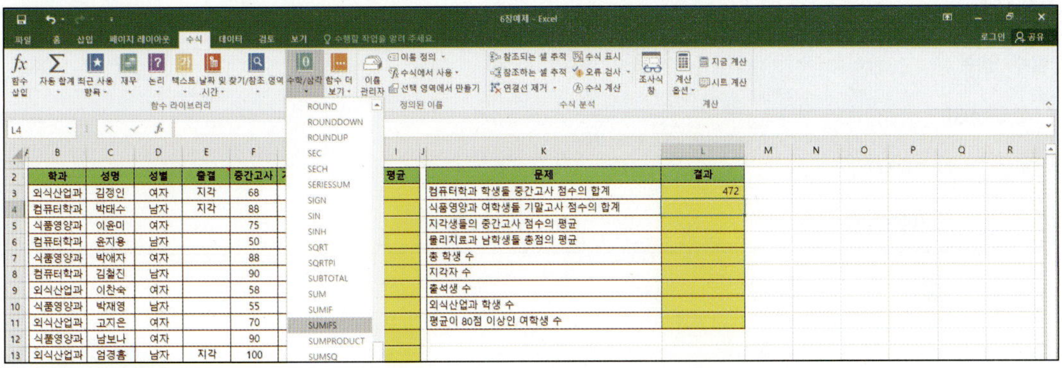

2. 함수 인수 대화상자가 나타나면 [Sum_range : G3:G29, Criteria_range1 : B3:B29, Criteria1 : "식품영양과", Criteria_range2 : D3:D29, Criteria2 : "여자"]를 입력하고 확인 버튼을 클릭합니다.

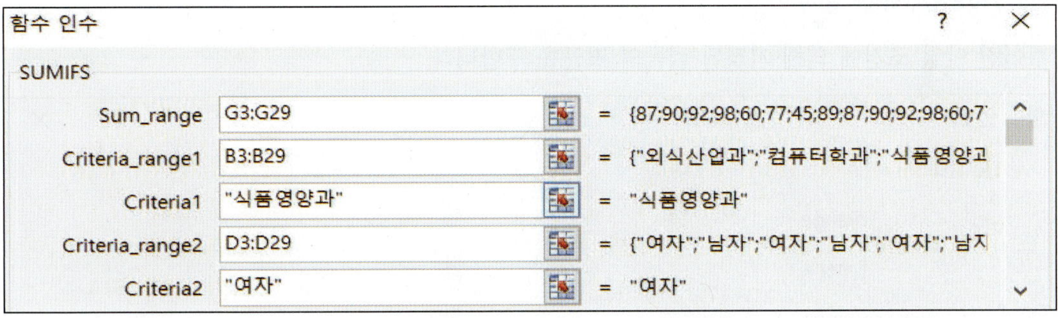

3. 학생들 중 식품영양과 여학생의 기말고사 점수의 합계 '478' 이 L4 셀에 계산되는 것을 확인할 수 있습니다.

1-2 통계 함수 활용하기

AVERAGE 함수

인수들의 평균을 계산합니다. 인수는 숫자, 이름, 배열 또는 숫자가 들어있는 참조 등이 될 수 있습니다.

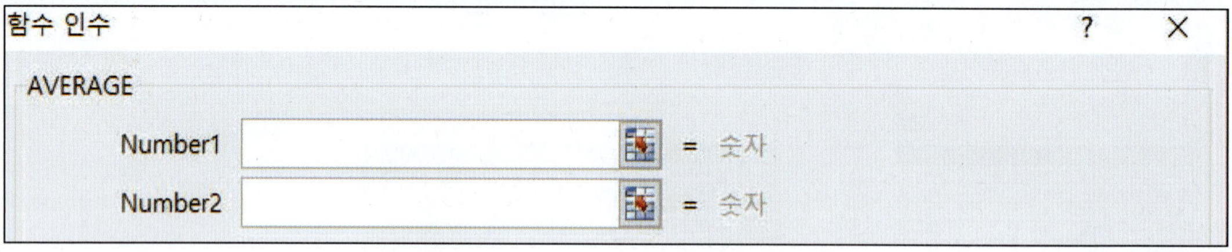

설명

인수 설정

- Number1, number2... : 평균을 구하려는 값들로서 255개까지 지정할 수 있습니다.

AVERAGEIF 함수

주어진 단일 조건에 의해 지정된 셀들의 평균을 구합니다.

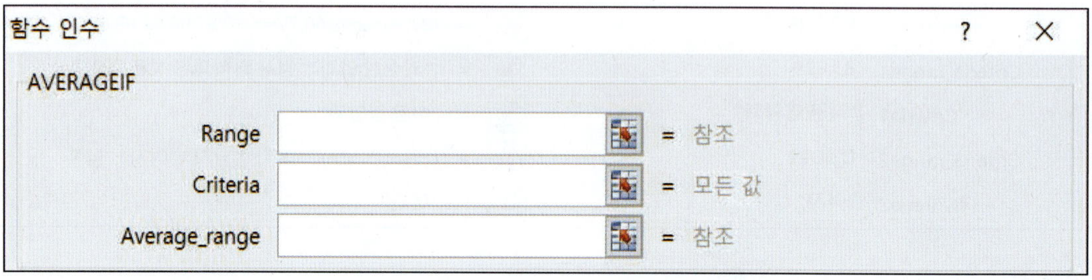

설명

인수 설정

- Range : 조건에 맞는지를 검사할 셀의 범위입니다.
- Criteria : 평균을 구할 셀의 조건을 지정하는 수, 식 또는 텍스트입니다.
- Average_range : 평균을 구할 실제 셀의 범위입니다. 생략하면 범위 내의 셀들이 계산됩니다.

AVERAGEIFS 함수

2개 이상의 주어진 조건에 의해 지정된 셀들의 평균을 구합니다. 조건은 최대 127개까지 지정할 수 있습니다. 반드시 조건에 맞게 조건범위와 조건식을 작성하여야 합니다.

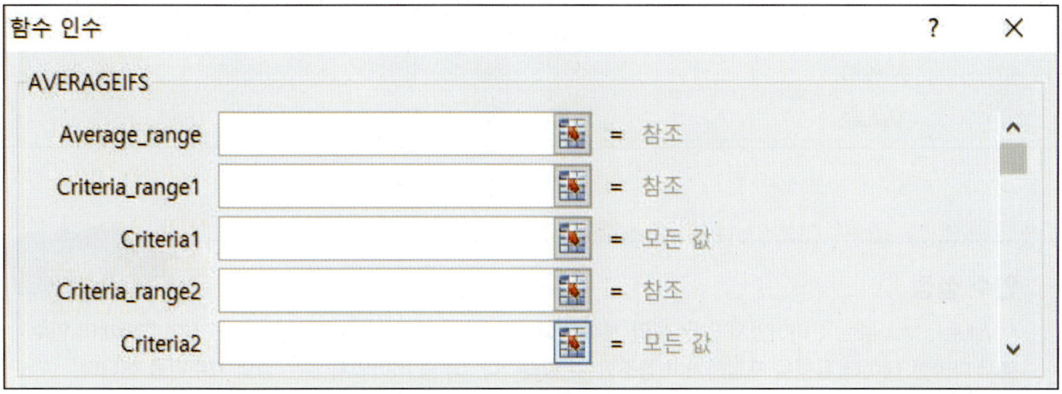

설명

인수 설정

- Average_range : 평균을 구할 실제 셀의 범위입니다.
- Criteria_range1 : 첫 번째 조건에 적용시킬 셀의 범위입니다.
- Criteria1 : 첫 번째 조건을 지정하는 수, 식 또는 텍스트입니다.
- Criteria_range2... : 두 번째... 조건에 적용시킬 셀의 범위입니다.
- Criteria2... : 두 번째... 조건을 지정하는 수, 식 또는 텍스트입니다.

COUNT 함수

범위에서 숫자가 포함된 셀의 개수를 구합니다.

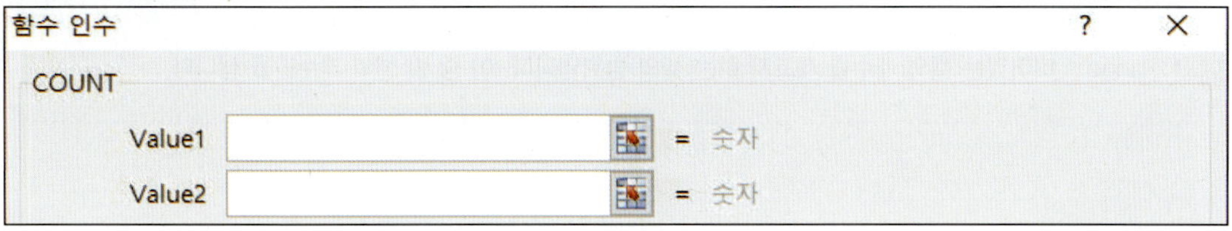

설명

인수 설정

- Value1, Value2... : 셀의 개수를 세고자 하는 셀의 값이나 범위입니다. 최대 255개의 인수로서 다양한 데이터 유형을 포함하거나 참조할 수 있습니다. 이 중 숫자의 개수만을 셉니다.

COUNTA 함수

범위에서 비어있지 않은 셀의 개수를 구합니다.

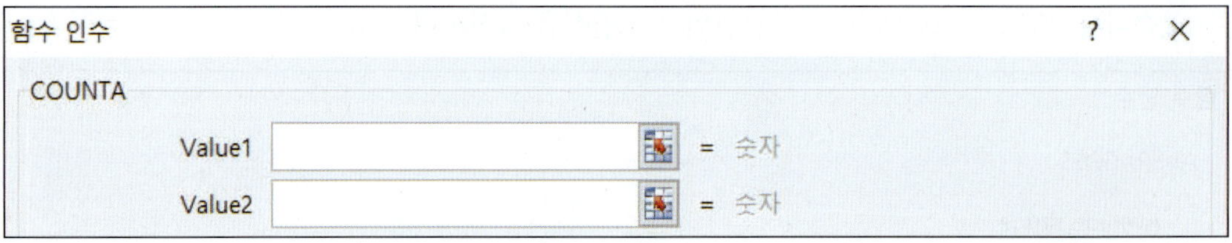

설명

인수 설정

- Value1, Value2... : 비어있지 않은 셀의 개수를 세고자 하는 셀의 값이나 범위입니다. 최대 255개의 인수로서 다양한 데이터 유형을 포함하거나 참조할 수 있습니다. 이 중 비어있지 않은 셀의 개수만을 셉니다.

COUNTBLANK 함수

범위에서 비어있는 셀의 개수를 구합니다.

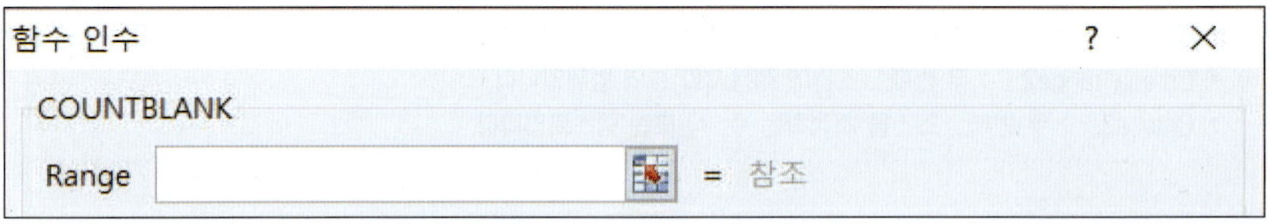

설명

인수 설정

- Range : 비어있는 셀의 개수를 세고자 하는 셀의 범위입니다. 이 중 빈 셀의 개수만을 셉니다.

COUNTIF 함수

지정한 범위 내에서 단일 조건에 맞는 셀의 개수를 구합니다.

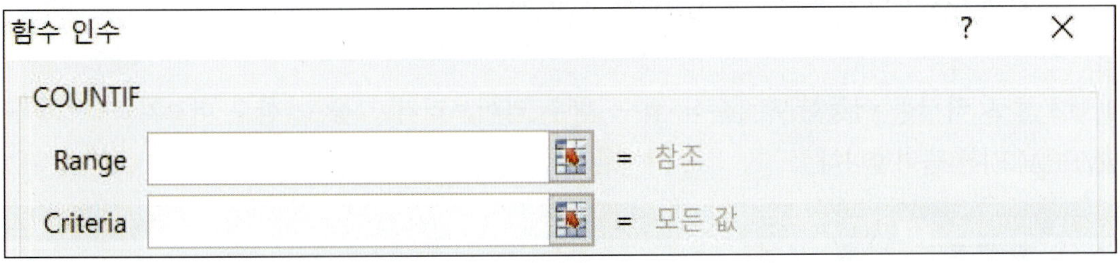

설명

인수 설정

- Range : 조건에 맞는지를 검사할 셀의 범위입니다.
- Criteria : 셀의 조건을 지정하는 수, 식 또는 텍스트입니다.

COUNTIFS 함수

지정한 범위 내에서 2개 이상의 조건에 맞는 셀의 개수를 구합니다. 조건은 최대 127개까지 지정할 수 있습니다.

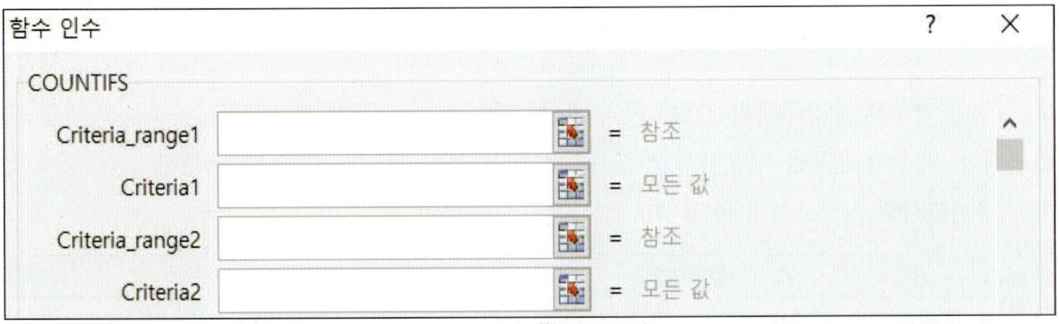

설명

인수 설정

- Criteria_range1 : 첫 번째 조건에 맞는지를 검사할 셀의 범위입니다.
- Criteria1 : 첫 번째 조건을 지정하는 수, 식 또는 텍스트입니다.
- Criteria_range2... : 두 번째... 조건에 맞는지를 검사할 셀의 범위입니다.
- Criteria2... : 두 번째... 조건을 지정하는 수, 식 또는 텍스트입니다.

따라해 보세요 – AVERAGE 함수 활용하기

*시트명 : 조건부 함수

I 열에 중간고사와 기말고사의 평균을 구하세요.

1. I3 셀로 커서를 이동한 후 [수식 탭 – 함수 라이브러리 그룹 – 함수 더보기 – 통계 – AVERAGE]를 클릭합니다.

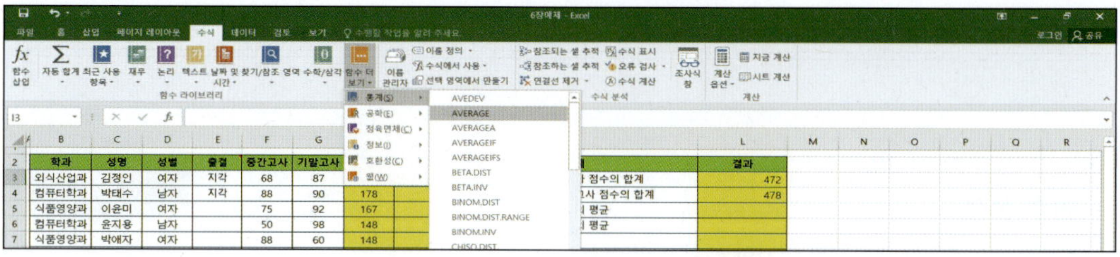

2. 함수 인수 대화상자가 나타나면 [Number1 : F3:G3]을 입력하고 확인 버튼을 클릭합니다.

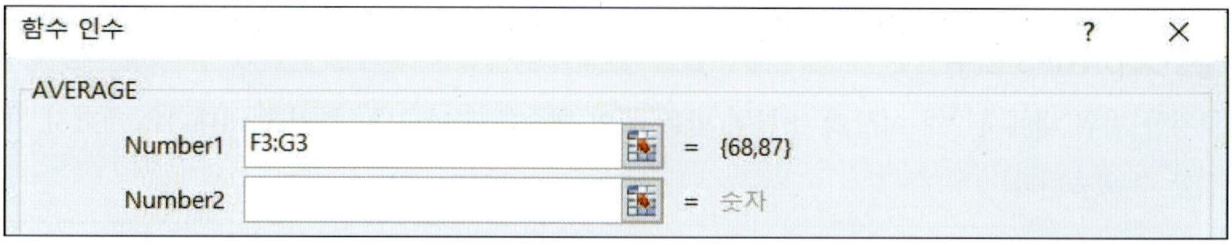

3. 김정인 학생의 중간고사와 기말고사의 평균 '77.50' 이 I3 셀에 계산되는 것을 확인할 수 있습니다. 채우기 핸들을 이용하여 29행까지 수식을 복사합니다. 4행부터 29행까지 각 행에 맞게 '중간고사와 기말고사의 평균' 이 계산되는 것을 확인할 수 있습니다.

	B	C	D	E	F	G	H	I
2	학과	성명	성별	출결	중간고사	기말고사	총점	평균
3	외식산업과	김정인	여자	지각	68	87	155	77.50
4	컴퓨터학과	박태수	남자	지각	88	90	178	89.00
5	식품영양과	이윤미	여자		75	92	167	83.50
6	컴퓨터학과	윤지용	남자		50	98	148	74.00
7	식품영양과	박애자	여자		88	60	148	74.00
8	컴퓨터학과	김철진	남자		90	77	167	83.50
9	외식산업과	이찬숙	여자		58	45	103	51.50
10	식품영양과	박재영	남자		55	89	144	72.00

따라해 보세요 - AVERAGEIF 함수 활용하기

*시트명 : 조건부 함수

L5 셀에 지각생들의 중간고사 점수의 평균을 구하세요.

1. L5 셀로 커서를 이동한 후 [수식 탭 - 함수 라이브러리 그룹 - 함수 더보기 - 통계 - AVERAGEIF]를 클릭합니다.

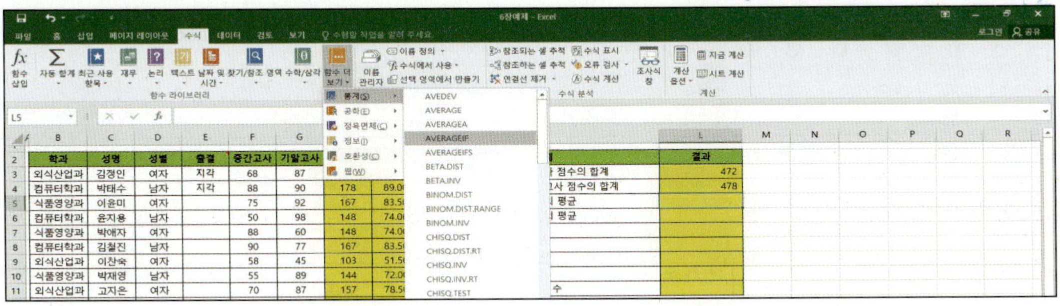

2. 함수 인수 대화상자가 나타나면 [Range : E3:E29, Criteria : "지각" , Sum_range : F3:F29]를 입력하고 확인 버튼을 클릭합니다.

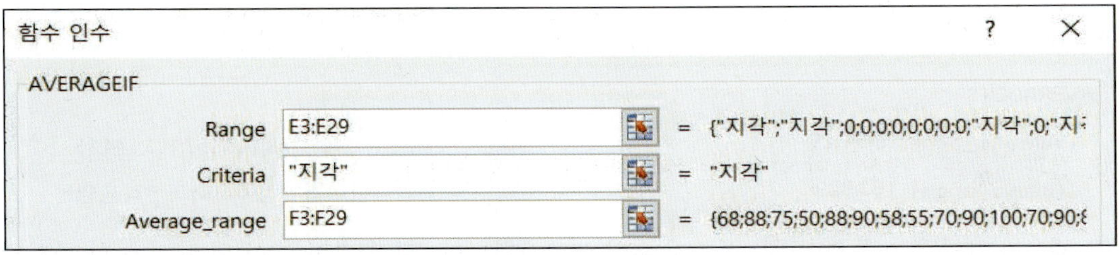

3. 학생들 중 지각생의 중간고사 점수의 평균 '87' 이 L5 셀에 계산되는 것을 확인할 수 있습니다.

따라해 보세요 – AVERAGEIFS 함수 활용하기

*시트명 : 조건부 함수

L6 셀에 물리치료과 남학생들의 총점의 평균을 구하세요.

1. L6 셀로 커서를 이동한 후 [수식 탭 – 함수 라이브러리 그룹 – 함수 더보기 – 통계 – AVERAGEIFS]를 클릭합니다.

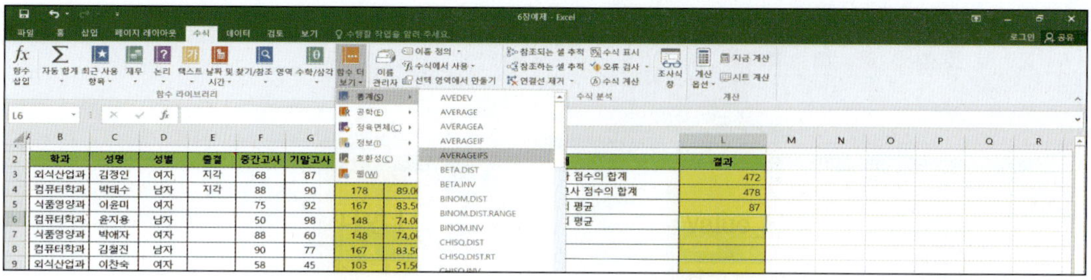

2. 함수 인수 대화상자가 나타나면 [Average_range : H3:H29, Criteria_range1 : B3:B29, Criteria1 : "물리치료과" , Criteria_range2 : D3:D29, Criteria2 : "남자"]를 입력하고 확인 버튼을 클릭합니다.

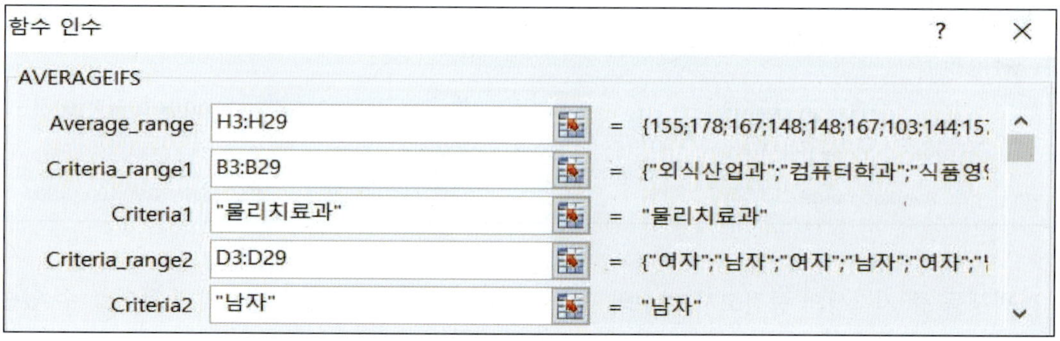

3. 학생들 중 물리치료과 남학생들의 총점의 평균 '161' 이 L6 셀에 계산되는 것을 확인할 수 있습니다.

	B	C	D	E	F	G	H	I	J	K	L
2	학과	성명	성별	출결	중간고사	기말고사	총점	평균		문제	결과
3	외식산업과	김정인	여자	지각	68	87	155	77.50		컴퓨터학과 학생들 중간고사 점수의 합계	472
4	컴퓨터학과	박태수	남자	지각	88	90	178	89.00		식품영양과 여학생들 기말고사 점수의 합계	478
5	식품영양과	이윤미	여자		75	92	167	83.50		지각생들의 중간고사 점수의 평균	87
6	컴퓨터학과	윤지용	남자		50	98	148	74.00		물리치료과 남학생들 총점의 평균	161
7	식품영양과	박애자	여자		88	60	148	74.00		총 학생 수	
8	컴퓨터학과	김철진	남자		90	77	167	83.50		지각자 수	

따라해 보세요 – COUNT 함수 활용하기

*시트명 : 조건부 함수

L7 셀에 총 학생 수를 구하세요.

1. L7 셀로 커서를 이동한 후 [수식 탭 – 함수 라이브러리 그룹 – 함수 더보기 – 통계 – COUNT]를 클릭합니다.

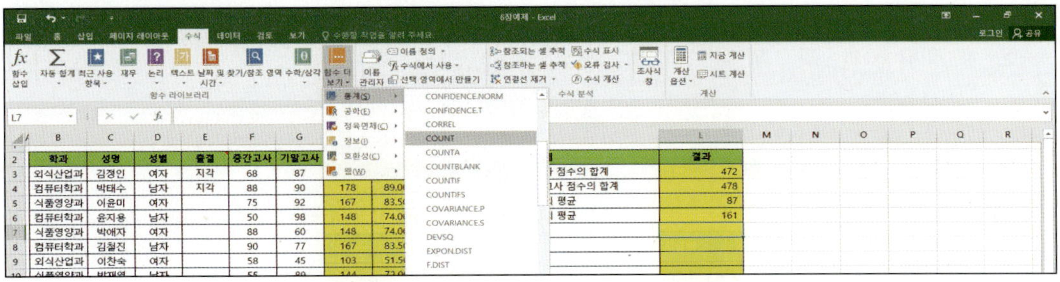

2. 함수 인수 대화상자가 나타나면 [Value1 : H3:H29]를 입력하고 확인 버튼을 클릭합니다.

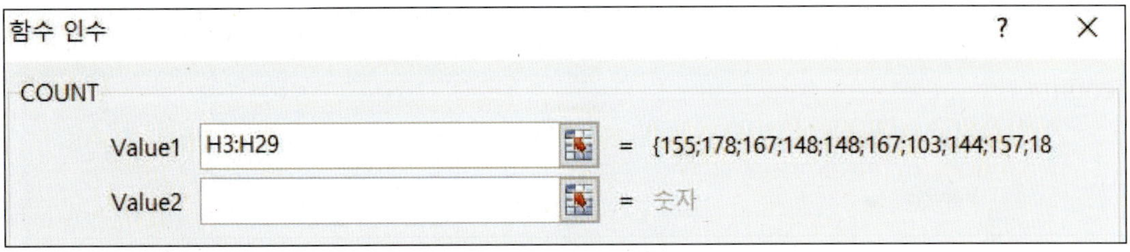

Tip

COUNT 함수를 사용할 경우 숫자가 입력된 셀의 개수만 계산됩니다.

3. 학생들의 총 학생 수 '27' 이 L7 셀에 계산되는 것을 확인할 수 있습니다.

	B	C	D	E	F	G	H	I	J	K	L
2	학과	성명	성별	출결	중간고사	기말고사	총점	평균		문제	결과
3	외식산업과	김정인	여자	지각	68	87	155	77.50		컴퓨터학과 학생들 중간고사 점수의 합계	472
4	컴퓨터학과	박태수	남자	지각	88	90	178	89.00		식품영양과 여학생들 기말고사 점수의 합계	478
5	식품영양과	이윤미	여자		75	92	167	83.50		지각생들의 중간고사 점수의 평균	87
6	컴퓨터학과	윤지용	남자		50	98	148	74.00		물리치료과 남학생들 총점의 평균	161
7	식품영양과	박애자	여자		88	60	148	74.00		총 학생 수	27
8	컴퓨터학과	김철진	남자		90	77	167	83.50		지각자 수	

따라해 보세요 – COUNTA 함수 활용하기

*시트명 : 조건부 함수

COUNTA 함수를 이용하여 L8 셀에 지각생 수를 구하세요.

1. L8 셀로 커서를 이동한 후 [수식 탭 – 함수 라이브러리 그룹 – 함수 더보기 – 통계 – COUNTA]를 클릭합니다.

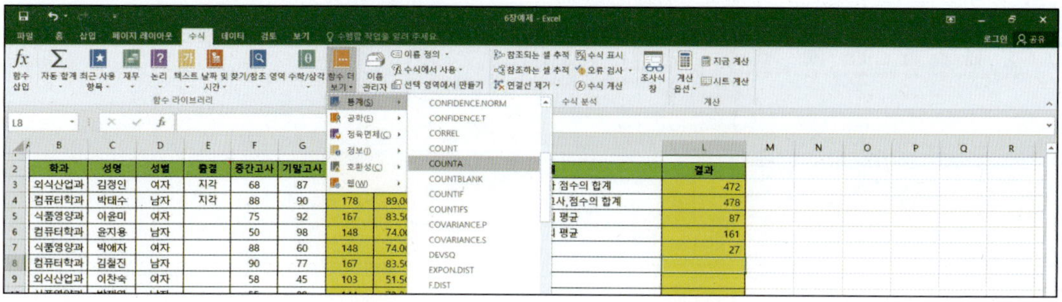

2. 함수 인수 대화상자가 나타나면 [Value1 : E3:E29]를 입력하고 확인 버튼을 클릭합니다.

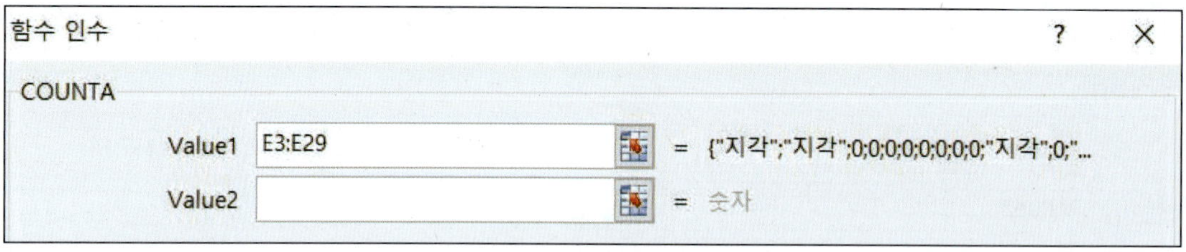

3. 학생들 중 지각생 수 '8' 이 L8 셀에 계산되는 것을 확인할 수 있습니다.

학과	성명	성별	출결	중간고사	기말고사	총점	평균	문제	결과
외식산업과	김정인	여자	지각	68	87	155	77.50	컴퓨터학과 학생들 중간고사 점수의 합계	472
컴퓨터학과	박태수	남자	지각	88	90	178	89.00	식품영양과 여학생들 기말고사 점수의 합계	478
식품영양과	이윤미	여자		75	92	167	83.50	지각생들의 중간고사 점수의 평균	87
컴퓨터학과	윤지용	남자		50	98	148	74.00	물리치료과 남학생들 총점의 평균	161
식품영양과	박애자	여자		88	60	148	74.00	총 학생 수	27
컴퓨터학과	김철진	남자		90	77	167	83.50	지각자 수	8
외식산업과	이찬숙	여자		58	45	103	51.50	출석생 수	

따라해 보세요 – COUNTBLANK 함수 활용하기

*시트명 : 조건부 함수

L9 셀에 출석생 수를 구하세요.

1. L9 셀로 커서를 이동한 후 [수식 탭 – 함수 라이브러리 그룹 – 함수 더보기 – 통계 – COUNTBLANK]를 클릭합니다.

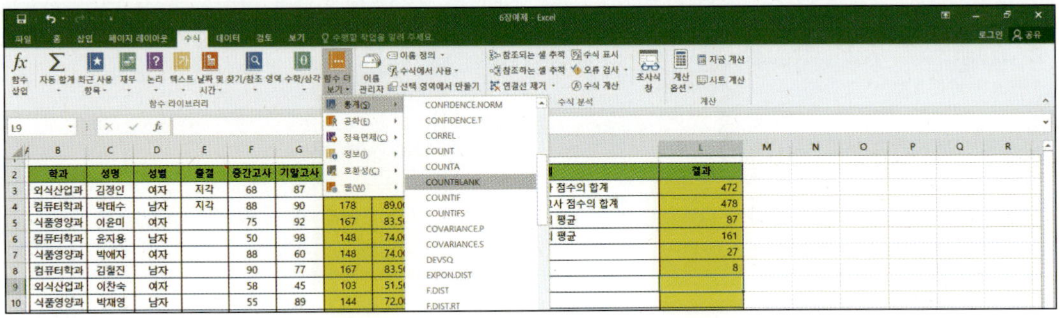

2. 함수 인수 대화상자가 나타나면 [Range : E3:E29]를 입력하고 확인 버튼을 클릭합니다.

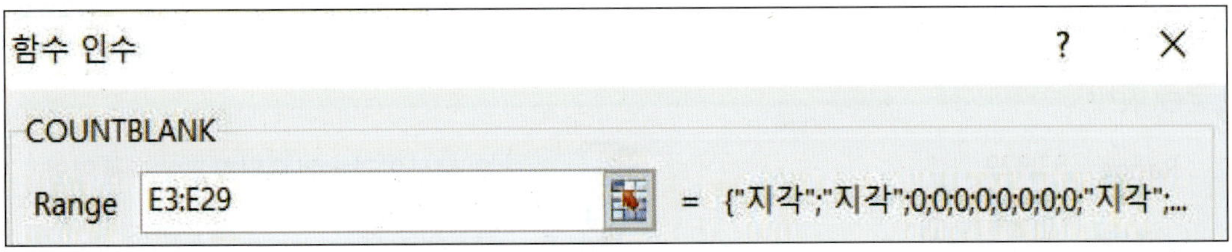

3. 학생들 중 출석생 수 '19' 가 L9 셀에 입력되는 것을 확인할 수 있습니다.

	B	C	D	E	F	G	H	I	J	K	L
2	학과	성명	성별	출결	중간고사	기말고사	총점	평균		문제	결과
3	외식산업과	김정인	여자	지각	68	87	155	77.50		컴퓨터학과 학생들 중간고사 점수의 합계	472
4	컴퓨터학과	박태수	남자	지각	88	90	178	89.00		식품영양과 여학생들 기말고사 점수의 합계	478
5	식품영양과	이윤미	여자		75	92	167	83.50		지각생들의 중간고사 점수의 평균	87
6	컴퓨터학과	윤지용	남자		50	98	148	74.00		물리치료과 남학생들 총점의 평균	161
7	식품영양과	박애자	여자		88	60	148	74.00		총 학생 수	27
8	컴퓨터학과	김철진	남자		90	77	167	83.50		지각자 수	8
9	외식산업과	이찬숙	여자		58	45	103	51.50		출석생 수	19
10	식품영양과	박재영	남자		55	89	144	72.00		외식산업과 학생 수	

따라해 보세요 – COUNTIF 함수 활용하기

*시트명 : 조건부 함수

L10 셀에 외식산업과 학생 수를 구하세요.

1. L10 셀로 커서를 이동한 후 [수식 탭 – 함수 라이브러리 그룹 – 함수 더보기 – 통계 – COUNTIF]를 클릭합니다.

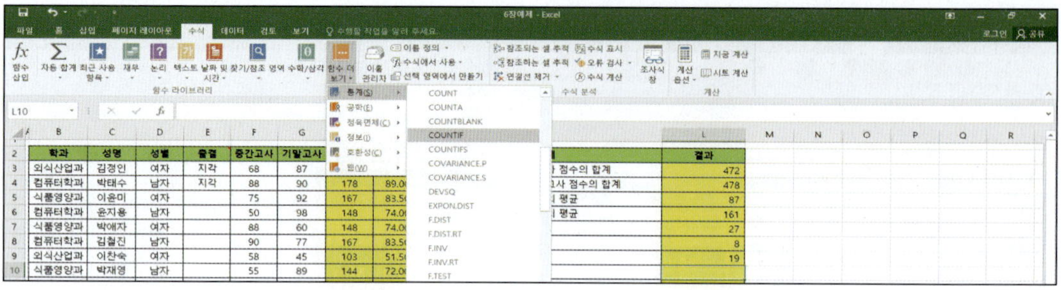

2. 함수 인수 대화상자가 나타나면 [Range : E3:E29, Criteria : "외식산업과"]를 입력하고 확인 버튼을 클릭합니다.

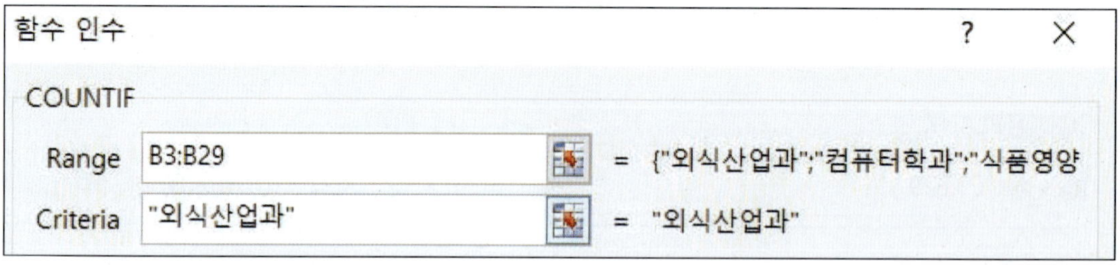

3. 학생들 중 외식산업과 학생의 수 '9' 가 L10 셀에 계산되는 것을 확인할 수 있습니다.

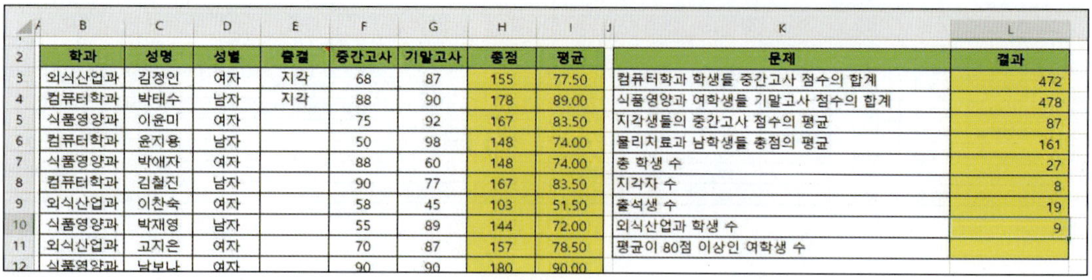

학과	성명	성별	출결	중간고사	기말고사	총점	평균	문제	결과
외식산업과	김정인	여자	지각	68	87	155	77.50	컴퓨터학과 학생들 중간고사 점수의 합계	472
컴퓨터학과	박태수	남자	지각	88	90	178	89.00	식품영양과 여학생들 기말고사 점수의 합계	478
식품영양과	이윤미	여자		75	92	167	83.50	지각생들의 중간고사 점수의 평균	87
컴퓨터학과	윤지용	남자		50	98	148	74.00	물리치료과 남학생들 총점의 평균	161
식품영양과	박애자	여자		88	60	148	74.00	총 학생 수	27
컴퓨터학과	김철진	남자		90	77	167	83.50	지각자 수	8
외식산업과	이찬숙	여자		58	45	103	51.50	출석생 수	19
식품영양과	박재영	남자		55	89	144	72.00	외식산업과 학생 수	9
외식산업과	고지은	여자		70	87	157	78.50	평균이 80점 이상인 여학생 수	
식품영양과	남보나	여자		90	90	180	90.00		

따라해 보세요 – COUNTIFS 함수 활용하기

*시트명 : 조건부 함수

L11 셀에 평균이 80점 이상인 여학생 수를 구하세요.

1. L11 셀로 커서를 이동한 후 [수식 탭 – 함수 라이브러리 그룹 – 함수 더보기 – 통계 – COUNTIFS]를 클릭합니다.

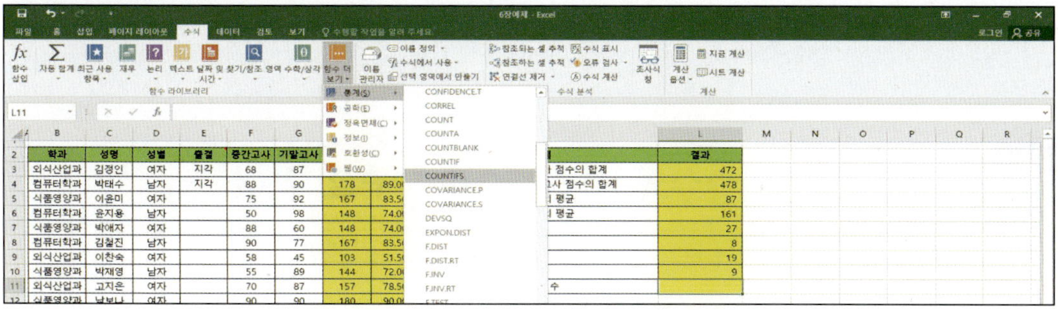

2. 함수 인수 대화상자가 나타나면 [Criteria_range1 : I3:I29, Criteria1 : “>=80” , Criteria_range2 : D3:D29, Criteria2 : “여자”]를 입력하고 확인 버튼을 클릭합니다.

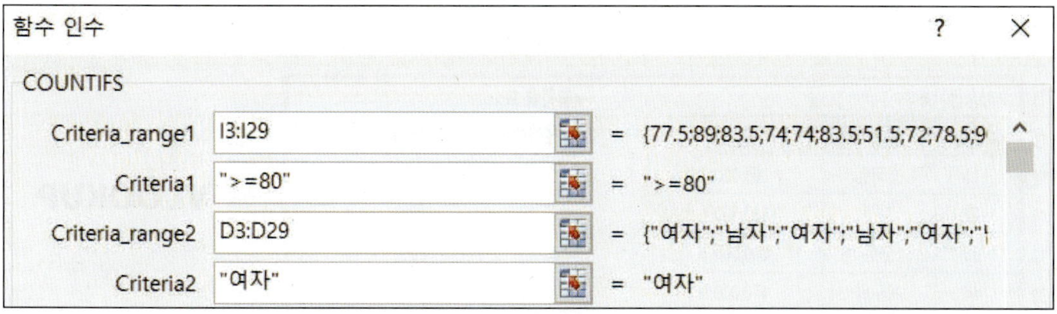

3. 학생들 중 평균이 80점 이상인 학생들 중 여학생 수 ‘7’ 이 L11 셀에 계산되는 것을 확인할 수 있습니다.

2	학과	성명	성별	출결	중간고사	기말고사	총점	평균	문제	결과
3	외식산업과	김정인	여자	지각	68	87	155	77.50	컴퓨터학과 학생들 중간고사 점수의 합계	472
4	컴퓨터학과	박태수	남자	지각	88	90	178	89.00	식품영양과 여학생들 기말고사 점수의 합계	478
5	식품영양과	이윤미	여자		75	92	167	83.50	지각생들의 중간고사 점수의 평균	87
6	컴퓨터학과	윤지용	남자		50	98	148	74.00	물리치료과 남학생들 총점의 평균	161
7	식품영양과	박애자	여자		88	60	148	74.00	총 학생 수	27
8	컴퓨터학과	김철진	남자		90	77	167	83.50	지각자 수	8
9	외식산업과	이찬숙	여자		58	45	103	51.50	출석생 수	19
10	식품영양과	박재영	남자		55	89	144	72.00	외식산업과 학생 수	9
11	외식산업과	고지은	여자		70	87	157	78.50	평균이 80점 이상인 여학생 수	7
12	식품영양과	남보나	여자		90	90	180	90.00		

02 찾기 및 참조 함수

참조 테이블에서 정확한 값을 빠르게 찾아 결과를 추출할 수 있다. 참조 테이블 모양에 따라 VLOOKUP 함수와 HLOOKUP 함수를 선택할 수 있다.

예제파일 : 6장예제.xlsx

2-1 VLOOKUP 함수와 HLOOKUP 함수의 차이

VLOOKUP 함수와 HLOOKUP 함수의 선택 기준

두 함수는 모두 참조 테이블에서 값을 찾아 추출하는 함수입니다. 그 테이블 범위가 수직(Vertical) 모양인지 수평(Horizontal) 모양인지에 따라 <u>수직(Vertical) 모양인 경우에는 VLOOKUP 함수</u>를 <u>수평(Horizontal) 모양인 경우에는 HLOOKUP 함수</u>를 선택할 수 있습니다.

<상품단가표>

상품코드	상품명	단가
11	스커트	65,000
22	자켓	382,500
33	코트	800,000
44	목도리	110,000

<할인율 표>

판매수량	할인율
0	0%
10	10%
20	20%
30	30%

→ VLOOKUP

<품질 평가표>

만족도	0	4	6	8	10
평가	불만족	품질개선 요구	대체로 만족	만족	매우만족

→ HLOOKUP

Tip 인수 값을 설정할 때에는 3번째 인수 값인 (Col / Row)index_num 의 차이만 있습니다. 나머지 인수 값은 모두 동일하게 입력할 수 있습니다.

2-2 VLOOKUP 함수 활용하기

VLOOKUP 함수

배열의 첫 열에서 값을 검색하여, 지정한 열의 같은 행에서 데이터를 추출합니다. 기본적으로 오름차순으로 표가 정렬됩니다.

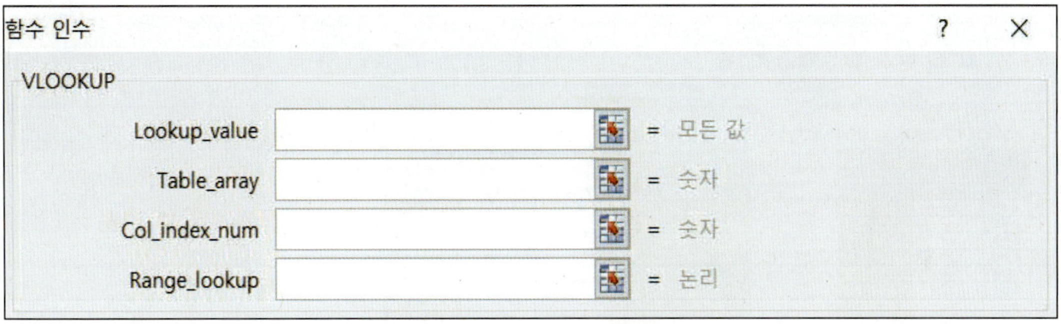

설명

인수 설정

- Lookup_value : 표의 첫 열에서 찾으려는 값입니다. 값이나 셀 주소 또는 텍스트일 수 있습니다.
- Table_array : 데이터를 검색하고 추출하려는 표입니다. Table_array는 범위에 대한 참조 값이나 범위 이름이 될 수 있습니다.
- **Col_index_num** : Table_array 내의 열(column) 번호로, 값을 추출할 열을 지정합니다. 표의 첫 열 값은 열 1입니다.
- Range_lookup : 논리 값으로 정확하게 일치하는 것을 찾으려면 false, 비슷하게 일치하는 것을 찾으려면 true(또는 생략)을 지정합니다.

따라해 보세요 – VLOOKUP 함수 활용하기

*시트명 : 찾기참조함수

상품단가 표와 할인율 표를 이용하여 '상품코드에 대한 상품명', '상품명에 대한 단가', '판매수량에 대한 할인율'의 값을 구하세요.

1. D4 셀로 커서를 이동한 후 [수식 탭 – 함수 라이브러리 그룹 – 찾기 / 참조 영역 – VLOOKUP]을 클릭합니다.

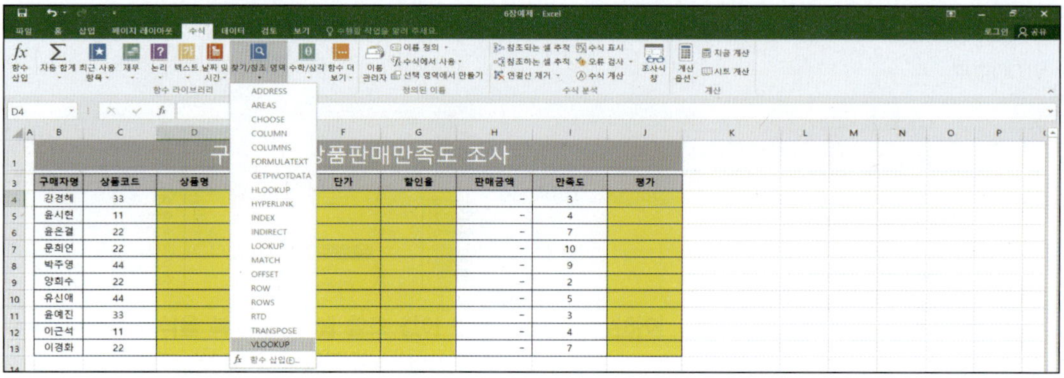

2. 함수 인수 대화상자가 나타나면 [Lookup_value : C4, Table_array : $B$16:$C$20, Col_index_num : 2, Range_lookup : FALSE]를 입력하고 확인 버튼을 클릭합니다.

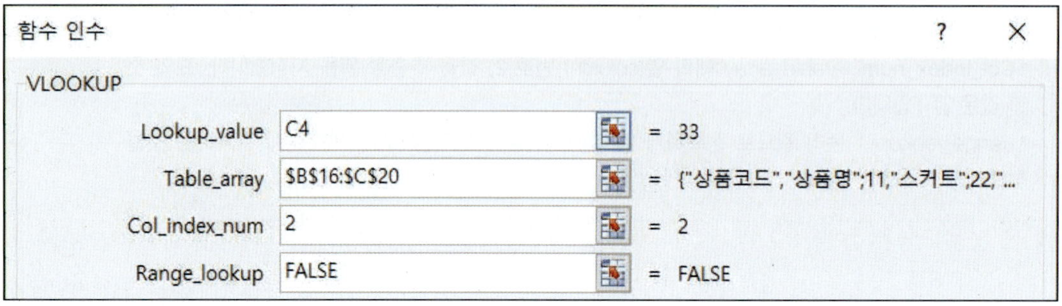

3. 상품 코드 '33' 에 해당하는 상품명 '코트' 가 D4 셀에 추출되는 것을 확인할 수 있습니다. 채우기 핸들을 이용하여 13행까지 수식을 복사합니다. 4행부터 13행까지 상품코드에 해당하는 '상품명' 이 추출되는 것을 확인할 수 있습니다.

구매자별 상품판매만족도 조사

구매자명	상품코드	상품명	판매수량	단가	할인율	판매금액	만족도	평가
강경혜	33	코트	13			-	3	
윤시현	11	스커트	40			-	4	
윤은결	22	자켓	34			-	7	
문희연	22	자켓	10			-	10	
박주영	44	목도리	29			-	9	
양희수	22	자켓	12			-	2	
유신애	44	목도리	50			-	5	
윤예진	33	코트	25			-	3	
이근석	11	스커트	17			-	4	
이경화	22	자켓	7			-	7	

4. 단가를 추출하기 위하여 F4 셀에 커서를 이동한 후 [수식 탭 – 함수 라이브러리 그룹 – 찾기 / 참조 영역 – VLOOKUP]을 클릭합니다.

5. 함수 인수 대화상자가 나타나면 [Lookup_value : D4, Table_array : $C$16:$D$20, Col_index_num : 2, Range_lookup : FALSE]를 입력하고 확인 버튼을 클릭합니다.

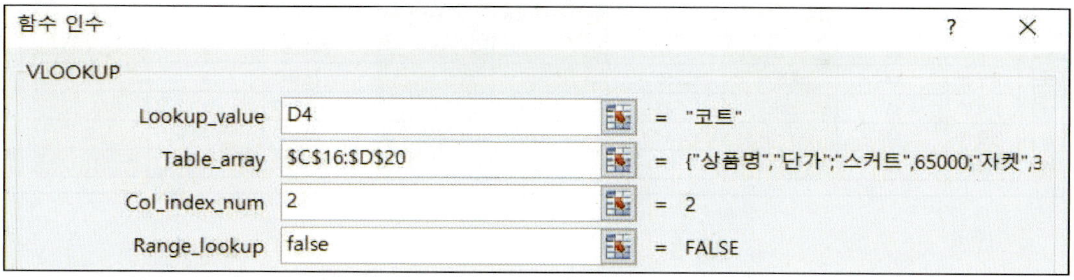

6. 상품명 '코트' 에 해당하는 단가 '800,000' 이 F4 셀에 추출되는 것을 확인할 수 있습니다. 채우기 핸들을 이용하여 13행까지 수식을 복사합니다. 4행부터 13행까지 상품명에 해당하는 '단가' 가 추출되는 것을 확인할 수 있습니다.

7. 할인율을 추출하기 위하여 G4 셀에 커서를 이동한 후 [수식 탭 – 함수 라이브러리 그룹 – 찾기 / 참조 영역 – VLOOKUP]을 클릭합니다.

8. 함수 인수 대화상자가 나타나면 [Lookup_value : E4, Table_array : $F$16:$G$20 , Col_index_num : 2, Range_lookup : TRUE]를 입력하고 확인 버튼을 클릭합니다.

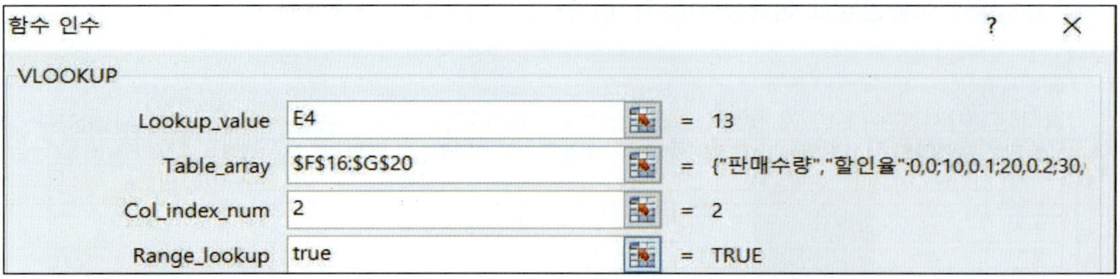

9. 판매수량 '13' 에 해당하는 할인율 '10%' 가 G4 셀에 추출되는 것을 확인할 수 있습니다. 채우기 핸들을 이용하여 13행까지 수식을 복사합니다. 4행부터 13행까지 판매수량에 해당하는 '할인율' 이 추출되는 것을 확인할 수 있습니다.

구매자별 상품판매만족도 조사

구매자명	상품코드	상품명	판매수량	단가	할인율	판매금액	만족도	평가
강경혜	33	코트	13	800,000	10%	720,000	3	
윤시현	11	스커트	40	65,000	30%	45,500	4	
윤은결	22	자켓	34	382,500	30%	267,750	7	
문희연	22	자켓	10	382,500	10%	344,250	10	
박주영	44	목도리	29	110,000	20%	88,000	9	
양희수	22	자켓	12	382,500	10%	344,250	2	
유신애	44	목도리	50	110,000	30%	77,000	5	
윤예진	33	코트	25	800,000	20%	640,000	3	
이근석	11	스커트	17	65,000	10%	58,500	4	
이경화	22	자켓	7	382,500	0%	382,500	7	

2-3 HLOOKUP 함수 활용하기

HLOOKUP 함수

배열의 첫 행에서 값을 검색하여, 지정한 행의 같은 열에서 데이터를 추출합니다.

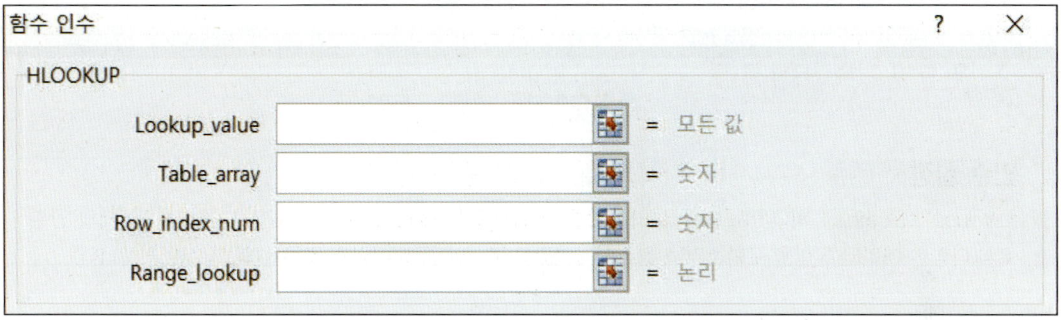

설명

인수 설정

- Lookup_value : 표의 첫 행에서 찾으려는 값입니다. 값이나 셀 주소 또는 텍스트일 수 있습니다.
- Table_array : 데이터를 검색하고 추출하려는 표입니다. Table_array는 범위에 대한 참조 값이나 범위 이름이 될 수 있습니다.
- **Row_index_num** : Table_array 내의 행(Row) 번호로, 값을 추출할 행을 지정합니다. 표의 첫 행 값은 행 1입니다.
- Range_lookup : 논리 값으로 정확하게 일치하는 것을 찾으려면 false, 비슷하게 일치하는 것을 찾으려면 true(또는 생략)을 지정합니다.

따라해 보세요 – HLOOKUP 함수 활용하기

*시트명 : 찾기참조함수

품질 평가표를 이용하여 '평가' 열의 값을 구하세요.

1. J4 셀로 커서를 이동한 후 [수식 탭 – 함수 라이브러리 그룹 – 찾기 / 참조 영역 – HLOOKUP]을 클릭합니다.

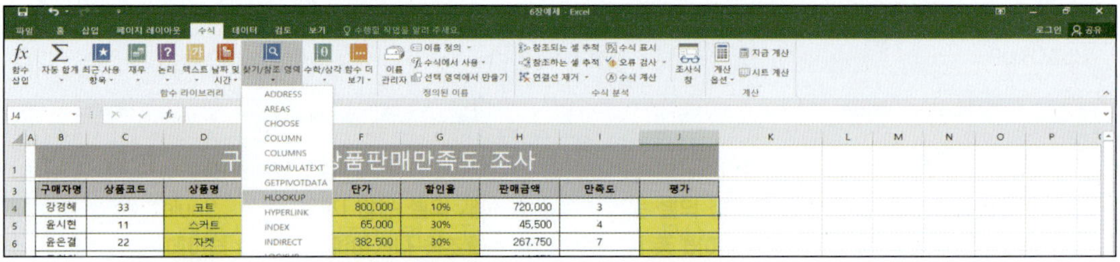

2. 함수 인수 대화상자가 나타나면 [Lookup_value : I4, Table_array : $B$23:$G$24 , Row_index_num : 2, Range_lookup : TRUE]를 입력하고 확인 버튼을 클릭합니다.

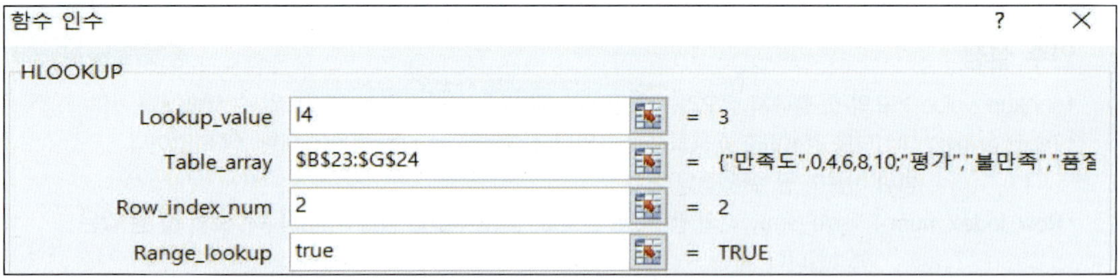

3. 만족도 '3' 에 해당하는 평가 '불만족' 이 J4 셀에 추출되는 것을 확인할 수 있습니다. 채우기 핸들을 이용하여 13행까지 수식을 복사합니다. 4행부터 13행까지 만족도에 해당하는 '평가' 가 추출되는 것을 확인할 수 있습니다.

구매자별 상품판매만족도 조사

구매자명	상품코드	상품명	판매수량	단가	할인율	판매금액	만족도	평가
강경혜	33	코트	13	800,000	10%	720,000	3	불만족
윤시현	11	스커트	40	65,000	30%	45,500	4	품질개선 요구
윤은결	22	자켓	34	382,500	30%	267,750	7	대체로 만족
문희연	22	자켓	10	382,500	10%	344,250	10	매우만족
박주영	44	목도리	29	110,000	20%	88,000	9	만족
양희수	22	자켓	12	382,500	10%	344,250	2	불만족
유신애	44	목도리	50	110,000	30%	77,000	5	품질개선 요구
윤예진	33	코트	25	800,000	20%	640,000	3	불만족
이근석	11	스커트	17	65,000	10%	58,500	4	품질개선 요구
이경화	22	자켓	7	382,500	0%	382,500	7	대체로 만족

03 이중 함수

하나의 수식에 2개 이상의 함수를 이용하여 수식을 계산할 수 있다.

예제파일 : 6장예제.xlsx

3-1 IF 함수와 MID 함수 활용하기

따라해 보세요 – IF 함수와 MID 함수 활용하기

*시트명 : 이중함수

2개의 함수를 이용하여 H 열에 성별을 입력하세요.

1. H4 셀에 커서를 이동한 후 [수식 탭 – 함수 라이브러리 그룹 – 논리 – IF]를 클릭합니다.

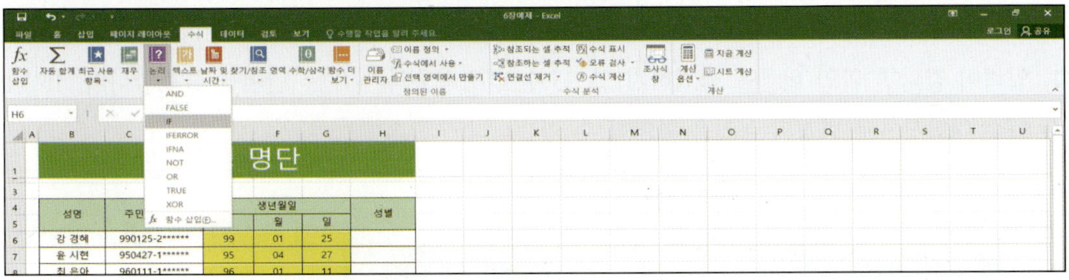

2. 함수 인수 대화상자가 나타나면 Logical_test 인수 값에 커서를 이동한 후 이름상자를 클릭하여 MID 함수를 클릭합니다. (IF 함수 안에 MID 함수 추가하는 방법)

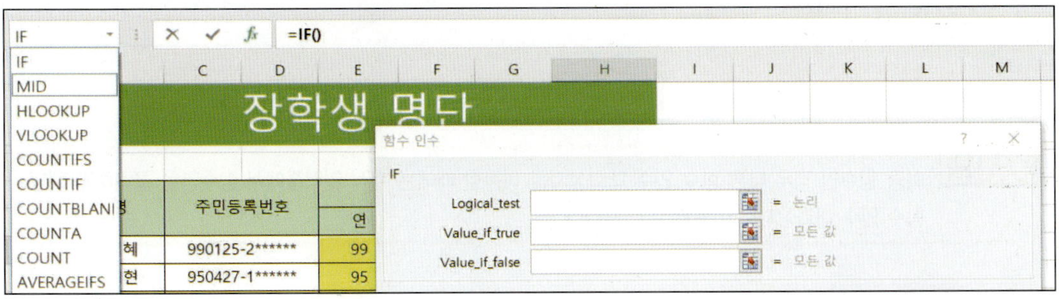

Tip

MID 함수가 보이지 않는 경우 '함수 추가...' 메뉴를 이용하여 추가합니다.
Logical_test 인수 값에 [MID(C5,8,1)= "1"] 을 직접 입력해도 상관없습니다.

3. 'IF' 함수 인수 대화상자에서 'MID' 함수 인수 대화상자로 변경되는 것을 확인할 수 있습니다. MID 함수 인수 대화상자에 [Text : C6, Start_num : 8, Num_chars : 1]을 입력합니다.

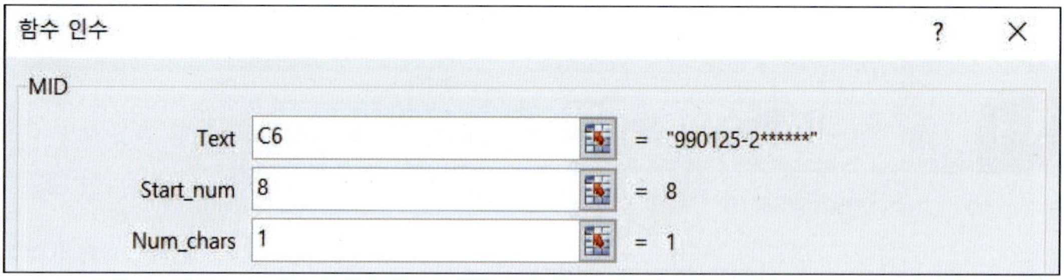

Tip

확인 버튼을 클릭하면 대화상자가 종료되고 함수 입력도 종료됩니다.

4. 입력이 끝나면 확인 버튼을 클릭하지 말고, 수식 입력줄의 'IF' 단어를 클릭합니다. IF 함수 인수 대화상자로 변경되는 것을 확인할 수 있습니다.

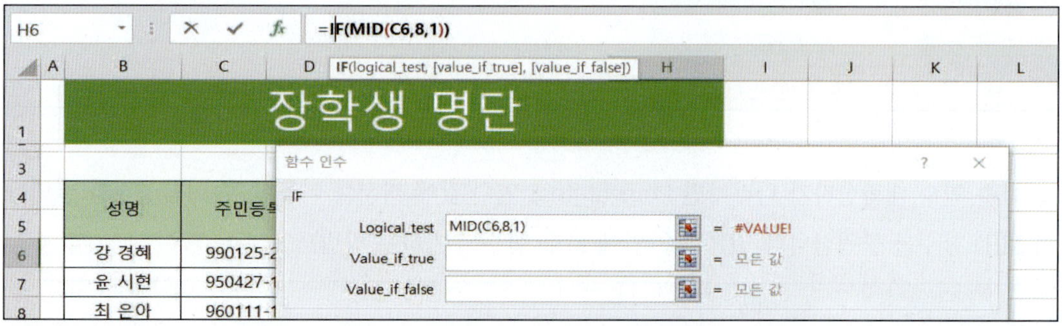

Tip

이중 함수인 경우 다른 함수 인수 대화상자를 이동할 때에는 수식 입력줄에서 함수명을 클릭하면 해당 함수 인수 대화상자로 이동할 수 있습니다.

5. IF 함수 인수 대화상자에 [Logical_test : MID(C6,8,1)= "1" , Value_if_true : "남자" , Value_if_false : "여자"]를 입력하고 확인 버튼을 클릭합니다.

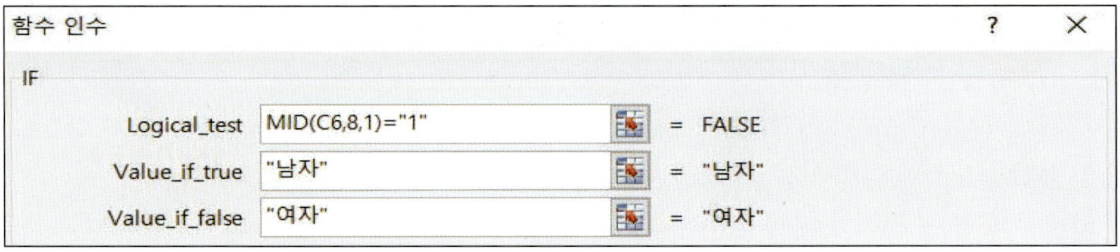

Tip 입력결과가 '여자' 만 나타나는 경우는 Logical_test 값 중 "1" 에 큰 따옴표를 입력하지 않았기 때문입니다. 큰 따옴표를 입력한 후 다시 채우기 핸들로 수식을 복사합니다. 성별이 바르게 입력되는 것을 확인할 수 있습니다.

6. H6 셀에 강경혜 학생의 성별 '여자' 가 입력되는 것을 확인할 수 있습니다. 채우기 핸들을 이용하여 15행까지 수식을 복사합니다. 각 학생의 성별이 입력되는 것을 확인할 수 있습니다.

장학생 명단

성명	주민등록번호	생년월일			성별
		연	월	일	
강 경혜	990125-2******	99	01	25	여자
윤 시현	950427-1******	95	04	27	남자
최 은아	960111-1******	96	01	11	남자
문 희연	971209-2******	97	12	09	여자
박 주영	960323-2******	96	03	23	여자
양 희수	940416-1******	94	04	16	남자
유 신애	970111-1******	97	01	11	남자
윤 예진	990529-2******	99	05	29	여자
이 근석	900102-2******	90	01	02	여자
이 경화	971219-1******	97	12	19	남자

6장 실 전 예 제 만 들 기

실전예제 1

'6장 실전학습1.xlsx' 파일을 이용하여 각 시트의 결과를 계산하세요.

Q1 SUM, SUMIF, SUMIFS 함수를 이용하여 노란색 부분의 계산을 완성하시오.

＊ 시트명 : Q1

1. H5 셀로 커서를 이동합니다. 5월 용돈 사용 금액 합계를 계산하기 위하여 [수식 탭 – 함수 라이브러리 그룹 – 수학/삼각 – SUM]을 클릭합니다.

2. 함수 인수 대화상자가 나타나면 Number1은 'D5:D31' 을 입력하고 확인 버튼을 클릭합니다.

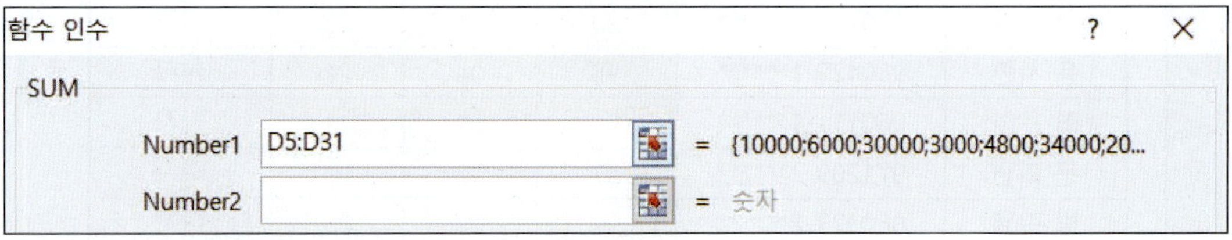

수식) = SUM(A5:A31)

3. 결과 값으로 '653,100' 이 입력되는 것을 확인할 수 있습니다.

4. H7 셀로 커서를 이동합니다. 식비 합계를 계산하기 위하여 [수식 탭 – 함수 라이브러리 그룹 – 수학/삼각 – SUMIF]를 클릭합니다.

5. 함수 인수 대화상자가 나타나면 Range는 '$C$5:$C$31', Criteria는 'H6', Sum_range는 '$D$5:$D$31'을 입력하고 확인 버튼을 클릭합니다.

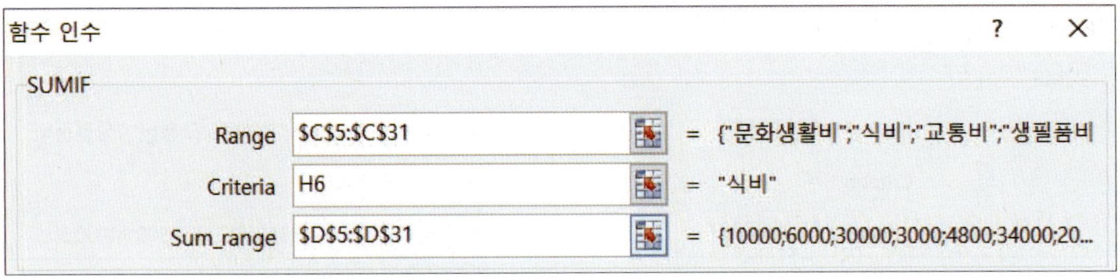

수식) =SUMIF($C$5:$C$31,H6,$D$5:$D$31)

Tip

채우기 핸들을 이용하여 수식을 복사하기 위하여 반드시 절대 참조로 변경해야 합니다.

6. 결과 값으로 '162,000'이 입력되는 것을 확인할 수 있습니다. 교통비, 꾸밈비, 통신비의 수식을 계산하기 위하여 채우기 핸들을 이용하여 K7 셀까지 수식을 복사합니다.

7. H9 셀로 커서를 이동합니다. 의료비 합계를 계산하기 위하여 [수식 탭 - 함수 라이브러리 그룹 - 수학/삼각 - SUMIF]를 클릭합니다.

8. 함수 인수 대화상자가 나타나면 Range는 '$C$5:$C$31', Criteria는 'H8', Sum_range는 '$D$5:$D$31'을 입력하고 확인 버튼을 클릭합니다.

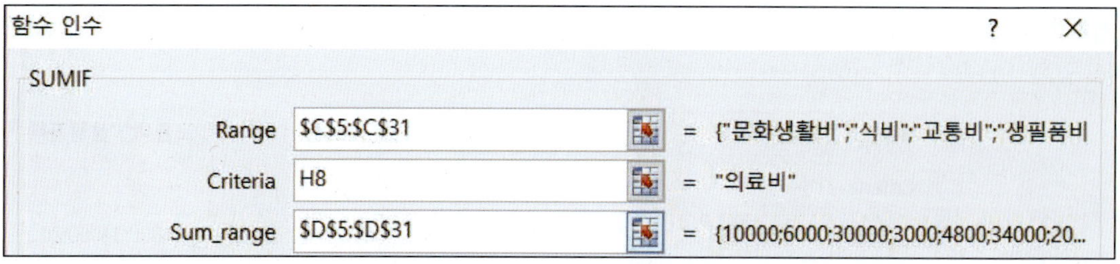

수식) =SUMIF($C$5:$C$31,H8,$D$5:$D$31)

Tip

H7셀을 복사(Ctrl+C)하여 붙여넣기(Ctrl+V)를 해도 계산식이 복사됩니다.

9. 결과 값으로 '4,800'이 입력되는 것을 확인할 수 있습니다. 문화생활비, 생필품비, 저축의 수식을 계산하기 위하여 채우기 핸들을 이용하여 K9 셀까지 수식을 복사합니다.

10. J5 셀로 커서를 이동합니다. 식비 중 현금 사용 금액 합계를 계산하기 위하여 [수식 탭 – 함수 라이브러리 그룹 – 수학/삼각 – SUMIFS]를 클릭합니다.

11. 함수 인수 대화상자가 나타나면 Sum_range는 'D5:D31' Criteria_range1은 'C5:C31', Criteria1은 '"식비"', Criteria_range2는 'F5:F31', Criteria2는 '"현금"'을 입력하고 확인 버튼을 클릭합니다.

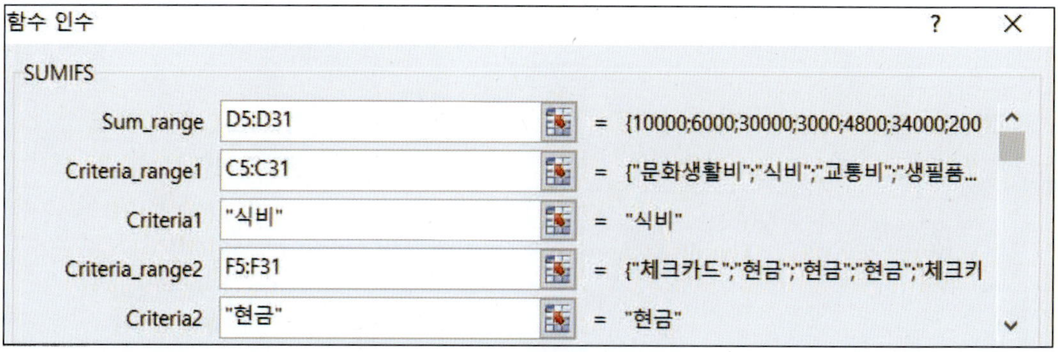

수식) =SUMIFS(D5:D31,C5:C31, "식비" ,F5:F31, "현금")

12. 결과 값으로 '62,000' 이 입력되는 것을 확인할 수 있습니다.

[5월 용돈 사용 내역]

날짜	분류	금액	사용내역	결제방법
5/1	문화생활비	₩ 10,000	영화관람	체크카드
5/2	식비	₩ 6,000	햄버거	현금
5/3	교통비	₩ 30,000	교통카드충전	현금
5/4	생필품비	₩ 3,000	우산	현금
5/5	의료비	₩ 4,800	내과	체크카드

5월 용돈 사용 금액 합계		식비 중 현금 사용 금액 합계	
₩ 653,100		₩ 62,000	
식비	교통비	꾸밈비	통신비
₩ 162,000	₩ 30,000	₩ 150,000	₩ 34,000
의료비	문화생활비	생필품비	저축
₩ 4,800	₩ 70,000	₩ 52,300	₩ 150,000

Tip

수식을 복사 하지 않으므로 절대 참조로 변경할 필요가 없습니다.

Q2 AVERAGE, AVERAGEIF, AVERAGEIFS 함수를 이용하여 노란색 부분의 계산을 완성하시오.

＊ 시트명 : Q2

1. H7 셀로 커서를 이동합니다. 1회 평균 사용 금액을 계산하기 위하여 [수식 탭 – 함수 라이브러리 그룹 – 함수 더 보기 – AVERAGE]를 클릭합니다.

2. 함수 인수 대화상자가 나타나면 Number1은 'D5:D31' 을 입력하고 확인 버튼을 클릭합니다.

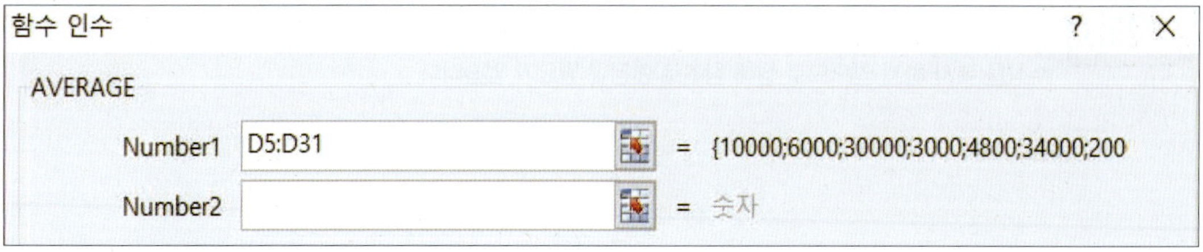

수식) =AVERAGE(D5:D31)

3. 결과 값으로 '24,189' 가 입력되는 것을 확인할 수 있습니다.

4. H9 셀로 커서를 이동합니다. 현금 사용 금액의 평균을 계산하기 위하여 [수식 탭 – 함수 라이브러리 그룹 – 함수 더 보기 – AVERAGEIF]를 클릭합니다.

5. 함수 인수 대화상자가 나타나면 Range는 '$F$5:$F$31' , Criteria는 'H8' , Average_range는 '$D$5:$D$31' 을 입력하고 확인 버튼을 클릭합니다.

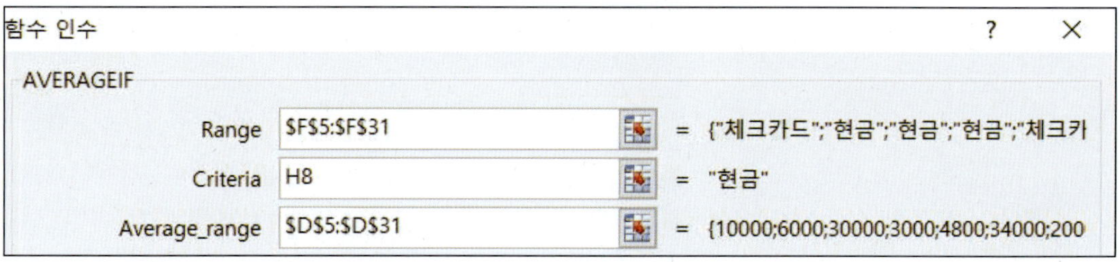

수식) =AVERAGEIF($F$5:$F$31,H8,$D$5:$D$31)

6. 결과 값으로 '18,846' 이 입력되는 것을 확인할 수 있습니다. 체크카드, 신용카드의 수식을 계산하기 위하여 채우기 핸들을 이용하여 J9 셀까지 수식을 복사합니다.

7. H5 셀로 커서를 이동합니다. 문화생활비 중 신용카드 평균 사용 금액을 계산하기 위하여 [수식 탭 – 함수 라이브러리 그룹 – 함수 더보기 – AVERAGEIFS]를 클릭합니다.

8. 함수 인수 대화상자가 나타나면 Average_range는 'D5:D31' , Criteria_range1은 'C5:C31' , Criteria1은 ' "문화생활비" ' , Criteria_range2는 'F5:F31' , Criteria2는 ' "신용카드" ' 를 입력하고 확인 버튼을 클릭합니다.

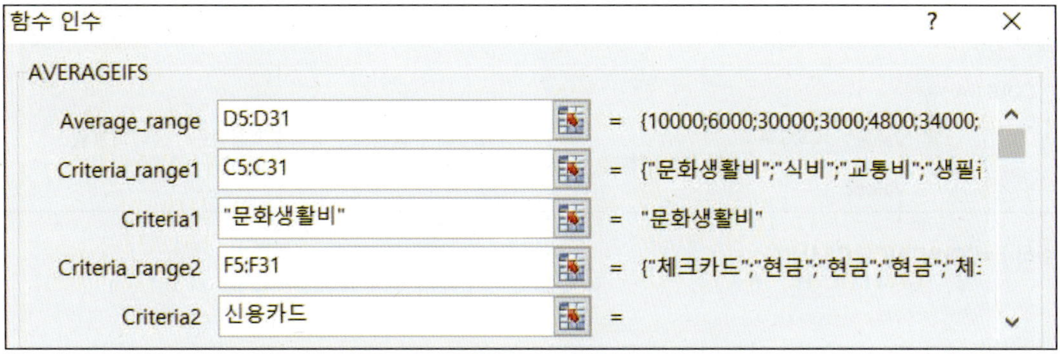

수식) =AVERAGEIFS(D5:D31,C5:C31, "문화생활비" ,F5:F31, "신용카드")

9. 결과 값으로 '25,000' 이 입력되는 것을 확인할 수 있습니다.

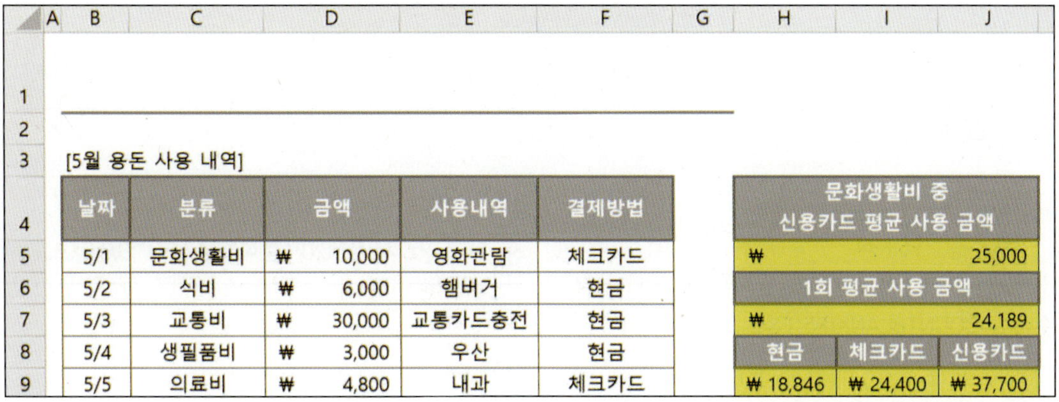

Q3 COUNTA, COUNTBLANK, COUNTIF, COUNTIFS 함수를 이용하여 노란색 부분의 계산을 완성하시오.

＊ 시트명 : Q3

1. I5 셀로 커서를 이동합니다. 총 학생 인원수를 계산하기 위하여 [수식 탭 – 함수 라이브러리 그룹 – 함수 더 보기 – COUNTA]를 클릭합니다.

2. 함수 인수 대화상자가 나타나면 Number1은 'C5:C34' 을 입력하고 확인 버튼을 클릭합니다.

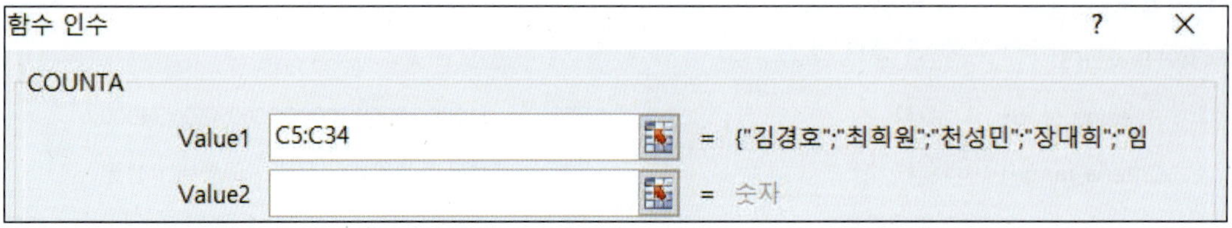

수식) =COUNTA(C5:C34)

3. 결과 값으로 '30' 이 입력되는 것을 확인할 수 있습니다.

4. I6 셀로 커서를 이동합니다. 출석생 수를 계산하기 위하여 [수식 탭 – 함수 라이브러리 그룹 – 함수 더 보기 – COUNTBLANK]를 클릭합니다.

5. 함수 인수 대화상자가 나타나면 Range은 'F5:F34' 을 입력하고 확인 버튼을 클릭합니다.

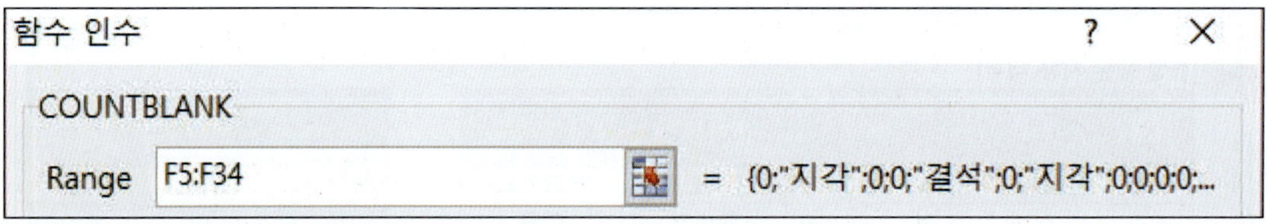

수식) =COUNTBLANK(F5:F34)

6. 결과 값으로 '20' 이 입력되는 것을 확인할 수 있습니다.

7. I7 셀로 커서를 이동합니다. 결석생 수를 계산하기 위하여 [수식 탭 - 함수 라이브러리 그룹 - 함수 더 보기 - COUNTIF]를 클릭합니다.

8. 함수 인수 대화상자가 나타나면 Range은 'F5:F34', Criteria는 ' "결석" '을 입력하고 확인 버튼을 클릭합니다.

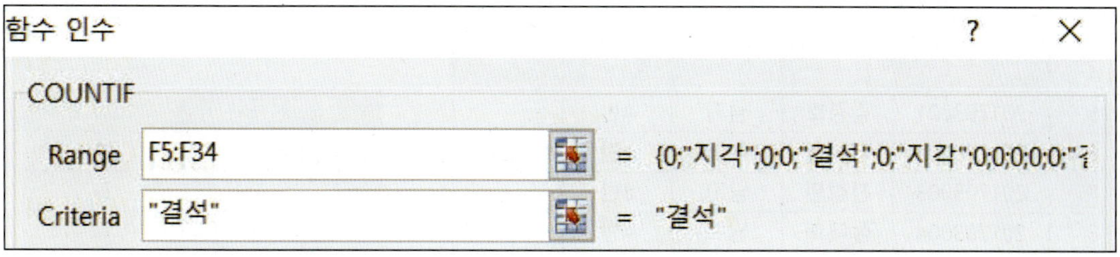

수식) =COUNTIF(F5:F34, "결석")

9. 결과 값으로 '3'이 입력되는 것을 확인할 수 있습니다.

10. I8 셀로 커서를 이동합니다. B반 여학생 수를 계산하기 위하여 [수식 탭 - 함수 라이브러리 그룹 - 함수 더 보기 - COUNTIFS]를 클릭합니다.

11. 함수 인수 대화상자가 나타나면 Criteria_range1은 'E5:E34', Criteria1은 ' "B반" ', Criteria_range2은 'D5:D34', Criteria2은 ' "여자" '를 입력하고 확인 버튼을 클릭합니다.

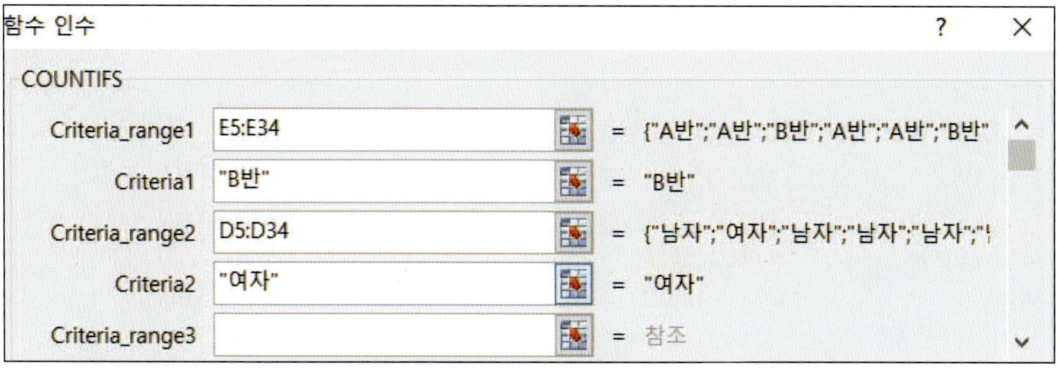

수식) =COUNTIFS(E5:E34, "B반" ,D5:D34, "여자")

12. 결과 값으로 '7' 이 입력되는 것을 확인할 수 있습니다.

[학생별 출석 관리]

학번	성명	성별	반	출결
201703001	김경호	남자	A반	
201703002	최희원	여자	A반	지각
201703003	천성민	남자	B반	
201703004	장대희	남자	A반	

항목	값
총 학생 인원수	30
출석생 수	20
결석생 수	3
B반 여학생 수	7

Q4 VLOOKUP 함수를 이용하여 I5 셀의 학번 목록을 선택하면 성명과 총점이 나타나도록 J5 셀과 K5셀을 계산하시오.

＊ 시트명 : Q4

1. J5 셀로 커서를 이동합니다. 학번에 해당하는 이름을 찾기 위하여 [수식 탭 – 함수 라이브러리 그룹 – 찾기/참조 영역 함수 – VLOOKUP]을 클릭합니다.

2. 함수 인수 대화상자가 나타나면 Lookup_value는 'I5', Table_array는 'B5:G34', Col_index_num는 '2', Range_lookup은 'FALSE'를 입력하고 확인 버튼을 클릭합니다.

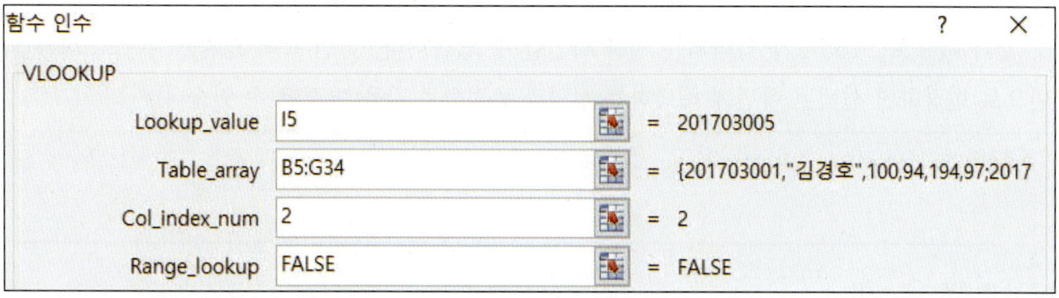

수식) =VLOOKUP(I5,B5:G34,2,FALSE)

3. I5셀의 목록상자에서 학번 '20170005'를 선택하면 결과 값으로 '임효성'이 입력되는 것을 확인할 수 있습니다.

4. K5 셀로 커서를 이동합니다. 학번에 해당하는 총점을 찾기 위하여 [수식 탭 – 함수 라이브러리 그룹 – 찾기/참조 영역 함수 – VLOOKUP]을 클릭합니다.

5. 함수 인수 대화상자가 나타나면 Lookup_value는 'I5', Table_array는 'B5:G34', Col_index_num는 '5', Range_lookup은 'FALSE'를 입력하고 확인 버튼을 클릭합니다.

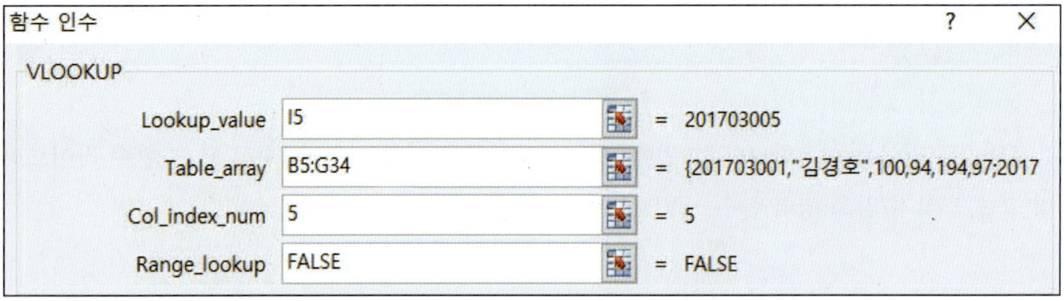

수식) =VLOOKUP(I5,B5:G34,5,FALSE)

6. 결과 값으로 '135'가 입력되는 것을 확인할 수 있습니다. 학번 목록 상자를 누르고 다른 학번으로 변경하면 선택된 학번에 해당하는 성명과 총점으로 값을 변경할 수 있습니다.

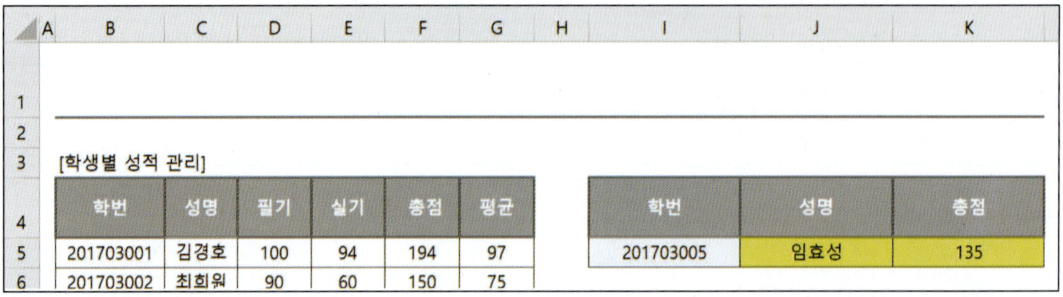

Q5 HLOOKUP 함수를 이용하여 기준 점수 표의 기준 점수별 평점을 H열에 표시하시오.

* 시트명 : Q5

1. H5 셀로 커서를 이동합니다. 기준 점수에 해당하는 평점을 찾기 위하여 [수식 탭 – 함수 라이브러리 그룹 – 찾기/참조 영역 함수 – HLOOKUP]을 클릭합니다.

2. 함수 인수 대화상자가 나타나면 Lookup_value는 'G5', Table_array는 '$K$5:$O$6', Col_index_num는 '2', Range_lookup은 'TRUE'를 입력하고 확인 버튼을 클릭합니다.

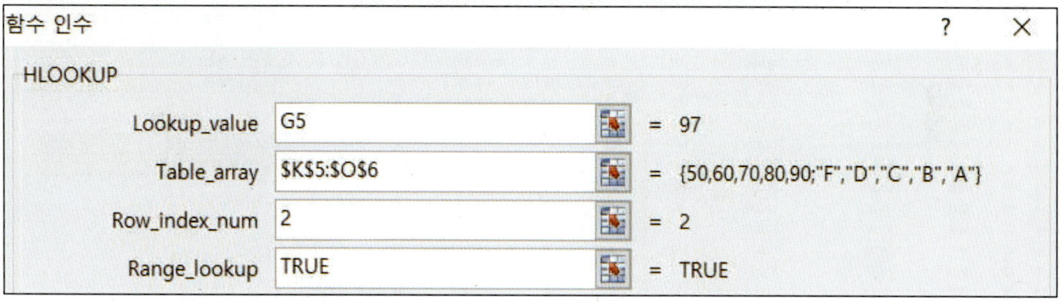

수식) =HLOOKUP(G5,$K$5:$O$6,2,TRUE)

3. 결과 값으로 'A'가 입력되는 것을 확인할 수 있습니다. 채우기 핸들을 이용하여 H34 셀까지 수식을 복사합니다.

[학생별 성적 관리]

학번	성명	필기	실기	총점	평균	평점
201703001	김경호	100	94	194	97	A
201703002	최희원	90	60	150	75	C
201703003	천성민	88	60	148	74	C
201703004	장대희	90	98	188	94	A
201703005	임효성	90	45	135	68	D
201703006	임기남	100	90	190	95	A
201703007	이현우	90	87	177	89	B
201703008	윤이성	90	89	179	90	B

[기준 점수 표]

평균 범위	69점 미만	60점 이상 70점 미만	70점 이상 80점 미만	80점 이상 90점 미만	90점 이상
기준 점수	50	60	70	80	90
평점	F	D	C	B	A

실전예제 2

'6장 실전학습2.xlsx' 파일을 이용하여 레스토랑 지점별 매출 전표에 알맞은 수식을 사용하여 빈칸을 완성하세요.

결과화면

레스토랑 지점별 매출 전표

No.	지점	메뉴코드	판매가	입고수량	판매수량	재고량	매출액	비고
1	서울	M-SK	43,000	90	32	58	1,376,000	B
2	서울	M-SG	26,000	120	50	70	1,300,000	B
3	경기	M-RI	22,000	100	80	20	1,760,000	B
4	서울	D-JU	26,000	150	16	134	416,000	A
5	부산	D-W	18,000	180	50	130	900,000	A
6	부산	S-CK	28,000	130	45	85	1,260,000	A
7	인천	S-IC	17,000	142	65	77	1,105,000	B
8	서울	M-PZ	32,000	162	62	100	1,984,000	A
9	서울	M-SD	24,000	220	22	198	528,000	A
10	경기	D-W	14,000	42	15	27	210,000	B
11	서울	M-SK	43,000	90	48	42	2,064,000	B
12	부산	M-SG	28,000	120	50	70	1,400,000	B
13	부산	M-RI	22,000	100	80	20	1,760,000	B
14	인천	D-JU	26,000	150	16	134	416,000	A
15	서울	D-W	18,000	180	50	130	900,000	A
16	서울	S-CK	28,000	130	45	85	1,260,000	A
17	경기	D-W	18,000	180	50	130	900,000	A
18	서울	S-CK	28,000	130	45	85	1,260,000	A
19	부산	S-IC	17,000	142	65	77	1,105,000	B
20	부산	M-SK	43,000	90	48	42	2,064,000	B

매출액의 합계	
서울	18,084,000
경기	4,186,000
부산	12,771,000
인천	6,445,000

M-SG 판매가 평균	23,200
100만원 이상의 매출	21

실전예제 3

'6장 실전학습3.xlsx' 파일을 이용하여 지점별 판매 현황에 알맞은 수식을 사용하여 빈칸을 완성하세요.

결과화면

지점별 판매 현황

지점	상품명	단가	코드	판매량	재고량	판매금액	판매율(%)
강남점	스마트폰	520,000	SG0001	88	26	45,760,000	18.5
강남점	PDA폰	460,000	SG0001	60	33	27,600,000	12.6
강남점	3D폰	320,000	SG0001	90	12	28,800,000	18.9
강남점	2D폰	280,000	SG0001	54	8	15,120,000	11.3
강서점	스마트폰	520,000	GA4422	88	55	45,760,000	18.5
강서점	PDA폰	460,000	GA4422	78	26	35,880,000	16.4
강서점	3D폰	320,000	GA4422	88	42	28,160,000	18.5
강서점	2D폰	280,000	GA4422	44	21	12,320,000	9.2
강동점	스마트폰	520,000	JS1705	80	22	41,600,000	16.8
강동점	PDA폰	460,000	JS1705	44	14	20,240,000	9.2
강동점	3D폰	320,000	JS1705	77	20	24,640,000	16.2
강동점	2D폰	280,000	JS1705	44	36	12,320,000	9.2
강북점	스마트폰	520,000	SR2001	85	22	44,200,000	17.9
강북점	PDA폰	460,000	SR2001	55	28	25,300,000	11.6
강북점	3D폰	320,000	SR2001	43	16	13,760,000	9.0
강북점	2D폰	280,000	SR2001	70	8	19,600,000	14.7

상품명	단가
스마트폰	520,000
PDA폰	460,000
3D폰	320,000
2D폰	280,000

	강남점	강서점	강북점	강동점
코드	SG0001	GA4422	SR2001	JS1705
지원금액	₩ 228,000	₩ 326,000	₩ 428,000	₩ 320,000

엑 셀

학 과		학 번		이 름	

도 장

월 일	월 일	월 일	월 일	월 일
월 일	월 일	월 일	월 일	월 일
월 일	월 일	월 일	월 일	월 일
월 일	월 일	월 일	월 일	월 일
월 일	월 일	월 일	월 일	월 일

찾아보기

Memo

Memo

Memo